Le fil rouge
du désir

Lisa Marie RICE

Le fil rouge du désir

ROMAN

*Traduit de l'américain
par Agathe Nabet*

Titre original
WOMAN ON THE RUN

Éditeur original
Ellora's Cave Publishing, Inc.

Prologue

Boston, 30 septembre

— Vous vous appellerez Sally Anderson, décréta le marshal.

— C'est parfaitement ridicule, riposta sèchement Julia. Vous trouvez que j'ai une tête à m'appeler Sally, vous ?

— À dire vrai, répondit-il en levant les yeux vers elle et en les rabaissant aussitôt, pour l'instant, vous avez plutôt une tête de déterrée.

— Je vous remercie de votre franchise, rétorqua Julia en serrant les pans de la couverture puante autour d'elle.

Plusieurs générations de représentants de commerce avaient dû faire Dieu seul savait quoi dans cette couverture, mais elle offrait l'avantage d'être chaude et cela faisait trois jours que Julia était glacée jusqu'à la moelle. Il faut dire que cela faisait trois jours qu'on cherchait à l'abattre, ce qui suffit généralement à réfrigérer n'importe qui.

L'homme qui lui faisait face s'assit à côté d'elle sur le lit défoncé de la chambre d'hôtel sordide où elle s'était réfugiée, et lui prit la main. Tout US marshal qu'il fût, Herbert Davis n'avait pas le physique de Gary Cooper. Il était à peine plus grand que Julia et avait plutôt l'allure d'un expert-comptable.

Si Julia avait été directrice de casting, elle aurait choisi quelqu'un d'autre pour incarner le rôle d'un US marshal. Un marshal est censé être grand et musclé, il a un regard d'acier et un six-coups sur la hanche ; il n'est pas petit, bedonnant et myope avec un téléphone portable dans son holster.

— Écoutez, Sally…

— Sally ?

— À partir de maintenant, vous vous appelez Sally, enchaîna Davis en sortant des papiers de la veste de son complet froissé. Sally May Anderson. Vous êtes née le 19 août 1977 à Bend, Oregon. Vous êtes la fille de Bob et Laverne Anderson, respectivement comptable et femme au foyer. Vous avez toujours vécu à Bend, vous n'êtes jamais allée à l'étranger, pas même au Canada. Vous avez obtenu votre diplôme d'enseignante à l'institut de formation local en 1999, et vous êtes institutrice à Bend depuis lors. Histoire de prendre un peu de distance avec vos parents, vous avez accepté un poste d'institutrice de CE1 à Simpson, Idaho.

Institutrice ? *Nooon.*

— Pas question, déclara fermement Julia en se levant.

La moquette maculée de café et trouée de brûlures de cigarettes ne couvrait pas un espace suffisant pour l'autoriser à faire les cent pas, aussi se contenta-t-elle de frissonner sur place.

— Ça ne marchera jamais. Je n'ai jamais mis les pieds en Oregon ni en Idaho. C'est bien simple, je ne suis jamais allée plus loin à l'ouest que Chicago. Je ne peux pas non plus me faire passer pour une institutrice, pour la bonne raison que je suis fille unique et que je n'ai aucune expérience des enfants. Les enfants ne m'intéressent pas, je n'y connais rien. Je suis éditrice, un métier que j'exerce avec passion. Mon père et ma mère sont morts et personne ne les aurait jamais suspectés de s'appeler… Bob et Laverne ! Je suis née à l'étranger et j'ai toujours eu un passeport. Mais surtout je ne peux pas m'appeler Sally. Encore moins Sally May !

Elle s'interrompit, pianota du bout des doigts sur l'étagère en plastique où Davis avait posé les affaires de toilette qu'il avait achetées pour elle dans un drugstore, puis se laissa retomber sur le lit et serra la couverture autour d'elle.

— Il faudra trouver autre chose, souffla-t-elle.

Herbert Davis avait patiemment écouté sa harangue avec une expression parfaitement neutre.

— Bon, dit-il en se frottant les genoux. J'imagine que tout cela n'est pas vraiment nécessaire.

Julia cligna des yeux. Ah bon ?

Davis soupira.

— Vous pouvez parfaitement décider de ne pas témoigner contre Santana, et on se contentera des preuves dont on dispose par ailleurs. La loi nous autorise à vous retenir en tant que témoin matériel, mais nous l'appliquons rarement. Personne ne peut vous contraindre à faire votre devoir de citoyen en nous aidant à mettre cette ordure derrière les barreaux. Si c'est ce que vous désirez, rien ne vous empêche de rentrer chez vous et de reprendre votre vie là où vous l'avez laissée samedi dernier, avant de voir Dominic Santana abattre Joey Capruzzo d'une balle dans la tête.

Julia sentit l'espoir renaître. Tout cela n'était qu'un cauchemar, qui allait bientôt se dissiper. Pour la première fois depuis trois jours, elle cessa d'avoir froid et la douleur qui irradiait dans sa poitrine s'estompa.

Jusqu'alors, elle n'avait pas imaginé d'issue à sa situation. Évidemment, son sens civique lui dictait d'aider la justice. Pendant près de deux secondes, Julia hésita entre son devoir de citoyenne et la perspective de retrouver sa vie d'avant.

Moins de deux secondes, en fait. Sa vie d'avant l'emporta haut la main. Elle lâcha les pans de la couverture et la laissa tomber sur le lit.

— Eh bien dans ce cas, je crois que…

— Évidemment, ajouta Davis d'un ton rêveur en arrachant les peluches de la couverture, je ne vous donne pas plus d'un quart d'heure de survie une fois que vous serez dehors. Santana a promis une récompense d'un million à celui qui lui remettra votre tête tranchée. Un million de dollars, Sally…

— Julia, murmura-t-elle en s'affaissant, saisie d'un léger vertige.

Elle avait clairement senti sa tête se vider de son sang.

— Sally, reprit-il d'un ton ferme. Le premier qui vous mettra la main dessus gagnera un million de dollars. Beaucoup de gens seraient disposés à commettre des crimes bien plus épouvantables qu'une décapitation pour moins que ça. La chasse est ouverte, Sally, et c'est vous le gibier.

Un étrange bruit de gorge franchit les lèvres de Julia, et Davis hocha la tête.

— Bien, dit-il en reportant les yeux sur ses papiers. Reprenons. Vous êtes née en réalité à Londres le 6 mars 1977, fille unique de parents âgés. Votre père était cadre supérieur chez IBM et vous avez grandi un peu partout dans le monde, ne fréquentant que des écoles américaines. Vos père et mère sont décédés et vous n'avez aucun autre parent en vie. Après obtention de votre baccalauréat, vous êtes revenue faire des études aux États-Unis, à l'université de Columbia. Vous travaillez pour une prestigieuse maison d'édition établie à Boston depuis 2001. Vous gagnez 38 000 dollars par an. Avec l'argent que vous ont laissé vos parents, vous avez acheté un petit appartement à Boston. Vous vivez seule avec votre chat que vous avez baptisé Federico Fellini. Vous aimez le cinéma, et plus particulièrement les vieux films. Vous aimez les livres et passez la majeure partie de votre temps libre dans les librairies d'occasion. Votre meilleure amie s'appelle Dora. Vous aimez la nourriture épicée. Vous entretenez une relation sentimentale épisodique avec un dénommé Mason Hewitt. J'ai bon jusqu'ici ? demanda-t-il en relevant les yeux de ses notes pour la dévisager.

Julia se contenta de l'observer, muette de surprise.

— Tout ce que je viens de vous dire est à la portée du premier venu ; vos amis et collègues ont été ravis de nous parler de vos habitudes. Et croyez-moi, un million de dollars, c'est une sacrée motivation. Nous nous trouvons donc en présence d'une jeune femme sophistiquée et cosmopolite qui aime la vie urbaine, les livres et le cinéma d'art et d'essai, et qui n'a jamais quitté la côte Est. Comprenez-vous désormais pourquoi il est impératif de vous parachuter dans une petite ville de l'Ouest pour devenir une institutrice qui n'a jamais fait la moindre demande de passeport ?

— Je vous en supplie, murmura Julia tandis que Davis se dirigeait vers la porte. Je ne pourrai jamais faire ça, c'est au-dessus de mes forces.

Il se retourna vers elle et la toisa de ses grands yeux de cocker.

— Bienvenue dans la chaîne alimentaire, Sally, lâcha-t-il d'un ton tranquille avant de quitter la pièce.

Un million de dollars.

L'esthète du crime avait les yeux rivés sur l'écran de son ordinateur. Peu d'années s'étaient écoulées depuis l'époque où l'esthète était le meilleur hacker de Stanford. Son pouvoir était demeuré intact. L'information, c'est le pouvoir.

La plupart des gens s'imaginent qu'un tueur à gages est un abruti tout juste capable de pointer une arme sur sa cible. Grossière erreur. Un tueur à gages est farouchement indépendant et ambitieux. Il organise ses horaires à sa guise et gagne énormément d'argent. De l'argent non imposable, qui plus est. Presser sur la détente est la partie la plus simple de son travail. Quelques heures d'entraînement hebdomadaire dans une salle de tir suffisent à accomplir ce geste avec précision. Le plus difficile, c'est de trouver la victime. La chasse. C'est ce qui fait toute la différence entre un tueur à gages professionnel et un amateur.

La victime en puissance était une cible idéale. Une fois dénichée, une seule balle suffirait à lui régler son compte. Une simple capsule de cyanure dans une tasse de café pourrait même faire l'affaire. L'inviter à prendre un café ne serait pas difficile. Ses amis décrivaient Julia Devaux comme quelqu'un de chaleureux. Sympa, bosseuse, cinéphile chevronnée et lectrice invétérée. Enfance à l'étranger, trilingue, diplômée d'anglais, un bon boulot dans l'édition, adore les chats, déteste les chiens. Son chat s'appelait Federico Fellini.

L'esthète n'avait eu aucun mal à obtenir ces informations. C'est fou ce que les gens sont prêts à raconter quand on leur colle un badge du FBI bidon sous le nez.

Un million de dollars. Une somme rondelette. Avec l'argent déjà gagné sur ses précédents contrats, ce serait suffisant pour se retirer à Sainte-Lucie dans cette somptueuse villa en bord de mer. Les francs suisses tomberaient tous les mois, régulièrement, et le fisc n'en entendrait jamais parler. La retraite à trente ans, dans une villa au soleil. Tueur à gages était tout simplement un métier de rêve.

Julia Devaux devait mourir.

Dommage. Elle était très appréciée de son entourage et plutôt jolie, d'après la photo qui figurait sur le site Internet de sa boîte. Un beau brin de rousse. Dommage pour elle, mais... un million de dollars est un million de dollars.

Les hommes de Santana devaient la chercher partout, à l'heure qu'il était. Se ridiculiser en laissant derrière eux des traces qu'un aveugle pouvait suivre.

Mais il existait d'autres moyens de trouver Julia Devaux, se dit l'esthète en pianotant tranquillement sur son clavier. Des moyens à la fois plus simples et plus complexes.

1

Un mois plus tard, Simpson, Idaho

— Sally ! appela une voix haletante. Attendez !

Julia Devaux poursuivit son chemin le long du couloir, puis s'immobilisa subitement. Sally. C'était elle qu'on venait d'appeler. Elle s'appelait Sally dorénavant. S'y habituerait-elle un jour ? Pourtant, se dit-elle en baissant les yeux sur son accoutrement, vu de l'extérieur, j'ai tout d'une Sally.

Jupe marron foncé, sweater marron terne, mocassins confortables marron quelconque. Une tenue assortie à la teinture brun chocolat sous laquelle Herbert Davis lui avait imposé de dissimuler la somptueuse chevelure rousse qui avait toujours fait sa fierté. C'était en appliquant cette teinture sur ses cheveux que Julia avait intégré toute l'horreur de sa situation. Elle avait lu la notice d'instructions à travers ses larmes, ce qui expliquait peut-être la masse de cheveux dépourvue de reflets qui surmontait son crâne. Elle les avait coupés elle-même. Le résultat évoquait une sorte de George Clooney femelle.

Herbert Davis ne l'avait laissée emporter aucun de ses effets personnels. Deux valises remplies de vêtements l'attendaient quand elle s'était présentée à l'aéroport. Des vêtements raisonnables, tristes, informes et tellement démodés qu'elle n'aurait pas voulu qu'on la vît morte dedans.

Sur le moment, elle ne s'en était pas souciée. Dieu n'a pas inventé le shopping pour rien, s'était-elle dit pour se consoler. Elle ignorait encore que le seul magasin où l'on puisse trouver des vêtements à Simpson faisait essentiellement office de quincaillerie.

Le seul point positif, c'était qu'elle passait complètement inaperçue. La mode n'était pas la priorité majeure des habitants de Simpson, Idaho. Julia frissonna et resserra les pans de son sweater autour de sa frêle silhouette.

— Bonjour Jerry, dit-elle en s'efforçant d'adopter un ton enthousiaste.

Tant qu'il ne se lançait pas dans le récit interminable de ses bonnes œuvres, toutes plus inutiles les unes que les autres, le directeur de l'école était plutôt du genre inoffensif. Son dernier triomphe en date consistait à avoir expédié deux cents kilos de jambon et de lainages dans un pays musulman victime d'un tremblement de terre où la température moyenne avoisinait les quarante degrés en hiver.

— Bonjour Sally, répondit-il en faisant remonter ses lunettes sur son nez retroussé.

Pantalon de polyester moulant d'une couleur foncée indéfinissable qui s'arrêtait nettement au-dessus de la cheville, chemisette de polyester vert acide à manches courtes alors qu'il gelait à pierre fendre et lunettes à monture de plastique imitant l'écaille. Qui habille ce type ? se demanda Julia. Elmer le chasseur ?

— Comment allez-vous ? s'enquit-il avec un sourire attendrissant.

Sa tête était mise à prix. On l'avait exilée à Simpson, Sibérie. Federico Fellini, son chat adoré, si raffiné et délicat, avait été placé dans une famille d'accueil. Elle ne pouvait plus exercer la profession qu'elle aimait et vivait dans une maison dont non seulement la toiture, mais aussi les murs fuyaient.

— Très bien, Jerry, répliqua-t-elle. Très bien. Que puis-je faire pour vous ?

Il lui rendit son sourire, révélant une impressionnante rangée de dents blanches. Le beau-frère de Jerry projetait de devenir hygiéniste dentaire et l'utilisait comme cobaye. Intensivement.

— Elsa et moi recevons quelques amis à dîner demain soir, et nous aimerions vous proposer de vous joindre à nous. Elsa préparera sa grande spécialité : les macaronis, ajouta-t-il sur le ton de la confidence. Ce serait un crime de rater ça.

Julia redressa la tête. Un lent travelling des trattorias où elle avait ses habitudes en Italie défila devant ses yeux et elle faillit gémir. Gorgonzola et penne. Amatriciana. Pesto. Elle aurait vendu son âme pour une bouchée de nourriture digne de ce nom.

— Je ne savais pas qu'Elsa cuisinait italien.

— Mais si, affirma Jerry fièrement. Elsa prépare des macaronis chaque fois qu'on reçoit du monde. Elle fait cuire les pâtes pendant à peu près une heure jusqu'à ce qu'elles soient bien molles, après quoi elle ajoute du ketchup et du cheddar et les fait gratiner au four, expliqua-t-il sans se départir de son sourire, ses grands yeux bruns luisant de gourmandise derrière les verres de ses lunettes. Miam-miam !

Julia ferma les yeux et adressa une prière silencieuse au Grand Réalisateur Céleste pour qu'il la fasse sortir de l'infâme série B dans laquelle elle se retrouvait piégée. Elle voulait un autre scénario – une comédie romantique sophistiquée avec, disons, Cary Grant dans le rôle principal.

— Vous pouvez venir avec quelqu'un, si vous voulez, enchaîna Jerry. Un amoureux. Elsa prévoit toujours large.

Un amoureux. C'était quoi ça, déjà ? Depuis qu'elle était à Simpson, tous les hommes qu'elle avait croisés étaient mariés depuis qu'ils avaient douze ans ou vaguement arriérés. Pas le moindre Cary Grant à l'horizon. Dieu seul savait ce que la population femelle et célibataire de l'Idaho faisait pour avoir des relations sexuelles.

Julia se souvint alors qu'elle n'était pas censée se lier avec qui que ce soit, pas même fraterniser avec la population locale. Elle n'aurait peut-être plus jamais de relations sexuelles de sa vie.

— Merci, Jerry. C'est très aimable à vous, mais j'ai malheureusement beaucoup de choses à faire.

Me limer les ongles, ranger mes pots à épices par ordre alphabétique ou rincer mes sous-vêtements, par exemple.

— J'ai pris du retard dans mes copies. Vous remercierez Elsa, ce sera peut-être pour une autre fois.

— D'accord, répondit-il d'un ton chaleureux qui ne fit que l'irriter davantage. Mais vous allez rater une bonne soirée.

Julia eut un sourire pitoyable, puis se mit à hurler.

— Put... euh... Bon sang, Jerry ! Quand vous déciderez-vous à remplacer cette cloche ? demanda-t-elle en se donnant une tape sur la tête pour faire cesser la sonnerie qui persistait à retentir dans ses oreilles alors qu'elle s'était arrêtée.

Où avez-vous déniché cet engin diabolique? Sur un sous-marin désaffecté?

— Ça attire l'attention des enfants, répliqua Jerry d'un air timide. Bon, il faut que j'y aille. Désolé pour demain soir.

Julia se força à sourire tout en se préparant mentalement à subir la deuxième sonnerie. Allons, se dit-elle, cette sonnerie est infernale, mais les enfants dont tu t'occupes sont de vrais petits anges.

Elle se souvint du jour où elle était entrée pour la première fois dans la salle de classe où l'attendaient ses douze élèves de CE1, prête à se retrouver nez à nez avec... quoi au juste?

Elle s'était imaginé que ses élèves seraient des truands en blouson noir armés jusqu'aux dents et drogués jusqu'aux yeux. Qu'ils allaient l'éventrer, se débarrasser de son cadavre dans un terrain vague, et que les forces de l'ordre ne pourraient rien faire contre eux parce qu'ils étaient mineurs.

En fait, elle était entrée dans la salle de classe et s'était présentée comme la nouvelle institutrice chargée de remplacer miss Johanssenn, brusquement partie en Californie pour s'occuper de sa maman malade. Elle avait fait l'appel, ouvert le manuel de lecture à la première page, et le tour avait été joué. Les enfants étaient incroyablement bien élevés, sages comme des images, et tous l'appelaient si souvent « mademoiselle Anderson » que Julia s'était mise à penser à elle-même sous ce nom.

Au début, ses petits élèves étaient tellement adorables qu'elle s'était demandé si elle n'était pas tombée dans un remake de *L'Invasion des profanateurs* et si les enfants n'étaient pas en fait des extraterrestres qui avaient poussé dans des cosses au sous-sol de l'école avant de remplacer les vrais. Mais petit à petit, elle avait compris qu'ils vivaient dans un environnement si rude que leurs parents leur faisaient accomplir toutes sortes de corvées dès qu'ils étaient en âge de marcher, et qu'ils étaient tout simplement habitués à obéir sans broncher.

Elle pénétra dans la classe, souriant encore à ce souvenir, et s'immobilisa quand un boulet de canon la percuta de plein fouet. Elle poussa un soupir et posa les mains sur deux petites épaules. Les os du garçonnet étaient aussi frêles que ceux d'un oiseau.

— Rafael, dit-elle en s'agenouillant devant l'enfant.

Rafael Martinez était son chouchou. Petit, timide, un adorable minois à la peau cuivrée, il n'arrêtait pas de lui tourner autour, lui offrant de petits bouquets des dernières marguerites de la saison, un os couleur thé dont il lui avait assuré qu'il s'agissait d'un authentique os de dinosaure et – le cadeau préféré de Julia – une minuscule tortue vert tendre.

Depuis deux semaines, Julia avait remarqué qu'il se repliait de plus en plus sur lui-même. Quelque chose ne devait pas tourner rond à la maison. Rafael était devenu silencieux et morose, des ondes de tristesse bourdonnant de façon presque palpable autour du casque de cheveux noirs et lisses qui recouvrait sa petite tête ronde.

— Bonjour, toi, dit gentiment Julia en essuyant du doigt une larme qui roulait sur sa joue. Qu'est-ce qui t'arrive?

L'enfant marmonna quelque chose, les yeux baissés. Julia crut distinguer les mots «Missy» et «maman» et leva les yeux vers Missy Jensen. Avec ses cheveux blond paille coupés en brosse et sa salopette, on aurait facilement pris la fillette pour un garçon.

Julia était intriguée. En temps normal, Rafael et Missy étaient les meilleurs amis du monde, passant leur temps à échanger des cartes de base-ball et des têtards.

— Cabinets, marmonna Rafael sans lever la tête.

Julia comprit qu'il voulait s'isoler pour pleurer. Elle écarta les bras et l'enfant se faufila jusqu'aux toilettes, de l'autre côté du couloir. Elle s'approcha alors de Missy, qui contemplait d'un air perplexe la porte par laquelle Rafael venait de sortir.

— Qu'est-ce qui se passe, Missy ? questionna-t-elle posément.

— Je sais pas, madame, répliqua la fillette d'une voix chevrotante. J'ai rien dit de mal, j'ai juste demandé si sa maman viendrait demander des bonbons avec nous ce soir. Il a pas répondu et il est parti en courant, ajouta-t-elle en levant vers elle ses yeux d'un bleu de myosotis.

Oh, oh, se dit Julia. Du grabuge, ici, à River City ? comme dirait Robert Preston dans *The Music Man*.

— Ce n'est pas grave, laisse-le. On a beaucoup de travail si on veut être prêts pour ce soir.

Elle alla se placer au centre de la classe pour taper dans ses mains.

— Allez, les enfants, au travail ! Il faut préparer Monsieur Gros !

Tous les enfants avaient apporté leur citrouille pour Halloween. Ils les avaient creusées et elles étaient à présent alignées sur une étagère, souriant diaboliquement. Il était temps de s'attaquer à Monsieur Gros. Un des fermiers de la région leur avait fait don ce matin-là sans dire un mot – les habitants de Simpson n'étaient pas très bavards – d'une énorme citrouille de plus de vingt kilos.

À la fin de la journée, on placerait Monsieur Gros devant la porte de l'école avec une bougie à l'intérieur.

Comme la plupart des Américains expatriés, Julia et ses parents avaient religieusement observé tous les rituels de leur pays d'origine dans les régions où ils avaient vécu. La maman de Julia était ainsi parvenue à dégoter une dinde pour Thanksgiving à Dubai, des citrouilles d'Halloween à Lima et un sapin de Noël à Singapour. Julia s'était sentie flouée quand elle avait découvert à son retour aux États-Unis que les enfants de Boston et de New York avaient cessé de passer dans les maisons pour demander des bonbons parce que c'était trop dangereux.

Fort heureusement, le seul danger que couraient les enfants de Simpson était de se faire attaquer par un cerf, et ses élèves étaient excités comme des puces depuis une semaine à l'idée de se déguiser et de faire la tournée des maisons.

— Henry et Mike, allez chercher le grand sac en plastique. On y mettra les graines et la pulpe. Sharon, apporte-moi le marqueur noir, qu'on dessine son visage. Qui était chargé de la bougie ?

— Moi ! s'exclama Reuben Jorgensen avec un grand sourire édenté, produisant fièrement une bougie de format industriel.

— Parfait. Allez, les enfants, au travail ! Il nous reste une demi-heure pour fabriquer la plus grosse et la plus affreuse Jack-o'-lantern qu'on ait jamais vue à Simpson !

Les enfants se démenèrent en tous sens et firent un vacarme de tous les diables, mais Monsieur Gros se mit bientôt à prendre forme. Le bruit et le remue-ménage apaisaient Julia, habituée au tourbillon d'activité des grandes villes. Simpson était si désert et silencieux que cela lui portait sur les nerfs.

Au bout d'un quart d'heure, Rafael réapparut discrètement dans la classe, les yeux secs, mais rouges. Julia aurait apprécié qu'il participe à l'activité, mais il resta à distance des autres enfants. Elle poussa un long soupir et rédigea une fois de plus un mot pour ses parents, proposant de les rencontrer. Comme les autres fois, elle glissa le mot dans la boîte à déjeuner de Rafael. C'était le cinquième en deux semaines. Si elle ne recevait pas de réponse à celui-ci, elle se verrait contrainte de demander leur numéro de téléphone à Jerry et de les appeler dès lundi.

— Regardez, madame !

Julia leva les yeux et découvrit douze petits visages tournés vers elle, guettant avidement son approbation.

— Regardez ce qu'on a fait, dit Reuben, qui se tenait à côté de la citrouille géante, une main fièrement posée dessus.

Julia contourna son bureau, sourit, puis haussa un sourcil comme si l'air menaçant de Monsieur Gros l'effrayait vraiment. Pressés par le temps, les enfants avaient laissé beaucoup de chair à l'intérieur, mais l'expression qu'ils avaient donnée à la citrouille aurait comblé les vœux du plus exigeant des amateurs de films d'horreur.

— Bouh ! Il est effrayant, approuva Julia. Freddy Krueger lui-même n'aurait pas fait mieux.

Les enfants poussèrent des soupirs de satisfaction. Julia sentit son cœur se serrer. Ils étaient si jeunes. Avoir peur est amusant à cet âge-là, on se cogne dans le noir, des fantômes surgissent du placard... Heureusement, papa et maman sont là pour les chasser d'un sourire en vous serrant bien fort dans leurs bras.

Mais qui chasserait les fantômes de Julia ?

La sonnerie retentit. Julia sursauta et maudit une fois de plus Jerry.

— Au revoir, mademoiselle Anderson.

La classe se vida en moins de deux secondes. Rien de plus rapide à la surface du globe que des enfants quittant leur classe à la fin de la journée.

Julia reverrait la plupart dans la soirée, une fois qu'ils seraient déguisés. Un sac rempli de bonbons les attendait sur la table près de la porte d'entrée de sa maison délabrée.

Deux fois par semaine, Julia s'arrangeait pour être la dernière à quitter l'école sous un prétexte quelconque. Herbert Davis lui avait demandé de l'appeler en PCV depuis une cabine téléphonique, car la réception des portables était aléatoire dans un trou perdu comme Simpson.

Davis n'avait apparemment pas idée de ce qu'était Simpson. La ville ne comptait que trois cabines publiques : une devant l'école, une au Carly's Diner et une à l'épicerie. Pour éviter d'attirer l'attention, Julia devait veiller à changer de cabine à chacun de ses appels.

Dans le couloir, ses pas résonnèrent avec un bruit mat quand elle se dirigea vers la sortie. Jim, le gardien, allait bientôt arriver, mais pour le moment, elle était absolument seule dans le bâtiment désert. Lorsque les enfants étaient là, leur joyeuse agitation lui faisait oublier l'état de délabrement avancé des locaux. Des taches jaunâtres d'humidité ornaient les murs dont le plâtre s'effritait.

Elle s'arrêta un instant dans le hall d'entrée et contempla la grand-rue qui s'étendait devant elle. C'était la seule rue de Simpson, Idaho, mille quatre cent soixante-quinze habitants. Presque deux mille âmes en comptant les habitants des ranchs éparpillés dans la campagne environnante.

La neige fondue avait cessé de tomber, mais les nuages qui s'amoncelaient au-dessus de la montagne au sommet aplati baptisée Flattop Ridge, semblables à des ecchymoses sur le blanc laiteux du ciel, laissaient augurer une tempête de neige dans la soirée. Julia savait que cela n'empêcherait pas les enfants de faire la tournée des maisons pour réclamer des bonbons. Les enfants de Simpson étaient solides et endurants. Question de survie, dans une contrée aussi rude.

Le vent se leva et elle resserra son sweater autour d'elle. L'espace d'un instant, elle eut l'impression que le vent allait la pousser jusqu'au bord du monde. Il lui suffirait alors de faire un pas pour tomber dans le vide.

Elle se souvint d'avoir vu un jour une carte datant du Moyen Âge représentant la Terre comme une surface plate cernée d'espaces sauvages où le cartographe avait inscrit : *Ici demeurent des lions*. Les confins de la civilisation. C'était là qu'elle se trouvait à présent, à l'extrême limite du monde civilisé, à la seule différence qu'à Simpson il aurait fallu écrire : *Ici demeurent des couguars*.

Santana ne me trouvera jamais, se dit-elle. Comment pourrait-il me trouver alors que je suis incapable de m'y retrouver moi-même ?

Simpson était un trou perdu qui ne menait nulle part. Si on suivait une route pleine de nids-de-poule sur quarante-cinq kilomètres en direction du sud, on arrivait à un embranchement qui aboutissait soit à Rupert, véritable mégalopole de quatre mille habitants, soit à Dead Horse, simple tache sur un carrefour, aussi souriante que son nom.

Un unique flocon de neige voleta devant elle et fondit avant même d'avoir touché le sol. Un rapide coup d'œil vers le ciel suffit à lui apprendre que d'autres n'allaient pas tarder à suivre. Évidemment, sa chaudière avait précisément choisi ce jour-là pour tomber en panne.

Une violente bouffée de nostalgie la submergea. À Boston, si elle avait eu un problème de chauffage, il aurait suffi qu'elle décroche le téléphone pour appeler Joe, le gardien de l'immeuble, et tout aurait été réparé le soir même. À Boston, par une journée froide et triste comme celle-ci, elle aurait eu à cœur de faire quelque chose d'inhabituel. Louer un bon film, acheter un nouveau livre ou dîner avec une amie. Dora, par exemple. Comme elle, Dora adorait manger un plat bien épicé quand le temps était particulièrement maussade et froid. Elles auraient pu aller à l'Iron Maiden, un restaurant ukrainien délirant qui venait d'ouvrir sur Charles Avenue, se risquer à découvrir la cuisine du Sichuan ou même commander des plats mexicains.

Elle aurait pu passer un coup de fil à Mason Hewitt. Ils seraient allés voir une comédie, manger les délicieuses spécialités à la vapeur de Lo's et auraient conclu la soirée devant un café au Latte & More. Les derniers temps, Julia avait presque décidé de se laisser séduire par Mason. Cela faisait très longtemps qu'elle n'avait pas couché avec un homme. Depuis la mort de ses parents, en fait. Elle n'avait pas prévu de le faire, mais les choses s'étaient passées comme ça.

Mason avait le profil idéal pour l'aider à renouer avec sa sexualité. Il n'était pas vraiment sexy, mais il avait un merveilleux sens de l'humour et si le résultat n'avait pas été concluant, ils auraient toujours pu en rire.

Une rafale d'épingles gelées griffa sa joue, la tirant brusquement de sa rêverie. Elle n'irait nulle part avec Dora ce soir. Elle ne louerait pas de film et ne coucherait avec personne. Et il y avait fort à parier que le chauffage ne marche pas.

Qu'est-ce que je fais ici? pensa-t-elle sombrement. L'institut de beauté le plus proche doit être à plus de cent bornes, et je suis sûre que les hamburgers de la région sont à base de viande de cerf.

L'ironie suprême de la chose, c'était que Dora, Mason et tous les autres étaient persuadés que Julia se prélassait en Floride. Davis lui avait demandé d'appeler son bureau pour annoncer qu'elle prenait un congé sans solde d'une durée indéterminée afin de se rendre au chevet de son grand-père malade à St. Petersburg. À intervalles fréquents mais irréguliers, des cartes postales signées de sa main étaient adressées à ses collègues et à une liste d'amis que Davis lui avait fait établir. Dora et Mason devaient l'envier à l'heure qu'il était, l'imaginer en train de bronzer sur une plage de Floride...

Un vif sentiment d'injustice lui brûla l'âme comme un acide. Qu'avait-elle fait pour mériter un tel sort? Elle était punie d'un crime qu'elle n'avait pas commis. Elle avait involontairement assisté à un meurtre et s'était retrouvée dépouillée de sa vie.

Elle traversa lentement la rue et se dirigea vers la cabine téléphonique. Contrairement aux cabines publiques de Boston ou de New York, la cabine n'avait pas été vandalisée, mais elle était dans un tel état de décrépitude qu'on pouvait se demander si un employé de la compagnie du téléphone s'était donné la peine de pousser sa ronde d'inspection jusqu'ici depuis son installation. Du vivant de Thomas Edison.

La cabine se trouvait au pied de la maison à bardeaux d'un étage de Ramona Simpson, la dernière descendante de Casper Simpson, fondateur de la ville. Le bruit courait que Ramona Simpson était folle, et Julia était furieusement tentée d'y croire. Elle jeta un coup d'œil au panneau *chambres à louer* placardé sur la fenêtre de Mme Simpson et frissonna. La maison n'était pas située au sommet d'une colline, mais à ce détail près, elle était identique à celle de Norman Bates dans *Psychose*.

Julia s'arrêta devant la cabine et parcourut la rue du regard. Une précaution inutile. Comme toujours, la grand-rue était déserte. Elle aurait aimé penser que c'était parce qu'il était quatre heures de l'après-midi, qu'il faisait un froid de canard et qu'on était vendredi. Mais ce n'était pas vrai. La grand-rue était perpétuellement déserte.

Elle inséra une pièce dans la fente et demanda à l'opératrice d'établir une communication en PCV.

— Davis.

Julia fut si soulagée d'entendre sa voix qu'elle laissa aller sa tête contre la cloison de la cabine.

— C'est moi.

Davis avait exigé qu'elle ne prononce jamais son nom. S'il était absent, elle devait se faire passer pour sa cousine Edwina.

— Comment allez-vous ? s'enquit-il d'une voix sobre, teintée d'ennui.

Julia enrageait de savoir qu'il était au chaud dans un bureau situé au cœur d'une des plus grandes villes du monde, pendant qu'elle se gelait les fesses dans un trou paumé.

— Comment je vais ?

Julia pinça les lèvres et leva les yeux vers le ciel livide. Elle inspira à fond, puis exhala lentement pour s'assurer que sa voix ne tremblerait pas.

— Voyons voir… Il fait deux degrés et la température est en train de baisser. Simpson est une ville aussi animée et accueillante que Tombstone un jour de duel. Missy Jensen a fait pleurer Rafael Martinez et j'ai bien failli en faire autant. Je suis à mille kilomètres de nulle part. Comment vous imaginez-vous que je vais ?

C'était une sorte de rituel entre eux, comparable à celui des couples mariés depuis une éternité qui sont d'abord restés ensemble pour les enfants et ont persévéré après le départ de ces derniers, pour les chiens. Julia se plaignait, et Davis l'écoutait et sympathisait. Elle s'attendait donc à ce qu'il prononce des paroles réconfortantes, mais il observa le silence.

— Combien de temps ? soupira-t-elle en caressant machinalement la fourche du combiné.

Cette question aussi était devenue rituelle.

— Après Pâques, apparemment.

— *Après Pâques ?*

Julia se raidit et réprima un soupir de contrariété.

— Qu'est-ce que ça veut dire, après Pâques ? Comment voulez-vous que je reste ici six mois de plus, monsieur…

— Pas de nom, l'interrompit-il aussitôt.

S'il y avait une chose que Julia détestait plus encore que Simpson, Idaho, c'était d'être obligée de faire attention à ce qu'elle disait.

— Vous étiez censé me tirer d'ici le plus tôt possible, vous vous souvenez ? Qu'est-ce qui se passe ?

· — Il se passe que notre ami Fritz (c'était le nom de code qu'ils utilisaient pour Santana) s'est assuré les services de S. T. Akers.

— Qui ?

— S. T. Akers. Bon sang, j'oublie toujours que vous n'avez pas grandi ici. C'est le plus célèbre des avocats criminels. Ses clients sont tous extrêmement riches et extrêmement coupables. Il leur garantit l'acquittement.

— Et... il l'obtient ?

— Oui, soupira Davis. Toujours. Il a fait pleuvoir une quantité de motions de sursis sur le bureau du procureur. Ils en ont pour au moins un mois à les traiter. Le procureur m'a confié hier qu'il estimerait avoir de la chance s'il parvenait à ouvrir le procès avant l'été.

— Et... (Julia avala difficilement sa salive.) Et moi ?

— Vous, vous êtes notre seul atout. Les autres preuves que nous avons ne valent rien. Akers aurait pu faire acquitter Hitler sur un vice de procédure. J'ai l'impression que vous allez devoir prendre votre mal en patience.

Six mois, peut-être même plus au stalag Simpson. Julia sentit ses poumons se contracter.

— Comment ? fit-elle.

Davis avait dit quelque chose qu'elle n'avait pas compris. Une tempête de neige s'était sans doute abattue sur les câbles quelque part. Il y eut un grésillement, puis elle perçut le mot «étrange»...

— Je ne vous entends pas ! hurla-t-elle. Qu'est-ce que vous dites ?

Le grésillement disparut subitement, et elle entendit Davis aussi clairement que s'il lui avait parlé à l'oreille.

— Je vous demandais si vous n'aviez rien remarqué d'étrange, ces derniers temps.

— D'étrange? répéta Julia en réprimant difficilement un ricanement de sorcière psychotique. Vous voulez de l'étrange? Mais *tout* est étrange, ici, jeta-t-elle en regardant la grand-rue déserte, plus sinistre que jamais à la lueur du crépuscule. À quoi pensez-vous, plus précisément?

— Eh bien... répondit Davis d'un ton embarrassé qui surprit Julia, je me demandais si vous n'aviez pas remarqué quelque chose ou... quelqu'un... d'inhabituel, d'incongru, dans le coin.

Julia tapa du pied et laissa échapper un soupir de frustration qui forma une volute blanche dans l'air glacé de la cabine.

— Tout le monde est anormal ici. Ils se marient entre cousins depuis la nuit des temps. S'ils étaient normaux, ils seraient partis depuis longtemps. De quoi est-ce que vous parlez?

Un bourdonnement retentit si fortement à son oreille qu'elle dut écarter le combiné.

— ... ordinateur... codé... confidentiel... fichiers perdus... vos coordonnées...

Le silence s'abattit alors sur la ligne.

— Eh! (Julia fut à deux doigts de lâcher le nom de Davis.) Répétez ce que vous venez de dire, je n'ai rien compris! cria-t-elle.

La ligne se rétablit aussi mystérieusement qu'elle s'était interrompue.

— ... disais que nous avons perdu une partie de nos fichiers informatiques quand nous les avons transférés sur CD-ROM. Nous sommes équipés d'un nouveau programme de compression très performant, poursuivit-il d'un ton enthousiaste, et nous avons pu convertir...

Un éclair illumina brièvement l'horizon chargé de gros nuages noirs, et Julia frissonna.

— Venez-en au fait, l'interrompit-elle. Pourquoi me racontez-vous ça? En quoi ça me concerne?

— En fait, je ne sais pas si cela vous concerne et je ne voudrais pas vous alarmer, mais... il se trouve que nous avons... commis une erreur de transfert pour certains fichiers. Il s'agissait d'une per... d'une erreur de transfert temporaire que nous avons évidemment corrigée, mais un de ces fichiers couvrait votre cas.

— Quoi ? glapit-elle. Mon cas ? Vous voulez dire les coordonnées de l'endroit où je me trouve ? Dans le fichier que vous avez perdu ?

— Je n'ai pas dit que nous l'avions perdu, le terme est trop fort. Il a simplement été déplacé. Temporairement. Vous n'avez aucun souci à vous faire, ajouta-t-il d'un ton qui se voulait apaisant mais qui ne fit que la terrifier davantage. Les informations qu'il contenait étaient cryptées et notre système d'encodage est ultraperfectionné. D'autant plus perfectionné que les fichiers des témoins sont cryptés deux fois. Il faudrait être un génie informatique ou faire tourner une batterie d'ordinateurs pendant plus d'un mois pour en craquer les codes, et Fritz n'a accès à rien de tout ça. Les fichiers sont programmés pour s'autodétruire si on ne compose pas un code spécial toutes les demi-heures, vous êtes donc parfaitement en sécurité. Nous avons récupéré votre fichier et l'avons téléchargé avec notre nouveau programme d'encodage.

Agrippée au combiné, Julia l'écoutait déverser son charabia informatique en se demandant ce qu'elle pourrait bien faire pour se calmer. Il n'y avait pas de drugstore à Simpson. Pas de Prozac. Pas de Xanax. Le whisky lui donnait des brûlures d'estomac. Et elle ne pouvait même pas compter sur une partie de jambes en l'air.

— Je vous demandais si vous n'aviez rien remarqué d'inhabituel par acquit de conscience, poursuivit-il, mais, croyez-moi, personne ne sait ni qui ni où vous êtes.

Julia battit de la semelle sur le plancher de la cabine pour se réchauffer les pieds et entendit la ligne se brouiller à nouveau. Un bruit soudain la fit se retourner d'un bloc, le cœur battant. C'était seulement une vieille affiche Coca-Cola à moitié décollée qui se rabattait contre un mur en ciment, et Julia se laissa aller contre la paroi de la cabine avec un soupir de soulagement. Le vent soufflait tellement fort qu'il arracha complètement l'affiche du mur. Elle se mit à rouler follement dans la rue déserte, ballottée par des forces qui échappaient à tout contrôle.

Je sais ce que tu ressens, se dit Julia en regardant l'affiche s'éloigner.

— Je ne vous entends plus ! hurla-t-elle en plaçant sa main en coupe devant sa bouche avant de raccrocher.

Elle avait reçu assez de mauvaises nouvelles comme ça. Non seulement elle était coincée dans ce patelin lugubre jusqu'à la saint-glinglin, mais quelqu'un avait failli découvrir l'endroit où elle se cachait.

Julia demeura un instant immobile, plus frigorifiée par l'idée glaçante qui venait de surgir dans sa tête que par le vent. Davis semblait persuadé que personne n'était en mesure de s'introduire dans les fichiers du ministère de la Justice, mais elle avait lu un jour dans le journal que des adolescents boutonneux avaient réussi à pénétrer le système informatique du Pentagone.

Et si Dominic Santana était expert en informatique ? Son esprit fit un bond en arrière jusqu'à ce jour épouvantable du mois dernier. D'habitude, elle s'efforçait de chasser ces images de son esprit, surtout quand elles surgissaient au milieu de la nuit, à l'heure où les cauchemars menaçaient d'anéantir sa santé mentale. Mais cette fois-ci, elle évoqua délibérément la scène qui demeurerait éternellement imprimée dans son esprit.

Il avait fait chaud ce jour-là. Un après-midi d'été indien exceptionnellement lourd. Au ralenti, elle se repassa la scène... l'homme maigre à genoux, les gouttes de sueur tombant sur le trottoir taché d'essence, l'autre homme pointant un revolver sur sa tête, son doigt pressant lentement la détente, la détonation, la tête de l'homme maigre qui explosait... D'habitude, elle interrompait toujours le film dans son esprit à ce moment-là, mais cette fois-ci, elle continua et se concentra sur l'homme qui tenait le revolver. Grand. Solidement bâti... Elle fit un gros plan sur son visage. Ses traits reflétaient une froideur mortelle, la violence, la brutalité... mais pas l'intelligence. Julia retrouva son souffle. Non, se dit-elle, cet homme-là serait incapable de craquer un code informatique. Il pourrait peut-être percer un coffre-fort, mais pas un message crypté.

De toute façon, songea-t-elle en regagnant l'école, elle avait eu le temps de rencontrer tous les habitants de Simpson. Si un nouveau venu surgissait, elle le repérerait tout de suite.

Le tonnerre gronda lorsqu'elle s'engagea dans le couloir désert, et les lumières clignotèrent.

Génial, se dit-elle. Il ne manquait plus qu'une coupure d'électricité pour me calmer les nerfs.

Il fallait vraiment qu'elle se dépêche de rentrer. Il y avait une fuite d'eau chez elle, et elle n'avait pas envie d'essayer de la localiser à la lueur d'une torche électrique.

Elle pénétra dans la classe où régnait l'odeur désormais familière de craie, et Monsieur Gros lui adressa un sourire diabolique depuis son perchoir. Il fallait qu'elle demande à Jim de l'installer sur le perron quand il aurait terminé de nettoyer la classe.

Les lumières s'éteignirent et la salle se retrouva plongée dans l'ombre. Des pas retentirent dans le couloir. Des pas lourds, qui résonnèrent lugubrement dans l'école silencieuse. Quelqu'un avançait à grandes enjambées, piétinait sur place, puis reprenait sa marche, comme si – le cœur de Julia se mit à cogner follement –, comme si on cherchait quelque chose... ou quelqu'un.

Du calme, pensa-t-elle.

Mais son cœur battait la chamade. La lumière revint. Les mains tremblantes, elle rangea des papiers dans sa sacoche et proféra un juron lorsque l'un d'eux glissa par terre. Sa respiration était devenue haletante, et elle dut faire un effort pour l'apaiser. Les pas s'arrêtèrent, puis reprirent à nouveau. Le nom de chaque enseignant était inscrit sur la porte de sa classe. Si quelqu'un cherchait Sally Anderson...

Silence. Bruit de pas...

Julia attrapa son manteau et s'efforça de maîtriser le tremblement nerveux qui s'était emparé d'elle. Davis l'avait effrayée, voilà tout. C'était sûrement Jim...

Mais Jim était un vieux monsieur au pas traînant.

... ou un des enseignants...

Mais ils étaient tous rentrés chez eux.

Les pas se rapprochaient de plus en plus...

Ils s'arrêtèrent devant la porte de sa classe, et Julia fixa le panneau de verre qui occupait la moitié supérieure.

Un visage se pressa contre la vitre. Un homme. Il glissa une main à l'intérieur de sa veste pour prendre quelque chose.

Les lampes s'éteignirent.

Julia tenta de réfléchir malgré le nœud glacé qui s'était formé dans son esprit. Une arme, il lui fallait une arme. Dans son sac à main, il n'y avait que son agenda, ses clefs et sa trousse de maquillage. Les pupitres des enfants étaient trop lourds, et les chaises en plastique trop légères. Sa main se posa sur quelque chose de rond et ferme. *Monsieur Gros !*

Haletante, elle plaça une chaise près de la porte et grimpa dessus, tenant l'énorme citrouille à bout de bras. Elle resta là, tremblante, prête à assommer l'homme dès qu'il entrerait.

La poignée de la porte tourna.

Julia ferma les yeux et revit le visage qu'elle avait aperçu derrière la vitre.

Des cheveux assez longs, bruns et lisses, encadrant des traits taillés à la serpe, une mince ligne droite à l'emplacement de la bouche, des yeux sombres.

La tête d'un inconnu.

La tête d'un tueur.

2

Sam Cooper avait envie de tuer quelqu'un. De préférence Bernardo Martinez, son chef d'équipe, et accessoirement son meilleur ami. Ou alors, à défaut de Bernardo, Carmelita, l'épouse menteuse et volage du précédent.

C'étaient eux qui auraient dû se trouver là pour affronter l'institutrice du petit Rafael, pas lui. Sam Cooper aurait préféré marcher sur des charbons ardents plutôt que de s'occuper de cette histoire. Il avait assez de problèmes sans cela, entre le prix du fourrage qui n'arrêtait pas de grimper et la toiture de l'écurie qui s'effondrait.

Il n'avait pas la moindre idée de ce qu'il allait dire à la maîtresse de Rafael, mais Bernie n'était vraiment pas en condition de parler à qui que ce soit.

Cooper glissa la main dans la poche intérieure de sa veste pour palper les mots que la maîtresse, une certaine Mlle Anderson, avait chargé Rafael de donner à ses parents. Il les connaissait par cœur, à force de les avoir lus et relus quand il était rentré de son voyage d'affaires à Boise et avait trouvé Bernie ivre mort, serrant le goulot d'une bouteille de mauvais bourbon d'une main et les messages de la maîtresse de l'autre.

Il avait tiré dessus pour les récupérer, puis avait soulevé Bernie et l'avait traîné dans la salle de bains pour le flanquer tout habillé sous le jet d'eau froide de la douche.

Bernie avait émergé de sa stupeur le temps de marmonner un juron à son intention, puis s'était affalé d'un bloc sur son lit qui n'avait pas été refait depuis une éternité. Cooper avait été tenté de le laisser ainsi, avec ses vêtements trempés, mais il n'en avait pas été capable. Après avoir poussé un long soupir, il l'avait déshabillé et avait rabattu les couvertures sur lui.

À son réveil, Bernie aurait une gueule de bois tellement carabinée qu'il eût été inhumain d'y ajouter la pneumonie.

Mais il lui revaudrait ça. Au centuple. Jouer les infirmières et se coltiner un entretien avec une maîtresse d'école ne faisaient pas partie de ses passe-temps préférés.

Cooper se dit qu'il n'avait aucune raison de rester plus longtemps planté devant la porte. La plaque qui y était fixée confirmait qu'il s'agissait de la classe de Mlle Anderson. Il pressa le visage contre le panneau vitré avec le secret espoir que personne ne se trouverait dans la salle, mais la lumière du couloir l'empêcha de distinguer quoi que ce soit d'autre que son propre reflet.

Je n'ai vraiment pas envie de faire ça, songea-t-il en pinçant les lèvres. Devait-il frapper ? Machinalement, il actionna la poignée et ouvrit la porte. Un millier de briques s'abattirent alors sur sa tête.

— Qu… ?

Cooper se retrouva assis par terre, dos au mur et jambes écartées. Il porta la main à sa tête et sentit aussitôt une zone douloureuse qui ne tarderait sans doute pas à former un très bel œuf de pigeon. Lorsqu'il écarta la main, il réalisa qu'elle était humide et craignit, l'espace d'un instant, que ce ne fût du sang. Mais il découvrit une matière gluante d'une jolie couleur orangée et quelques grosses graines blanches.

De la citrouille ? Éberlué, il contempla un moment ses doigts. On avait essayé de l'assommer avec une *citrouille* ?

— Ne bougez pas, ordonna une petite voix haut perchée.

Une jolie jeune femme se tenait devant lui. Elle haletait et tremblait de la tête aux pieds. Cooper réalisa qu'elle était terrifiée.

Elle aurait dû être rousse. Ses cheveux étaient brun chocolat, mais elle avait le teint pâle et les yeux bleu turquoise d'une rousse. Elle lui rappelait un bébé renard qu'il avait découvert un jour, la patte coincée dans un piège à loup. L'animal était mortellement blessé et Cooper avait voulu le libérer du piège, mais le renardeau avait craché et cherché à le mordre de ses petites dents pointues.

Cooper resta donc assis dans une flaque de jus de citrouille, se contentant de dévisager la femme.

D'une main tremblante, elle brandit une minuscule bombe aérosol vers lui. Un spray qui ressemblait comme deux gouttes d'eau au spray rafraîchisseur d'haleine qui se trouvait dans la salle de bains de Cooper.

— C'est du gaz lacrymogène, mentit-elle avec aplomb. Si vous faites un geste, un seul geste, je n'hésiterai pas à vous en asperger.

Cooper s'était déjà lavé les dents, aussi demeura-t-il immobile.

Et maintenant, je fais quoi ?

L'index calé sur le bouton du spray, Julia pria pour qu'il ne tombe pas de sa main tremblante et moite. Des filets de sueur coulaient dans ses yeux, mais elle n'osait pas les essuyer. Elle parvenait à peine à respirer et le manque d'oxygène faisait danser des taches rougeâtres devant ses yeux. Tenter d'assommer cet homme terrifiant était l'acte le plus courageux qu'elle ait accompli de sa vie, mais se prendre pour Xena la Princesse guerrière n'aurait servi à rien si elle s'évanouissait tout de suite après.

Des pas retentirent dans le couloir. Sans quitter des yeux l'homme assis contre le mur, Julia se rapprocha de la porte.

— Jim, lança-t-elle au gardien, appelez le shérif ! Dites-lui que je retiens un dangereux criminel. Qu'il rapplique en vitesse !

Du coin de l'œil, elle vit Jim lâcher son balai à franges et se précipiter vers le hall. Elle reporta les yeux sur l'homme assis contre le mur.

Même assis, il était épouvantablement effrayant. Le coup qu'elle lui avait donné sur la tête ne l'avait même pas assommé. Grand, solidement charpenté avec des épaules de déménageur, il portait un pull à col roulé, un blouson et un jean noirs. Ses yeux extrêmement vifs et brillants étaient noirs. Il avait la mine sombre. Bref, il avait tout du tueur à gages. Julia se mit à trembler plus fort encore. Heureusement qu'elle avait eu l'idée géniale de brandir le spray qui se trouvait dans son sac à main !

— Ne bougez pas, répéta-t-elle en s'efforçant d'adopter une attitude menaçante.

Elle avait tellement peur que c'était comme si une main géante comprimait ses poumons. L'homme la fixait de ses yeux d'obsidienne, et

Julia comprit qu'il cherchait à anticiper son prochain geste. Ce type était un tueur professionnel. Combien de temps pouvait-elle espérer le tenir en joue avec son spray inoffensif ?

Elle entendit la porte de l'école s'ouvrir et des pas se précipiter dans le couloir. Une seconde plus tard, le shérif Chuck Pedersen apparaissait sur le seuil de la salle de classe, revolver au poing.

— Monsieur l'officier, glapit Julia d'une voix si aiguë qu'elle dut tousser pour reprendre. Monsieur l'officier, arrêtez cet homme ! C'est un dangereux criminel !

Le shérif rengaina son arme et laissa aller son épaule contre le chambranle de la porte.

— Salut, Coop.

— Chuck.

Julia contracta les genoux, car ses jambes menaçaient de la trahir. Elle regarda le shérif et avala une grande goulée d'air pour alimenter ses poumons.

— Vous connaissez cet homme ?

Le shérif fit passer son chewing-gum d'une joue à l'autre.

— Si je le connais ? répondit-il d'un ton philosophe. Ma foi, qui peut se vanter de « connaître » vraiment quelqu'un ? Vous pouvez vivre des années avec quelqu'un sans jamais...

— Chuck, grommela sourdement l'homme assis par terre.

Pedersen haussa les épaules.

— Oui, mademoiselle Anderson. Je connais Sam Cooper. Depuis toujours. J'ai connu son père avant lui et j'ai même connu son grand-père.

— Oh, mon Dieu, gémit Julia.

Son estomac s'anima subitement d'une vie propre, brassant son contenu à la vitesse d'un robot mixeur survolté.

Comment justifier l'acte qu'elle venait de commettre ? « Excusez-moi de vous avoir attaqué, monsieur, mais je vous ai pris pour un tueur à gages. » Elle allait passer pour une folle.

C'était pourtant la stricte vérité. D'autant que ce Sam Cooper avait vraiment l'allure d'un tueur professionnel. Une puissance sombre émanait de lui et, même assis, il évoquait un tigre prêt à bondir sur sa proie. Les traits de son visage étaient si rudes qu'ils auraient pu avoir été taillés au flanc du mont Rushmore. Il était tellement différent des autres habitants de Simpson qu'elle n'avait pas imaginé une seconde qu'il puisse être de la région.

Environ une semaine après son arrivée, Julia avait compris pourquoi Davis avait choisi pour elle le patronyme d'Anderson. Tous les habitants de Simpson s'appelaient Jensen, Jorgensen ou Pedersen. Elle était certaine qu'au siècle dernier, une horde de Scandinaves hirsutes et débraillés s'était établie dans cette partie de l'Idaho. Non seulement ils portaient tous le même nom, mais ils partageaient le même patrimoine génétique. Tous avaient le teint pâle et les cheveux blond pâle, presque blancs.

Julia déglutit et glissa discrètement son spray dans son sac à main.

— Euh… Ravie de vous connaître. Je m'appelle Ju… euh, Sally Anderson.

— Sam Cooper, répondit-il avant de se relever d'un seul mouvement, si souple et si puissant que Julia recula de surprise.

— Ici, les gens l'appellent Coop, l'informa le shérif.

Julia se demanda si sa mère, qui ne plaisantait pas avec l'étiquette, aurait jugé décent d'appeler par son surnom un homme que l'on vient d'assommer avec une citrouille.

Sans doute pas.

— Monsieur Cooper.

— Mademoiselle Anderson.

Les doutes de Julia ressurgirent. Cet homme avait une voix de tueur professionnel. Caverneuse, grave, rocailleuse. Elle lui jeta un coup d'œil suspicieux.

— Vous êtes bien certain de connaître cet homme, shérif?

— Pour sûr, mademoiselle, assura-t-il avec un grand sourire. Il élève des chevaux dans un ranch à mi-chemin en allant vers Rupert. Toutes sortes de chevaux, mais surtout des pur-sang arabes.

— Je... J'imagine que je vous dois des excuses, monsieur Cooper. Figurez-vous que je vous ai pris pour quelqu'un d'autre.

C'était la seule excuse qu'elle était parvenue à trouver. Un silence embarrassant s'abattit sur la salle de classe.

— Je n'en reviens pas qu'on ait réussi à te prendre par surprise, Coop, déclara le shérif. Une fille, en plus!

— Une femme, rectifia Julia en se retenant de lever les yeux au ciel.

— De quoi? Ah oui, c'est vrai, on n'a plus le droit de dire que les filles sont des filles, de nos jours, marmonna le shérif en secouant la tête pour souligner à quel point les manies du monde moderne le navraient. Je parie que tu fais au moins trente centimètres et cinquante kilos de plus qu'elle, Coop. Il était SEAL avant, vous savez? conclut-il en s'adressant à Julia.

Elle ne comprit pas tout de suite. Cil? Qu'est-ce que c'était que ça? Ah, oui! SEAL! Commando, quoi. Un soldat formé pour tuer. Un tueur professionnel, donc. Elle ne s'était pas trompée de beaucoup, finalement.

Julia absorba cette information en détaillant Cooper du regard. S'il lui avait semblé dangereux quand il était assis par terre, debout, il était tout simplement terrifiant. Colossal. Menaçant. Des battoirs lui tenaient lieu de mains.

— Vous n'êtes pas là depuis longtemps, pas vrai, mademoiselle Anderson ? enchaîna le shérif, toujours ricanant.

— Un peu moins d'un mois, répondit-elle.

Vingt-sept jours et douze heures.

— C'est pour ça que vous ne connaissez pas encore tout le monde. Mais ce brave Coop que vous voyez là, c'était un Navy SEAL, comme je viens de vous le dire. Officier. Il a même reçu une médaille. Mais son père est mort, alors il est revenu s'occuper du ranch.

Mon Dieu, se dit Julia. C'était encore pire que ce qu'elle avait imaginé. Elle n'avait pas simplement agressé un honnête citoyen de Simpson. Non, elle avait estourbi une gloire locale, un véritable *héros*. Elle jeta un coup d'œil en coin à Cooper.

Il avait toujours l'air aussi puissant et dangereux.

Rassemblant les dernières miettes de dignité qui lui restaient, elle tendit la main à Sam Cooper, éleveur de chevaux et médaillé militaire.

— Je vous prie d'accepter toutes mes excuses, monsieur Cooper.

Au bout d'un moment, Sam Cooper prit sa main. La sienne était énorme, ferme et calleuse. Julia soutint bravement son regard, puis récupéra délicatement sa main et détourna les yeux avec le sentiment d'avoir échappé de justesse au peloton d'exécution. Il émit un vague bruit de gorge, qu'elle décida d'interpréter comme l'acceptation de ses excuses. Elle savait pour en avoir vu au cinéma que les SEAL ne parlent pas. Ils grognent.

— Je pense que je vous dois également des excuses, shérif, enchaîna-t-elle avec un sourire forcé.

— Chuck, corrigea-t-il. On ne fait pas tellement de manières par ici, vous savez.

— Chuck, acquiesça-t-elle. Je suis désolée de vous avoir inutilement dérangé.

Le shérif fit basculer son corps en arrière en prenant appui sur ses talons.

— Eh bien, je ne vous répondrais pas que je suis là pour ça, parce que j'avoue que vous m'avez fichu un sacré coup de sang, mademoiselle Anderson...

— Sally, rectifia Julia qui détestait toujours autant ce prénom.

— Sally. Comme je disais, je me voyais déjà en train d'arrêter un criminel, alors que mon travail se limite aux bagarres du samedi soir et aux excès de vitesse. Et il n'y en a pas souvent.

— Je comprends, murmura Julia. Simpson est une petite ville très calme, n'est-ce pas ? Si chaleureuse et tranquille...

Vivre à l'étranger pendant des années lui avait permis de développer cette faculté qui consiste à faire les compliments que les gens ont envie de recevoir.

Le shérif afficha un immense sourire.

— Exactement. Content que ça vous plaise. Nous sommes toujours heureux d'accueillir des nouveaux venus à Simpson. Nous avons besoin de sang neuf. Les jeunes partent les uns après les autres dès qu'ils ont fini l'école. J'ai beau les prévenir que le monde extérieur est dangereux, il n'y en a pas un pour m'écouter. Je me demande bien ce qu'ils s'imaginent pouvoir trouver.

Des librairies, des cinémas, des théâtres, des galeries d'art, songea Julia. Des restaurants, des conversations cultivées, des magasins. Des êtres humains.

Mais comme on lui avait toujours dit qu'on pouvait lire ses pensées sur son visage comme dans un livre ouvert, elle interrompit le fil de sa litanie silencieuse et se força à sourire.

— Vous savez comment sont les enfants, répliqua-t-elle avec la plus parfaite hypocrisie. Ils s'imaginent qu'ils doivent vérifier cela par eux-mêmes. N'est-ce pas, monsieur Cooper ? ajouta-t-elle d'un ton de politesse de salon en se tournant vers l'homme qu'elle avait presque assommé.

Cooper sursauta. Il était en train d'admirer l'aisance dont Sally Anderson faisait preuve pour bavarder avec le shérif alors qu'elle ne le connaissait que depuis cinq minutes. Cooper, lui, avait eu toutes les peines du monde à lui présenter ses sincères condoléances lorsque sa femme était morte. Et Chuck s'était planté devant lui, l'air affligé, pour lui tapoter gauchement l'épaule quand sa propre femme, Melissa, était partie. Apparemment, les jolies institutrices n'avaient pas les mêmes problèmes que les hommes. Particulièrement les jolies institutrices rousses. Non – il vérifia discrètement pendant qu'elle ne le regardait pas –, *brunes*.

Il aurait juré qu'elle était rousse. Elle avait tout d'une rousse. Cooper avait toujours eu un faible pour les rousses. Même s'il n'en avait jamais vu d'aussi jolies que celle-ci qu'au cinéma.

Elle avait encore peur. Il avait senti sa main trembler. Une petite main douce et glacée. L'envie de la garder dans la sienne pour la réchauffer l'avait submergé. Il l'avait relâchée parce qu'il avait lu dans son regard qu'il la terrorisait. La dernière fois que quelqu'un l'avait regardé ainsi, il le tenait en joue au bout de son arme.

Elle dissimulait parfaitement sa peur derrière une expression polie, à présent.

Il y eut un blanc dans la conversation et il s'aperçut que Chuck et l'institutrice avaient tourné la tête vers lui, attendant visiblement qu'il dise quelque chose. Il sursauta. L'écho de la question qu'avait posée Mlle Anderson flottait encore dans l'air.

— Euh... oui, c'est vrai.

Il avait dû fournir la réponse appropriée car l'institutrice rassembla ses affaires, prit congé et franchit le seuil de la classe. Chuck lui donna une tape dans le dos avant d'emboîter le pas de Mlle Anderson et Cooper se retrouva seul dans l'école, à l'exception de Jim qui nettoyait le couloir en sifflotant *Be My Baby*, en rythme avec le frottement des franges du balai sur le sol.

Cooper se dirigea vers la porte et perçut un froissement de papier dans sa poche. Les messages de la maîtresse. Il les avait complètement oubliés.

Les premières mesures de *Tosca* emplirent la pièce spacieuse et lumineuse, véritable musée d'objets rares et précieux. À moins d'être un expert en la matière, un visiteur de passage aurait été incapable de déceler le système de sécurité haut de gamme ou la collection d'armes dissimulée dans le double fond de la commode en chêne Renaissance.

Un ordinateur trônait sur une console Hepplewhite près d'une petite boîte Wedgwood du XVIIIᵉ siècle remplie de crayons de toutes sortes.

L'esthète ouvrit le dossier et lança le programme de décryptage fait sur mesure qui constituait une de ses victoires personnelles. Sur le marché des softwares, ce programme aurait facilement atteint les cent mille dollars. S'il avait été à vendre, naturellement, ce qui n'était pas le cas. Cent mille dollars n'étaient rien par rapport à un million de dollars.

Une fois l'installation du programme terminée, l'ordinateur émit un bip et les lignes de texte décrypté s'affichèrent à l'écran.

Dossier 248
Témoin placé sous contrôle du Programme de sécurité des témoins : Richard M. Abt.
Né à New York City le 05/03/65.
Dernier domicile : 6839 Sugarmaple Lane, New York City, NY.
Affaire : chef comptable du cabinet d'avocats Ledbetter, Duncan & Terrance, tous trois suspectés de blanchiment d'argent pour le compte de la mafia. Appelé à témoigner le 14/11/04.
Placé sous la protection du Programme de sécurité des témoins le 09/09/04.
Richard Abt transféré sous le nom de : Robert Littlewood.
Zone 248, code 7fn609jz5y.
Domicile actuel : 120 Crescent Drive, Rockville, Idaho.

Dans la cible, mais pas dans le mille.

Les lignes continuèrent à défiler, et l'esthète resta un instant à digérer sa déception. Avant de se lever pour verser du champagne dans une flûte en cristal de Baccarat et ôter ses chaussures en chevreau confectionnées sur mesure par le chausseur anglais James & Sons. Le décryptage allait prendre un bon moment.

Le Veuve Clicquot, idéalement sec et frappé, coula dans sa gorge comme un rêve. La lumière du lustre en verre de Murano faisait apparaître une myriade de petits arcs-en-ciel sur le cristal de la flûte, et l'esthète les regarda danser dans la lumière.

C'était simple, si simple, de s'habituer aux belles choses. Garde-robe de luxe, mets raffinés, meubles de style, penthouse…

L'époque où l'esthète attendait le retour de son père dans la caravane familiale, sachant qu'il serait comme chaque soir ivre mort, était bien loin désormais. Fini les coups de ceinture, les coupons de réduction au supermarché. L'esthète ne connaîtrait plus jamais toute cette misère.

L'ordinateur émit un nouveau bip, puis afficha de nouvelles lignes de texte décrypté.

Dossier 248
Témoin placé sous contrôle du Programme de sécurité des témoins : Sydney L. Davidson.
Né à Frederick, Virginie, 27/07/56.
Dernier domicile : 308 South Hampton Drive, Apt 3B, Frederick, VA.
Affaire : ingénieur chimiste pour le compte des laboratoires pharmaceutiques Sunshine. Conseil de direction suspecté de fournir des drogues de synthèse à son entourage. Davidson a accepté de témoigner à charge en échange d'une réduction de peine ou d'une relaxe. Appelé à témoigner le 23/11/04.

Personne n'avait jamais dit que ce serait facile, songea l'esthète.

Mais cela prenait un temps fou. Assez longtemps pour entamer sérieusement une boîte de caviar iranien de contrebande et écouter le deuxième acte de *Tosca*. La bouteille de Veuve Clicquot était presque vide. Tosca plongea son poignard dans la poitrine du baron Scarpia – *Questo è il bacio di Tosca* – et la musique de l'orchestre couvrit le ronronnement de l'ordinateur.

Cette affaire commençait à l'ennuyer. Mais si le ministère de la Justice avait été assez bête pour classer les données des témoins à protéger par ordre alphabétique, comme cela semblait être le cas, le dossier de Julia Devaux n'allait pas tarder à apparaître. L'esthète se demanda s'il était raisonnable d'ouvrir une autre bouteille de Veuve Clicquot. Non. Certaines victoires ne se savourent pleinement que la tête froide. L'ordinateur bipa.

L'esthète se redressa et plissa les yeux.

Dossier 248
Témoin placé sous contrôle du Programme de sécurité des témoins : Julia Devaux.
Née à Londres, Angleterre, 06/03/77.
Dernier domicile : 4677 Larchmont Street, Boston, Massachusetts.

L'excitation de la chasse n'était rien en comparaison de l'immense satisfaction intellectuelle qu'il y a à voir confirmer qu'on est plus intelligent que les autres.

Maintenant, la suite. L'esthète fit mine de diriger l'orchestre avec son gressin trempé dans le caviar. Une nouvelle ligne de texte apparut à l'écran.

Affaire : homicide, Joey Capruzzo, 30/09/04. Dernier domicile connu : Sitwell Hotel, Boston, MA.

Cause probable du décès: hémorragie massive pro-voquée par une blessure par balle de calibre 38 au lobe antérieur gauche du cerveau.

Accusé: Dominic Santana. Adresse actuelle: éta-blissement pénitentiaire de Warwick, Warwick, MA.

Placée sous la protection du Programme de sécu-rité des témoins le 03/10/04.

Julia Devaux transférée sous le nom de:

Voilà, l'esthète touchait enfin au but.

Le curseur s'immobilisa en clignotant, comme s'il attendait un signal en provenance des profon-deurs de la machine. Tosca se battait avec l'offi-cier de police en maudissant Scarpia, tandis qu'à l'écran, les lettres s'effaçaient une à une jusqu'à ce qu'il soit entièrement vide.

L'esthète tressaillit. Ce qui venait de se pro-duire était pourtant simple à comprendre. Les dossiers étaient équipés d'une bombe à retarde-ment interne. Sans l'insertion d'un code à inter-valles prédéterminés – l'esthète jeta un coup d'œil à sa Rolex Oyster en or massif, souvenir de son premier contrat: probablement toutes les demi-heures dans le cas présent –, les dossiers s'autodétruisaient.

La flûte en cristal vola à travers la pièce et des larmes de champagne coulèrent sur le mur où elle se brisa. La boîte de caviar suivit le même chemin, et une ligne grisâtre et gluante se répan-dit sur le sol.

Le programme s'était interrompu à ça du but. À *ça*.

L'esthète arpenta la pièce d'un pas rageur. Un mois de travail fichu. Le ministère de la Justice allait changer tous les codes, et il lui faudrait au moins un mois avant de réussir à craquer leur nouveau système.

Respire. Garde le contrôle. C'est grâce à ton contrôle que tu as pu sortir de la caravane. Contrôle.

Dossier 248. Les informations concernant Julia Devaux étaient dans le dossier 248. Pour l'instant, à l'extérieur du ministère, personne d'autre ne connaissait ce détail. Il ne lui faudrait pas plus de deux semaines pour craquer un code à trois chiffres. Maintenant que S. T. Akers s'occupait de son affaire, Santana ne passerait pas en jugement avant le Nouvel An.

Il y a encore de l'espoir, songea l'esthète tandis que Tosca se jetait dans le Tibre depuis la tour du château Saint-Ange.

Il y a encore de l'espoir.

Le chemin n'était pas long depuis l'école jusque chez Julia. Le chemin n'était pas long entre deux points situés n'importe où à Simpson. Elle aurait parfaitement pu se passer de la vieille Ford Fairlane d'un vert pisseux que Davis avait mise à sa disposition. La Ford avait l'âge de voter, c'était un véritable gouffre à essence, et elle faisait un bruit épouvantable.

Son élégante petite Fiat lui manquait terriblement.

Sa vie élégante lui manquait terriblement.

Qu'est-ce qui pouvait bien se passer en ce moment à Boston ? Avant son départ, Dora caressait de plus en plus sérieusement le projet de monter sa boîte. Elle avait même laissé entendre à Julia qu'elle lui ferait certainement une proposition d'embauche. S'était-elle décidée à franchir le pas ? Andrew et Paul, ses voisins gays, s'étaient chamaillés la dernière fois qu'elle les avait vus. Julia espérait qu'ils se seraient réconciliés d'ici son retour. *Si* elle retrouvait un jour sa vie d'avant. Personne ne réussissait les lasagnes aussi bien que Paul, et elle pouvait toujours compter sur Andrew pour l'accompagner à une expo.

Tous trois recevraient bientôt une carte postale d'Halloween délirante, expédiée depuis la Floride, évoquant la folle soirée à laquelle ils avaient assisté ensemble l'année précédente. S'ils avaient su la vérité...

Et Federico Fellini, le chat le plus beau et le plus capricieux du monde ? Ses nouveaux maîtres comprendraient-ils qu'il aimait sa viande bleue et qu'il s'enrhumait facilement ?

Si la vie de Julia avait été un film, elle l'aurait rembobinée jusqu'au jour où elle avait décidé de se lancer dans un safari photographique dans la zone industrielle des docks. Elle aurait mis sur pause et aurait fait autre chose. N'importe quoi. Elle serait allée chez le dentiste. Se serait fait opérer de l'appendicite à titre préventif. Aurait enfin lu *Guerre et Paix* de la première à la dernière page, y compris les notes en bas de page... N'importe quelle option aurait été préférable à ce qu'elle avait fait.

Elle avait pris sa voiture pour s'essayer au réalisme photographique le plus cru le long des docks, déçue par sa précédente tentative de naturalisme romantique qui s'était soldée par un rouleau de papillons flous et de pissenlits mal cadrés. En matière de réalisme cru, elle avait été servie.

Julia longeait la grand-rue déserte en regardant les vitrines des magasins. Il faisait déjà presque nuit, mais personne n'avait encore allumé la lumière et elle avait l'impression de traverser une ville fantôme. Cette rue était sinistre. Cette ville était sinistre. Sa vie était sinistre.

Elle essaya de se représenter sa situation comme s'il s'agissait d'un film. Une astuce à laquelle elle recourait chaque fois qu'elle se sentait seule et déprimée. Ou quand elle avait peur.

Un film des années 1940, se dit-elle. En noir et blanc. Dans le rôle du méchant... Humphrey Bogart, peut-être... ou alors James Cagney.

Moi, je serais une belle héritière qui chercherait à élucider la mort de... son oncle, survenue brutalement dans cette ville fantôme... Le seul indice dont je disposerais serait cette énigmatique statuette de faucon... et le détective privé que j'aurais embauché, aussi beau que suspicieux...

Julia s'amusa avec son fantasme, sorte de collage mental de ses classiques préférés, jusqu'à ce qu'elle ait atteint la porte décolorée par les intempéries de la petite maison de bois que Herbert Davis lui avait dénichée. La vue de cette porte suffit à dissiper son rêve. Aucune héroïne de film des années 1940 digne de ce nom ne pouvait vivre dans une maison remplie de courants d'air glacés, dont la chaudière était en panne et qui fuyait de partout.

Julia reprit pied dans la froide réalité.

Elle gravit les marches du perron branlant et inséra sa clef dans la serrure. Elle s'immobilisa en entendant un bruit de griffes grattant sur du bois et poussa un soupir. Cela faisait deux jours qu'elle était obligée de chasser un affreux chien jaune et efflanqué. Les deux fois, elle l'avait découvert en train de fouiller dans la poubelle qu'il avait renversée. Mais elle avait eu beau lui crier dessus, le chien était revenu.

Pas étonnant qu'elle préfère les chats. Les chats avaient trop de dignité pour se comporter comme des délinquants juvéniles.

Elle aperçut une forme d'un jaune poussiéreux au bout du porche.

— Ouste ! lança-t-elle avec colère.

Contrairement aux autres fois, le chien ne déguerpit pas. Julia préféra s'abstenir de lui lancer des pierres. Avec sa chance, elle risquait de rater le chien errant et d'atteindre la tête du maire de Simpson qui passerait justement par là.

Elle tourna la clef dans la serrure, et un long gémissement à fendre l'âme s'éleva quand elle ouvrit la porte.

Elle jeta son manteau sur une chaise, enfouit les mains dans les poches de sa jupe et essaya d'effacer le souvenir de ce son pitoyable. Pourtant, cette pauvre créature avait bel et bien gémi.

Peut-être, mais ça ne la regardait pas. Elle détestait les chiens, de toute façon. Julia se dirigea vers la cuisine pour se préparer une tasse de thé, mais s'arrêta en chemin, plissa les yeux et tapa du pied.

Je suis une idiote, songea-t-elle en tournant les talons pour regagner la porte.

Le chien était roulé en boule à l'extrémité du porche. Julia s'en approcha prudemment. Elle ne connaissait strictement rien aux chiens. Celui-ci avait peut-être la rage et risquait de lui sauter à la gorge. Elle tâcha de se souvenir de ce qu'elle savait de la rage, mais le peu qui lui revint en mémoire n'était guère réjouissant. Le traitement pour en guérir nécessitait des piqûres dans le ventre, lui semblait-il.

— Gentil, le chien, dit-elle d'un ton qui manquait cruellement de conviction en s'approchant de la masse avachie de fourrure jaunâtre.

Le chien chassa ses craintes en redressant le museau et en remuant la queue. Julia se rapprocha encore, se demandant quelle gamme de vocabulaire un chien était en mesure de comprendre. Federico Fellini, son chat adoré, était un intellectuel avec qui elle pouvait parler de livres et de films – du moment qu'il avait mangé. Quelque chose lui disait que les chiens préféraient parler football et politique.

C'est une mauvaise idée, Julia, se gronda-t-elle. On dirait qu'atterrir à Simpson ne t'a pas servi de leçon. Si tu viens en aide à ce chien enragé, il ne faudra pas te plaindre s'il te mord.

Elle se retourna.

Le chien émit une longue plainte suraiguë.

Julia revint vers lui et s'agenouilla pour l'observer à la faible lueur du réverbère. Il respirait. C'était déjà ça. Elle n'aurait pas à lui faire du bouche-à-bouche.

La queue du chien battit faiblement contre le plancher lorsque Julia avança la main pour le caresser. Elle sentit quelque chose d'humide et retira vivement sa main, avant de comprendre qu'il voulait simplement la lécher. Il cala son museau sur sa main et posa sur elle un regard si intense que Julia eut l'impression qu'il scrutait son âme. Cette pauvre bête semblait si seule, abandonnée de tous.

— Toi aussi ? murmura-t-elle en soupirant avant de claquer des doigts pour l'inciter à se lever.

Le chien frissonna et tenta de se lever, puis s'effondra en gémissant.

— Qu'est-ce qui t'arrive ? Tu es blessé ?

Julia passa prudemment la main sur sa toison, en s'efforçant de ne pas penser aux puces qui y grouillaient forcément, et l'immobilisa sur sa patte antérieure.

— Elle est cassée ? demanda-t-elle.

Il se contenta de la regarder en remuant la queue.

— Foulée, peut-être? Je n'y connais rien et je ne sais même pas s'il y a un vétérinaire à Simpson. Bon, ajouta-t-elle en le toisant d'un œil sévère, tu peux entrer pour cette nuit parce qu'il fait vraiment froid, mais je te préviens: c'est seulement pour une nuit. Demain, tu t'en vas, compris?

La queue balaya le plancher et le chien donna un coup de langue sur sa main.

— Voilà, l'essentiel, c'est qu'on soit d'accord.

Julia souleva le chien dans ses bras. Il était plus lourd qu'elle ne l'aurait cru. Soudain, les caprices culinaires de Federico Fellini lui revinrent en mémoire.

— Et pas question de petits plats mitonnés avec amour. Tu auras du lait et c'est tout.

Le chien émit une longue plainte, et Julia soupira.

— Bon, d'accord, si tu es sage, je te donnerai la fin de ma salade de thon.

Elle l'installa sur une vieille couverture dans un coin de son petit living et recula. C'était un grand chien, mais il mourait visiblement de faim. Ses côtes saillaient tellement qu'on pouvait les compter malgré son épaisse fourrure.

Elle passa dans la cuisine, versa du lait dans un bol et plaça le reste de sa salade de thon sur une assiette en plastique. Dès le lendemain, elle s'arrêterait à l'épicerie pour acheter de la nourriture pour chien et s'enquérir des coordonnées du vétérinaire le plus proche.

Je suis une idiote, se répéta-t-elle en déposant la nourriture devant le chien, satisfaite malgré tout de le voir tout engloutir en un clin d'œil. Il se recoucha et la regarda entre ses paupières mi-closes.

— Alors, toi aussi, tu as eu des malheurs? murmura-t-elle.

Le chien bâilla à s'en décrocher la mâchoire, révélant ses crocs jaunis, puis posa le museau sur ses pattes et s'endormit instantanément.

Julia l'envia. Depuis quatre semaines, elle n'avait pas fait une seule nuit complète.

Elle se dirigea d'un pas traînant vers l'office – qui n'était rien de plus qu'un placard sans porte au fond de la cuisine – où un plaisantin doté d'un sens de l'humour particulièrement pervers avait installé un appareil censé faire office de chaudière. En réalité, cette carcasse métallique émoussait à peine le froid et ne fournissait, à grand renfort de grincements et de borborygmes, qu'un pitoyable filet d'eau tiède.

C'était du moins ce qu'elle avait consenti à faire jusqu'à ce matin, quand Julia avait dû se contenter d'une douche glacée et remarqué l'apparition d'une grosse tache d'humidité sur le mur. Quelque chose était cassé quelque part.

Julia constata que la tache s'était étalée. Il y avait de l'eau par terre et un gargouillis inquiétant s'élevait à intervalles irréguliers.

La sonnette de la porte d'entrée retentit. Elle jeta un dernier coup d'œil à l'enchevêtrement de tubes et de tuyaux, et alla ouvrir.

Des rafales de neige tombaient à l'oblique dans le cône de lumière du réverbère. Julia frissonna. La température avait nettement chuté.

Sam Cooper se tenait devant elle, plus grand et plus massif encore que tout à l'heure sur le petit perron de bois délabré. Il avait une expression sinistre, et ses yeux sombres brillaient dans la pénombre. Julia l'observa un instant et se prépara à affronter le pire. S'il était venu jusque-là, c'était pour une bonne raison. Bonne pour lui, mauvaise pour elle.

— Vous avez l'intention de porter plainte ? attaqua-t-elle en relevant le menton d'un air de défi.

Il cligna des yeux et une expression indéchiffrable passa sur les traits durs de son visage.

— Non.

Sa voix était à l'image du reste de sa personne : sombre, grave et profonde.

— Oh, souffla-t-elle, vaguement soulagée. Tant mieux.

— Je suis venu parce que j'ai...

Un craquement retentissant s'éleva dans la cuisine, suivi d'un bruit de chute d'eau.

— Oh, non ! gémit Julia en courant vers l'office.

Le mur avait apparemment explosé et un puissant jet d'eau en sortait, entraînant avec lui de gros morceaux de plâtre.

— Où se trouve le robinet d'arrêt ?

La voix caverneuse qui retentit derrière elle la fit se retourner, et elle leva vers Sam Cooper un regard désespéré. Il laissa échapper un reniflement méprisant, traversa la zone inondée, parut trouver ce qu'il cherchait, l'attrapa et fit pivoter son poignet vers la droite. Comme par magie, les chutes du Niagara cessèrent de couler.

Il s'agenouilla, arracha le plâtre autour du trou qu'avait formé le jet d'eau, puis passa la tête dans le trou. Julia l'entendit grogner et il ressortit la tête.

— Pipe, dit-il.

Julia se raidit. *Pipe ?* Elle n'avait pas la moindre idée de ce que cela signifiait. Elle n'était pas encore parfaitement familiarisée avec le dialecte de l'Idaho occidental, mais... mais « pipe » n'était certainement pas un compliment.

— Je vous demande pardon ? répliqua-t-elle d'un ton pincé.

Un léger sourire passa sur ses lèvres.

— J'ai besoin d'une clef à pipe, précisa-t-il en sortant un trousseau de clefs de sa poche. Clefs du camion. Caisse à outils sur le siège avant.

En prenant le trousseau, Julia effleura sa main. C'était la main la plus dure qu'il lui ait été donné de toucher. Dure, rugueuse et tiède.

Elle hésita un instant, contemplant les clefs comme s'il s'agissait d'une sorte de talisman, puis releva les yeux vers lui et observa ses yeux noirs et brillants qui la dévisageaient ouvertement. Son expression était parfaitement impénétrable. Elle ouvrit la bouche pour dire quelque chose, se ravisa et se dirigea vers la porte. Un vieux pick-up stationnait devant chez elle. Noir. Évidemment.

Elle trottina en frissonnant jusqu'à la portière. À travers la vitre, elle aperçut une caisse à outils, comme celles que transbahutent les réparateurs en tout genre. La troisième clef qu'elle inséra dans la serrure de la portière accepta de tourner, et elle tira la caisse à outils vers elle. Qui pesait une tonne. Elle l'apporta à l'intérieur de la maison en soufflant et s'ébroua pour se débarrasser du mélange de neige et de pluie qui couvrait ses cheveux et ses épaules.

— Voilà.

Julia était parfaitement capable de se montrer aussi laconique que John Wayne, puisque c'était apparemment le genre que se donnait Sam Cooper.

Dans la boîte impeccablement rangée, il sélectionna un outil d'allure menaçante qui aurait fait la fierté de Vlad l'Empaleur.

— C'est ça. Clef à pipe, ajouta-t-il en soupirant comme elle le regardait avec des yeux ronds.

— Oh, répondit-elle avec un sourire.

Le charme de ce sourire aurait fait tomber Cooper à la renverse, s'il ne s'était pas déjà trouvé allongé par terre. Quand elle souriait, la belle Sally Anderson était bouleversante. En moins d'une heure de temps, il l'avait vue tour à tour terrifiée, gênée, éberluée et enjouée. Ses émotions transparaissaient aussi clairement sur son visage que si leur nom avait été imprimé sur son front. Une faculté dont il était lui-même entièrement dépourvu. Melissa s'était souvent plainte de son masque impénétrable.

Le sourire de Sally Anderson disparut, et Cooper réalisa qu'il la dévisageait ouvertement. Il essaya de sourire et sentit dans ses joues un tiraillement de muscles rarement sollicités. Conserver ce sourire aurait constitué une véritable torture, aussi préféra-t-il s'appliquer à réparer la plomberie de Sally Anderson.

Il avait du pain sur la planche. Personne ne s'était avisé d'entretenir cette maison depuis plus de quarante ans. Les tuyaux étaient rouillés et tous les joints menaçaient de rompre.

Fort heureusement, sa boîte à outils contenait tout ce dont il aurait besoin. Il y veillait depuis son retour au ranch familial, le «Bonnet C», où quelque chose tombait en panne presque chaque jour.

Se concentrer sur les joints de sa chaudière lui évitait de dévisager la belle Sally Anderson. Dans une grande ville, tout le monde devait se retourner sur elle, mais à Simpson, elle faisait carrément l'effet d'un miracle, d'une rose en hiver. Cooper avait toutes les peines du monde à s'empêcher de la regarder.

C'était une vraie beauté. Elle avait la peau blanche et laiteuse d'une rousse, des yeux d'un bleu aussi pur que le ciel un jour d'été, et un sourire... électrisant.

Ce qui était étrange, c'était qu'elle avait tout d'une rousse... excepté les cheveux. Cooper n'avait jamais pu résister aux rousses. Si elle avait été rousse, il l'aurait certainement soulevée dans ses bras pour la renverser sur son lit et se serait jeté sur elle. Il avait déjà bien du mal à s'interdire de le faire alors qu'elle était brune.

Elle attirait irrésistiblement le regard. Si irrésistiblement que Cooper avait un mal fou à se concentrer sur les tuyaux rouillés et les joints d'étanchéité hors d'âge contre lesquels il bataillait. S'il n'avait pas eu de quoi s'occuper les mains, il serait probablement resté planté devant elle à la dévorer des yeux. Et l'aurait sans doute terrifiée.

Mais il y avait un autre aspect positif à se trouver ainsi occupé, couché sur le flanc pour atteindre les tuyaux par en dessous.

Cette position lui permettait de dissimuler son érection.

C'était bien sa chance. Pourquoi son sexe choisissait-il justement ce moment pour se rappeler à son bon souvenir ?

Son sexe était entré en hibernation depuis que Melissa l'avait quitté un an auparavant, et n'avait guère fonctionné l'année précédente, période au cours de laquelle son mariage était parti à vau-l'eau, aussi lentement que douloureusement. Il ne ressentait plus le moindre désir sexuel depuis ce qui lui semblait une éternité, comme si son corps avait cessé de disposer de cette fonction. Il s'était pratiquement résigné à se passer de relations sexuelles, et voilà que le désir reprenait subitement vie.

La disparition de sa libido était en partie liée au travail éreintant que le ranch exigeait de lui.

Dans les dernières années de sa vie, son père avait négligé l'entretien du Bonnet C. Cooper travaillait dix-huit heures par jour, et le labeur qu'il effectuait était aussi intense et pénible que l'entraînement quotidien auquel il se soumettait quand il était Navy SEAL, l'adrénaline des combats en moins. Un lit n'était plus pour lui que l'endroit où il sombrait dans un sommeil si profond qu'il s'apparentait au coma dès que sa tête touchait l'oreiller.

Elle trouvait également son origine dans l'enfer qu'avait été son mariage avec Melissa, véritable sorcière au cœur de pierre. Aujourd'hui encore, le simple fait de penser à elle le faisait grimacer. Son mariage lui avait laissé l'impression d'avoir miraculeusement survécu au déraillement d'un train, auquel il aurait assisté de l'intérieur et au ralenti. La dernière année de leur mariage, il aurait préféré introduire son sexe dans la gueule d'un serpent à sonnette plutôt qu'entre les cuisses de Melissa. Il faut dire qu'un serpent à sonnette lui aurait réservé un accueil plus chaleureux.

Mais cette disparition était avant tout et essentiellement liée au fait que les jolies filles ne couraient pas les rues à Simpson. À Rupert et à Dead Horse non plus, d'ailleurs. Cela faisait bien longtemps que Cooper n'avait pas eu l'occasion de croiser une femme aussi belle que Sally Anderson.

En fait, il avait suffi qu'il pose les yeux sur elle pour la désirer, et il se sentait complètement désarmé en sa présence.

S'il s'était trouvé dans cette situation du temps de sa carrière militaire et qu'il avait rencontré Sally dans un bar, il lui aurait proposé de boire un verre et ne se serait pas donné la peine de l'amadouer en lui faisant la cour. Il n'aurait même pas eu besoin de lui faire la conversation. La musique était toujours trop forte dans les bars. Personne n'y allait pour parler. On y allait pour lever une fille. À cette époque, trouver une partenaire occasionnelle n'avait jamais posé aucun problème à Cooper, surtout à Coronado, où des hordes de groupies des SEALs se crêpaient le chignon entre elles pour obtenir leurs faveurs.

Puis Melissa lui avait mis le grappin dessus et l'avait pratiquement traîné jusqu'à l'autel sans lui laisser le temps de dire un mot. Elle avait découvert ensuite que la vie d'une épouse d'officier n'était pas aussi amusante qu'elle se l'était imaginé. Et que la vie d'une épouse de fermier était pire encore. Melissa était extrêmement difficile à contenter et s'était appliquée nuit et jour à le lui faire savoir.

Au cours de sa formation militaire, Cooper avait tout appris des tactiques d'esquive et d'évitement, et il avait abondamment mis son savoir en pratique dans sa vie conjugale, ce qui l'avait amené à étouffer ses besoins sexuels. Maintenant que son sexe avait décidé de se rappeler à son bon souvenir, aucun des outils dont il disposait dans sa boîte ne l'aiderait à obtenir les faveurs de cette dame.

Sally Anderson était clairement une dame. Une dame belle et raffinée. Cooper ne pouvait espérer l'attirer dans son lit grâce à son charme. Il en était entièrement dépourvu. Il ne savait pas murmurer des mots tendres et entourer une femme de gestes pleins de prévenance.

Réparer sa plomberie suffirait peut-être à remporter le morceau…

Pendant que Sam Cooper travaillait en silence, Julia épongea les dégâts. À plusieurs reprises, elle dut passer par-dessus ses jambes interminables qu'elle ne put s'empêcher d'admirer, tout en se sentant vaguement coupable de lorgner les jambes d'un homme qui lui apportait son aide. Sa seule excuse était que ses jambes étaient vraiment exceptionnelles.

Munie de cet alibi, elle s'autorisa à les contempler plus longuement.

Elles étaient longues et musclées, mais c'étaient surtout ses cuisses qui étaient impressionnantes. Son jean serré faisait ressortir le jeu de ses muscles à chacun de ses mouvements, et ce spectacle la fascinait. Elle n'arrivait plus à en détacher les yeux. Elle n'avait que rarement eu l'occasion d'admirer d'aussi près une telle puissance virile, et elle dut planter ses ongles dans les paumes de ses mains pour se retenir de le toucher. Juste une seconde, pour voir l'effet que ça faisait.

Julia avait toujours choisi les hommes avec qui elle sortait en fonction de leur conversation et de leur charme. Il était impératif qu'ils aiment la lecture et le cinéma, mais ils devaient également s'entendre avec Federico Fellini, ce qui n'était pas évident. Federico était très sélectif dans ses fréquentations.

Des cuisses musclées n'avaient jamais fait partie des critères de sélection de Julia. Elle n'aurait jamais imaginé pouvoir ressentir autant d'excitation devant la partie inférieure d'un corps masculin qu'un homme en ressentait devant la poitrine d'une femme. Cela ne lui ressemblait absolument pas. En temps normal, elle attachait de l'importance à la conversation, à la culture et à la prestance. Faire une fixation sur le physique d'un homme comme elle le faisait en ce moment était abominable. Le stress et la peur l'avaient converti en *primate*.

Elle était convaincue que l'homme qui réparait sa chaudière n'avait aucune prestance, mais à en juger d'après les ondes de chaleur qui la parcouraient, les muscles de ses cuisses palliaient ce défaut.

L'exil involontaire auquel elle était condamnée lui avait fait perdre la raison. C'était la seule explication possible.

Cooper s'engagea plus profondément dans le mur pour faire quelque chose qui l'obligea à se mettre sur le dos, et Julia découvrit un aspect de son anatomie aussi massivement impressionnant que ses cuisses.

Soit cet homme était en pleine érection, soit il méritait de figurer dans le livre des records ! La température interne de Julia grimpa jusqu'à un point d'incandescence qui la laissa un instant sans force.

Oh, mon Dieu ! Qu'est-ce qui m'arrive ? Elle avait les jambes tremblantes et n'arrivait pas à détacher les yeux du jean de Cooper, blanc de plâtre, dont la toile épousait si étroitement ses cuisses et son…

Julia se retourna d'un bloc et, jambes flageolantes, alla chercher des glaçons dans le frigo pour s'en frotter les poignets, à défaut de se passer les mains sous l'eau qui était coupée. Sa température descendit et quand elle eut recouvré sa maîtrise d'elle-même, elle regagna l'office.

Il avait dégagé le haut de son corps du mur. La chaudière émit un souffle puissant et se remit en route. Cooper se redressa avec autant d'aisance et de souplesse qu'il l'avait fait dans sa salle de classe, après qu'elle eut cherché à l'assommer avec une citrouille géante. Il baissa les yeux vers elle. Son visage était totalement dépourvu d'expression. Il leva les mains. Elles étaient couvertes de graisse, et Julia constata qu'il s'était blessé. Deux de ses phalanges étaient couvertes de sang.

— Je peux me laver les mains ? demanda-t-il d'une voix si rauque qu'on aurait pu croire qu'il n'avait pas ouvert la bouche depuis plusieurs jours.

— Bien sûr. Merci beaucoup.

La maison commençait déjà à se réchauffer, et Julia fut saisie d'un immense élan de gratitude à son égard. Certes, il ne parlait pas beaucoup, ses cuisses et ce qui se trouvait entre elles la mettaient dans tous ses états, mais il avait réparé sa chaudière et elle lui en était sincèrement reconnaissante.

— La salle de bains se trouve à droite. Les serviettes sont propres.

Il hocha gravement la tête et pivota. Julia fit preuve d'une maîtrise qui lui sembla héroïque en résistant à la tentation de regarder ses fesses. Le spectacle qu'il offrait de face était assez perturbant comme ça.

Pour se changer les idées, elle décida de lui préparer une tasse de thé, puis se ravisa. Les cowboys préféraient sans doute le café. Elle était en train de garnir le filtre quand elle entendit frapper à la porte.

Si ça continuait comme ça, il y aurait bientôt autant de monde chez elle qu'à la gare de Grand Central. Personne ne s'était présenté à sa porte depuis qu'elle avait emménagé, mais ce soir, c'était un vrai défilé. D'abord le chien, puis

Cooper, et maintenant… Qui cela pouvait-il bien être ?

Julia ouvrit la porte et son pire cauchemar jaillit des ténèbres.

Un revolver. Pointé sur elle.

3

Julia poussa un hurlement, et son cœur se mit à cogner dans sa poitrine comme s'il cherchait à s'en échapper. La seule pensée cohérente qui lui traversa l'esprit fut de trouver une arme pour se défendre. Mais au même instant, elle sut qu'il était trop tard et se prépara à mourir.

— Des bonbons ou ton compte est bon ! pépia une petite voix au niveau de ses genoux.

Julia en resta figée de stupeur. Une sorcière, un Harry Potter blond avec des lunettes rondes à monture en plastique et un cow-boy la dévisageaient, visiblement ébranlés par son hurlement. Le cow-boy lâcha son pistolet et la sorcière fondit en larmes.

Ce n'était pas un tueur, mais des enfants qui venaient réclamer des bonbons pour Halloween.

La porte d'entrée se referma. Julia perçut vaguement une voix masculine, comme si elle se trouvait à des kilomètres, ponctuée par des exclamations enfantines de ravissement. Un instant plus tard, la porte d'entrée se rouvrit, laissant pénétrer un tourbillon d'air glacial.

D'un pas chancelant, elle gagna le living et ses doigts s'agrippèrent au dossier du canapé recouvert d'un tissu à fleurs criard. Elle s'efforça de maîtriser le tremblement de ses bras. Des taches de couleur dansaient devant ses yeux, et sa vision périphérique était aussi floue que les contours d'une photo jaunie. Une larme tiède tomba sur le dos de sa main.

La terreur et le désespoir faisaient rage dans sa poitrine. Une autre larme jaillit entre ses cils. Juste avant que ses genoux ne la trahissent, elle sentit qu'on la soulevait à demi et elle se retrouva blottie contre un torse puissant.

Les brefs sanglots qui s'échappaient de ses lèvres l'horrifièrent, mais elle était incapable de les retenir. De grands bras l'enlacèrent et son corps accepta spontanément cette étreinte en se détendant complètement.

Cela faisait une éternité qu'un être humain ne l'avait pas serrée dans ses bras pour la réconforter. Depuis la mort de ses parents, en fait. Et Julia laissa jaillir toute la peur, la colère et la solitude qu'elle réprimait depuis leur décès sous forme de sanglots qu'elle n'aurait pu contenir, sa vie en eût-elle dépendu. Elle pleura, tout en sachant qu'elle serait submergée de remords une fois que la crise serait passée. Plus tard. Pour l'instant, le soulagement de ses larmes lui était aussi nécessaire que l'air qu'elle respirait.

Petit à petit, ses sanglots cédèrent la place à des hoquets et elle se laissa aller contre le torse de Cooper, vidée, lessivée. Entre les larmes de Julia et l'eau qui s'était écoulée des tuyaux de la chaudière, son pull était aussi trempé qu'une serpillière.

Elle inspira lentement et tressaillit. Cooper avait placé une main sur sa tête, la recouvrant entièrement, et passé un bras autour de sa taille pour la serrer étroitement contre lui.

C'était bel et bien une érection. Une vigoureuse érection qui, si incroyable que cela puisse paraître, s'affirmait encore et palpitait en s'étirant contre son ventre. Julia se demanda s'il avait senti le flot de chaleur qui s'était emparé de son entrejambe.

Elle venait de passer en un clin d'œil du plus profond désespoir à l'excitation. La femme en détresse avait fait place à une autre femme, tendrement enlacée par un homme vibrant de désir. Une situation pour le moins troublante.

Julia aurait dû s'écarter. Une telle intimité était inconvenante. Elle ne savait rien de cet homme, si ce n'est qu'il parlait très peu et qu'il savait réparer une chaudière.

Non, elle savait autre chose de lui.

Elle savait que son sexe était énorme.

Julia s'écarta brusquement, gagna d'un pas chancelant son affreux canapé, s'y laissa tomber et ferma les yeux.

C'est trop pour moi, se dit-elle.

En moins d'un mois, elle était devenue une femme traquée, exilée à Simpson, terrorisée par des gamins qui lui demandaient des bonbons, et dont le corps s'enflammait au contact d'un homme quasiment muet. C'était vraiment trop pour elle.

Elle réalisa que Cooper se penchait vers elle.

— Tenez, dit-il en refermant la main de Julia sur le verre qu'il lui tendait.

Elle prit une gorgée et laissa échapper un glapissement de surprise quand le liquide lui brûla la gorge.

— Qu'est-ce que c'est ? bredouilla-t-elle en levant les yeux vers lui, ses yeux s'embuant à nouveau.

— Whisky, répondit-il en lui reprenant le verre des mains.

— Où diable avez-vous déniché du whisky ? s'enquit-elle après une quinte de toux, tandis que l'alcool répandait une onde de chaleur bienfaisante dans son estomac.

— J'en ai toujours.

— Dans votre boîte à outils ?

— Non.

La bouche de Cooper se tordit, et Julia se dit que c'était sans doute la façon de sourire des cow-boys.

— Dans le pick-up. En cas d'urgence.

Julia faillit lui demander de quelle urgence il voulait parler, mais un seul regard à son visage anguleux et fermé l'incita à garder sa question pour elle. Dieu qu'elle était bête. Dans les westerns, les cow-boys désinfectent leurs blessures avec du whisky. Après quoi ils extraient les balles de leur chair avec un simple couteau, à la lueur d'un feu de camp.

Le whisky lui était sans doute monté à la tête. Ou bien l'adrénaline avait déserté son corps. En tout cas, Julia se sentait subitement vidée de sa substance. Cooper s'assit dans le fauteuil assorti au canapé, recouvrit ses genoux de ses mains immenses et l'observa tranquillement.

L'individu responsable de la décoration de cette maison avait autant de goût en matière de tissu d'ameublement qu'en éléments de plomberie : épouvantable. Le fauteuil était recouvert d'énormes roses moches.

Un silence pesant s'installa dans la pièce, seulement rompu par le crépitement des aiguilles de neige fondue qui battaient aux carreaux. Julia avait horreur du silence et le faisait habituellement disparaître sous du bavardage. On pouvait parler d'un tas de choses avec un être humain. Julia avait plus d'une fois assisté à des réceptions où tout sujet religieux ou politique était tabou, mais parler du temps qu'il faisait constituait généralement un terrain neutre. Sauf en Arabie Saoudite, où le climat est tel qu'il n'y a rien à en dire. En pareil cas, Julia lançait la conversation sur le cinéma américain. Tout le monde là-bas, depuis le plus humble des chameliers jusqu'au plus richissime sultan, avait un lecteur DVD et suivait les sorties hollywoodiennes.

Face à Sam Cooper, cependant, rien ne lui venait à l'esprit. Elle n'avait pas l'énergie de lui mentir, et dire la vérité était trop dangereux. Elle ne pouvait pas expliquer pourquoi elle avait voulu l'assommer avec une citrouille géante, ni son hurlement disproportionné à la vue d'un pistolet en plastique. Davis avait été très clair : sa survie dépendait de son silence. Elle ne devait révéler à personne qu'elle était sous la protection du Programme de sécurité des témoins.

Cooper la couvait toujours de son regard totalement dépourvu d'expression. Elle n'avait pas la plus petite idée de ce qu'il pouvait penser, mais c'étaient forcément des pensées négatives.

— Je ne peux pas en parler, bafouilla-t-elle lamentablement quand le silence finit par devenir insupportable.

Cooper hocha gravement la tête, comme si elle venait de proférer la parole la plus sensée qu'il eût jamais entendue, et Julia en fut intensément soulagée. Un contact humide et froid sur sa main la fit soudain sursauter.

— Oh !

Elle se pencha au-dessus de l'accoudoir du canapé et croisa les yeux noirs et expressifs du chien errant. Il la gratifia d'un regard d'adoration et lécha sa main. Aucun être humain ne lui aurait léché la main pour un reste de salade de thon et une vieille couverture.

— Est-ce que vous vous y entendez aussi bien pour réparer les animaux que les chaudières, monsieur… euh… Cooper ?

— Cooper suffira, mademoiselle Anderson.

Il se leva souplement du fauteuil, ce qui était un exploit en soi. Julia savait que les ressorts de ce fauteuil étaient cassés. Elle l'avait appris à ses dépens et avait lutté plus d'une fois pour s'en extirper. Mais Cooper se leva aisément, ce qui signifiait que ses abdominaux étaient aussi puissants que les muscles de ses cuisses. En fait, songea machinalement Julia tandis qu'il se penchait sur le chien, il était tout simplement puissant de partout.

Il se déplaçait avec une incroyable agilité. Son pull noir moulait les muscles de son torse, tout à la fois saillants, fermes et souples. Les mains avec lesquelles il palpa délicatement le chien étaient grandes et dotées de longs doigts habiles. Et quand il se pencha davantage pour murmurer quelque chose à l'oreille du chien, le regard de Julia fut une fois de plus irrésistiblement attiré par ses cuisses. Comment était-il parvenu à développer sa musculature aussi harmonieusement ? En montant à cheval, sans doute. En tant qu'éleveur de chevaux, il devait beaucoup monter.

Une vision de Cooper en train de la monter, *elle*, s'imprima soudain au fer rouge dans son esprit, ses cuisses fléchies alors qu'il la…

Cooper releva la tête, et Julia rougit jusqu'à la racine des cheveux. Mon Dieu, se dit-elle en souhaitant de toutes ses forces qu'il soit incapable de lire dans ses pensées. Il tapotait la tête du chien, et elle lança précipitamment :

— Ce n'est pas vraiment mon chien, vous savez. Il rôde dans le coin depuis quelques jours. Je l'ai surpris à deux reprises en train de fouiller dans ma poubelle et je l'ai chassé, mais quand je suis rentrée tout à l'heure après…

Après avoir tenté de vous assommer avec une citrouille géante…

Julia cligna des yeux, se mordant la lèvre.

Cooper ne remarqua rien. Les grandes mains avec lesquelles il palpait le chien venaient de s'immobiliser sur sa patte antérieure droite.

— Oui, moi aussi j'ai remarqué ça tout à l'heure, dit-elle. Vous pensez qu'elle est cassée ?

— Non.

— Mais alors, qu'est-ce qu'il a ?

— Entorse.

Les sons rassurants que Cooper émit à l'intention du chien bercèrent également Julia. Soudain, il releva les yeux vers elle.

— Il a un nom ?

— Non. Comme je viens de vous le dire, je l'ai trouvé tout à l'heure.

— Il lui faut un nom, décréta Cooper en grattant la tête du chien entre les oreilles.

— Euh…

L'apparence de ce chien jaune et squelettique était aussi éloignée que possible de celle de son élégant chat siamois, mais… il avait quatre pattes et une tête, tout comme Federico Fellini. Cela leur faisait quand même un point commun.

— Fred. Je veux l'appeler Fred, déclara-t-elle.

— Va pour Fred. Salut, Fred ! dit Cooper en présentant ses doigts au chien pour qu'il les renifle. Il ira mieux d'ici quelques jours. Il ne faut pas qu'il s'appuie sur sa mauvaise patte. Tout ce qu'il lui faut, c'est une bonne pâtée et un coin au chaud.

Cooper émit une sorte de grondement de sympathie à l'adresse du chien, puis se redressa subitement. Julia dut relever la tête pour le regarder.

— Vous partez ? s'étonna-t-elle, saisie d'une panique inexplicable.

— Non.

Son regard dépourvu d'expression resta posé sur elle un moment et Julia aurait donné cher pour savoir ce qu'il pensait, même si elle se doutait que cela ne lui plairait pas. Il devait se demander quelle était la façon la plus élégante de prendre congé d'une folle.

Il ouvrit la porte et sortit. Il faisait totalement nuit à présent, et Julia aperçut des lignes obliques de neige fondue sous la lumière du réverbère. La bouffée d'air froid n'eut pas le temps de l'atteindre que Cooper était déjà revenu avec une trousse de premiers secours.

— J'imagine que vous avez sorti cela de votre pick-up magique ?

Cette fois encore, elle eut fugitivement l'impression de voir passer un sourire sur ses lèvres.

— Oui.

Cooper s'agenouilla près du chien et reprit son apaisante mélopée inarticulée. Julia fut stupéfaite que le chien n'émette pas la moindre protestation, pas même lorsque Cooper examina sa patte et nettoya soigneusement sa blessure. Penchée au-dessus de l'accoudoir, elle l'observait avec intérêt. Il avait des gestes assurés, précis.

— Qu'est-ce qui lui est arrivé, selon vous ?

Cooper s'assit sur ses talons, ce qui eut pour effet de tendre la toile de son jean, et Julia s'appliqua à ne pas dévier le regard de son visage. La fascination qu'exerçait sur elle la moitié inférieure de son corps était extrêmement embarrassante. Si ça continuait comme ça, elle allait bientôt ressembler à ces femelles en chaleur qui font des avances aux hommes dans les bars.

76

— Accident de voiture, probablement. Soit une voiture l'a percuté, soit on l'a balancé d'une voiture.

Julia retint son souffle.

— Balancé? Vous voulez dire que quelqu'un l'aurait délibérément jeté d'une voiture en marche?

— Oui. Ça arrive tous les jours. Les gens croient qu'ils veulent un chien, et puis ils changent d'avis. Fred appartient à quelqu'un, c'est certain. Ou appartenait. Ses membres sont bien découplés, il ferait sûrement un bon chasseur.

Cooper flatta le museau du chien de sa grande main, son pouce grattant la zone plane entre les oreilles.

— Si vous le dites, marmonna Julia en considérant Fred d'un œil dubitatif.

Ses membres bien découplés, s'ils existaient, étaient dissimulés par une épaisse fourrure sale.

— Je ne suis pas très chien et je n'ai vraiment pas l'intention de le garder. Si je l'ai laissé entrer ce soir, c'est uniquement parce qu'il m'a fait pitié.

Cooper se leva et glissa les mains dans les poches arrière de son jean.

— Vous aurez peut-être envie de le garder un moment. Il vous tiendrait compagnie si vous…

Cooper s'interrompit brusquement.

— Si je craquais? acheva sèchement Julia à sa place. Permettez-moi de vous assurer que je ne craque pas tous les soirs, monsieur Cooper.

— Ce n'est pas ce que je pensais, répondit-il en faisant passer le poids de son corps d'une de ses bottes crottées à l'autre. Et on m'appelle Cooper.

— On ne vous appelle jamais par votre prénom? C'est Sam, je crois?

— Oui. Mais tout le monde m'appelle Coop.

— Même quand vous étiez petit? Comment vous appelait votre maman?

— Je ne sais pas. Elle est morte quand j'avais trois ans.

— Et à l'école?

— Coop.

— Et votre femme?

— En général, elle m'appelait fils de pute, sauf votre respect, mademoiselle Anderson. Surtout avant de demander le divorce, ajouta-t-il en plongeant ses yeux noirs dans les siens.

— Oh, je, euh… Je suis désolée. Je ne voulais pas être indiscrète, c'est juste que…

Julia laissa sa phrase en suspens avec un haussement d'épaules, puis regarda Cooper sortir un papier de sa poche et le brandir vers elle.

Elle le déplia et découvrit qu'il s'agissait d'un des messages qu'elle avait adressés aux parents de Rafael.

Rafael rencontre de graves difficultés scolaires et j'aimerais vous rencontrer pour en parler avec vous.

Julia leva les yeux vers le grand homme sombre et silencieux qui se tenait devant elle, puis les reporta sur le mot.

— Je ne vois pas bien…

Soudain, elle comprit.

Sam Cooper était évidemment le père du petit Rafael. L'imagination fertile de Julia se chargea de combler les trous. La femme de Cooper – celle qui l'appelait généralement fils de pute – devait l'avoir quitté récemment, ce qui expliquait le changement de comportement de Rafael.

Non, ça ne collait pas.

Rafael s'appelait Martinez, pas Cooper. Mais Cooper venait de dire que sa femme l'avait quitté… Rafael était peut-être le fils que cette femme avait eu d'un précédent mariage… Julia avait énormément de mal à réfléchir avec ces yeux noirs et opaques braqués sur elle.

Comme chaque fois qu'elle éprouvait le besoin de masquer son trouble, elle se mit à parler.

— Écoutez, je suis désolée, mais Rafael a vraiment beaucoup de mal à se concentrer en classe. Aujourd'hui encore, il a pleuré parce que Missy...

— Demain, l'interrompit Cooper. On peut se voir ?

Julia commençait à comprendre sa façon de s'exprimer. Traduit en langage articulé, Cooper lui demandait si elle était disposée à se rendre au ranch le lendemain pour discuter des problèmes du petit Rafael.

Fred glissa son museau sous la main de Cooper, qui répondit à sa requête silencieuse d'une caresse machinale. Sam Cooper était apparemment plus doué pour communiquer avec les animaux qu'avec les humains.

À part se morfondre sur sa situation, Julia n'avait pas grand-chose à faire le lendemain.

— Oui, bien sûr, répondit-elle. Où se trouve votre maison... euh, je veux dire, votre ranch ?

— Une fois que vous quittez l'ancienne route McMurphy, vous roulez sur huit kilomètres en direction de l'autoroute jusqu'au carrefour, vous prenez sur la droite, vous allez jusqu'à la fourche qui se trouve trois kilomètres plus loin, vous prenez à droite et à environ quatre cents mètres...

Julia écoutait ses indications en proie à une panique grandissante, se voyant déjà aller à gauche quand il faudrait aller à droite, puis tournant frénétiquement en rond dans la campagne déserte jusqu'à ce qu'elle tombe en panne d'essence et que les loups la dévorent. Son visage avait dû refléter ses émotions, car Cooper s'interrompit.

— Je dois venir en ville demain matin, dit-il après avoir laissé échapper un infime soupir. Vous pouvez être au Carly's Diner vers dix heures ?

— Au Carly's Diner, répéta-t-elle, immensément soulagée à l'idée de ne pas finir ses jours dans l'estomac des loups qui pullulaient sans doute dans cette région sauvage et désolée. Dix heures, c'est parfait. J'y serai.

— Bien, conclut-il en inclinant la tête. Merci.

— Il n'y a pas de quoi, murmura Julia. C'est la moindre des choses, après…

Elle agita gauchement la main, luttant contre l'envie de mimer l'instant où elle avait laissé tomber une citrouille géante sur sa tête.

Il se tenait sur le seuil de la porte ouverte. Il neigeait toujours et la température avait encore baissé. Le souffle qui s'échappait de sa bouche formait un nuage et lui donnait une apparence vaguement irréelle. Les traits fermes de son visage semblaient avoir été sculptés dans la pierre, et il évoquait une statue émergeant du brouillard. Ses yeux brillants étaient le seul détail qui venait contredire cette impression.

Julia se surprit à plonger le regard dans le puits sans fond de ces yeux. En dépit de son allure menaçante, elle n'avait plus peur de lui, plus vraiment. Il paraissait lointain, presque inatteignable, et pourtant il ne leur avait manifesté, à elle et à Fred, que de la gentillesse. Une gentillesse qui ne cadrait pas avec l'idée qu'elle s'était faite d'un père capable de rendre son fils aussi malheureux.

Ils étaient si près l'un de l'autre et il était si grand qu'elle commençait à avoir une crampe à force de lever la tête pour le regarder. Julia se sentit osciller vers lui, comme si son regard agissait sur elle à la façon d'un rayon magnétique dans un film de science-fiction, et elle recula, s'efforçant de reprendre ses esprits.

— Rafael, murmura-t-elle. C'est un petit garçon adorable. Je suis sûre qu'il suffit de lui donner un petit coup de pouce pour que tout rentre dans l'ordre.

Il pivota et traversa le porche branlant. La deuxième marche était disjointe et craqua sous son poids. Julia le regarda traverser le petit jardin. Arrivé à mi-chemin, il s'arrêta et se retourna.

— Mademoiselle Anderson…

— Sally, dit-elle.

— Sally. Rafael… ce n'est pas mon fils.

Il tourna les talons, grimpa dans son pick-up qui disparut bientôt dans la nuit noire et glacée.

Cooper aurait pu parcourir les cinquante kilomètres séparant Simpson du Bonnet C les yeux bandés et les mains menottées dans le dos en tenant le volant avec ses orteils. Heureusement, parce que la seule chose qu'il voyait devant ses yeux, c'était le visage de Sally Anderson. Et la seule chose qui occupait son esprit était le martyre que lui faisait endurer son érection.

Elle ne s'était toujours pas résorbée, et Cooper commençait à craindre qu'il ne fasse une fixation sur Sally Anderson. Étant donné la façon dont il s'était comporté avec elle, cela signifierait qu'il pouvait faire une croix sur sa vie sexuelle jusqu'à la fin de ses jours. Il n'avait pas été fichu d'articuler plus de dix mots, et s'était frotté contre elle lorsqu'il l'avait serrée dans ses bras.

Elle devait le prendre pour un cinglé.

Sally Anderson l'attirait irrésistiblement. C'était peut-être lié à la qualité de sa peau, si pâle et lumineuse qu'on avait l'impression qu'elle était éclairée de l'intérieur. Ou bien à ses yeux de turquoise claire qui lui rappelaient la couleur de la mer de Coronado au crépuscule. Cooper n'en savait rien. Tout ce qu'il savait, c'est qu'il n'arrivait pas à détacher les yeux d'elle.

Une petite fossette creusait sa joue gauche quand elle souriait, et il souhaita soudain la faire sourire à nouveau, rien que pour la voir réapparaître. Mais il ne savait plus comment faire sourire une femme – s'il l'avait jamais su un jour. Il savait descendre en rappel d'un hélicoptère en vol, plonger à soixante mètres de profondeur, atteindre une cible à deux mille mètres, dompter le plus sauvage des étalons, mais faire sourire une femme... c'était une autre histoire.

Ce n'est pas mon fils.

Un peu plus tard ce soir-là, Julia réfléchissait dans son lit. Elle venait de lire trois fois de suite le même paragraphe de son livre sans rien comprendre.

Qu'avait cherché à lui dire Cooper ? Que Rafael était le fils de sa femme ? Si tel était le cas, « ce n'est pas mon fils » était une formulation froide et cruelle. Sam Cooper ne lui avait pourtant pas fait l'effet d'être quelqu'un de cruel.

Certes, il ne parlait pas beaucoup, mais Julia avait l'impression que c'était plus lié à un problème de communication qu'à un manque d'intelligence. Elle avait lu un jour que les officiers des forces spéciales avaient un QI au-dessus de la moyenne, mais l'art de la séduction et de l'éloquence n'entrait pas en ligne de compte dans les tests d'intelligence.

Elle jeta un coup d'œil à Fred, roulé en boule sur sa vieille couverture dans un coin de la chambre, qui l'observait de son doux regard brun. Cooper avait manipulé ce pauvre chien avec délicatesse. Un homme qui faisait preuve d'une telle gentillesse avec un chien errant ne pouvait pas se montrer cruel envers un petit garçon.

D'un autre côté, qu'en savait-elle ? Elle n'était plus sûre de rien, désormais. Son univers familier était complètement bouleversé depuis un mois. Sa vie s'était mise à ressembler à ces ballades country – celles qu'on chante d'un ton gémissant pour raconter ses malheurs. Julia se mit à en inventer les paroles dans sa tête, tapant du pied sur son matelas sous les couvertures.

J'ai perdu mon boulot, ma maison et ma voiture...

Fred tourna subitement la tête pour se mordre rageusement l'épaule.

... et mon chien a des puces, conclut-elle en grimaçant.

Et pour couronner le tout, elle ne pouvait même pas espérer noyer son chagrin dans la lecture. La plus grande de toutes les panacées – s'absorber dans la lecture pour tout oublier – lui était interdite. Tout ce qu'on trouvait à lire à Simpson, c'était la feuille de chou locale, *Le Pionnier de Rupert,* et des feuilles à scandale rapportant chaque semaine que quelqu'un avait vu Elvis Presley quelque part, disponibles à l'épicerie de Loren Jensen. Julia devait donc se contenter des quelques livres qu'elle avait apportés.

Elle n'avait disposé que de dix minutes dans une librairie d'aéroport et avait versé tout le contenu d'un présentoir dans son panier sans prendre le temps de regarder ce qu'elle achetait. À sa grande déception, elle avait ensuite découvert qu'il y en avait quatre qu'elle avait déjà lus. Les autres livres étaient ceux qu'elle avait lus et relus depuis un mois.

Ses yeux se posèrent sur celui qu'elle relisait pour la cinquième fois. Elle avait décidé de le lire cette fois-ci avec son regard critique d'éditeur. C'était peut-être pour cela qu'elle n'arrivait pas à se concentrer sur l'intrigue. Ce livre aurait pu faire un malheur avec une bonne promotion. Julia aurait su la lui donner, du temps où elle était éditrice.

Avant.

Qui l'avait remplacée chez Turner & Lowe ? Juste avant la disparition de Julia, ils s'étaient fait racheter par un énorme groupe d'édition allemand. Des rumeurs de licenciements avaient circulé. Sa demande de congé sans solde était tombée à point nommé. Avait-on choisi Dora pour la remplacer ? Non, la spécialité de Dora, c'étaient les histoires vécues. Nommer un éditeur dans son domaine d'expertise tombait sous le sens, même pour un homme d'affaires sans visage qui vivait de l'autre côté de l'Atlantique.

C'était peut-être Donny qui s'occupait de ses auteurs, maintenant. Donny Moro était son assistant personnel depuis un bon moment. Il avait dû sauter sur l'occasion.

Dieu seul savait ce qu'elle trouverait à son retour.

Si elle rentrait un jour.

Des larmes picotèrent ses yeux, même si elle savait pertinemment que pleurer ne changerait rien à sa situation. Elle s'essuya les yeux et bâilla. Elle avait épuisé son quota d'adrénaline aujourd'hui. Entre son coup de fil à Davis, l'agression à la citrouille géante du héros local, l'inondation de sa maison, la terreur pure qui s'était emparée d'elle quand elle avait cru qu'un tueur à la solde de Santana l'avait retrouvée, et l'élan de désir physique que ce soldat-éleveur presque muet avait déclenché chez elle... elle avait été servie. Ses paupières se fermèrent. Il était temps de dormir.

Elle tendit machinalement la main vers le réveille-matin de bazar qui se trouvait sur la table de nuit, puis l'immobilisa. Le lendemain était un samedi, elle n'aurait pas besoin de se lever tôt.

Si seulement elle avait pu dormir jusqu'au jour où elle retrouverait enfin sa vie d'avant...

4

— Je vous ressers un café ?

Julia leva les yeux du *Pionnier de Rupert* pour regarder la jolie jeune femme qui lui souriait, sa cafetière à la main, attendant sa réponse.

Devait-elle reprendre du café ? Sans doute pas, étant donné que l'hôpital le plus proche était à trois cents kilomètres. Ce breuvage était un vrai poison. Julia lui rendit son sourire.

— Non merci. Une seule tasse me suffit.

Julia s'efforçait d'entretenir ses habitudes d'autrefois pour se donner l'illusion d'exercer une sorte de contrôle sur sa vie. Une des habitudes qu'elle chérissait tout particulièrement consistait à boire un café après le travail, de préférence en compagnie d'une ou de deux copines. Et aucun samedi ne pouvait être parfait si elle ne prenait pas son café du matin en lisant le journal.

Si tout avait été normal, elle l'aurait pris ce matin-là au Millefeuille sur State Street, une pile des dernières parutions littéraires entassée à ses pieds, en disséquant tranquillement les derniers potins du boulot avec Dora et Jean et en dégustant un *mochaccino* dans une tasse de porcelaine. Au lieu de quoi, elle parcourait d'un œil morne *Le Pionnier de Rupert* et risquait sa peau en ingurgitant un breuvage tiédasse qui ressemblait à de la vase dans un mug ébréché.

Qu'elle le veuille ou non, sa vie était ici désormais et elle devait se plier aux usages de Simpson. Elle venait de lire *Le Pionnier* de la première à la dernière page, y compris le récit haletant et détaillé du dernier match de basket lycéen de première catégorie – que l'équipe locale avait perdu – et la rubrique nécrologique concernant des gens dont elle n'avait jamais entendu parler.

Devaux jusqu'au bout des ongles, se dit-elle ironiquement.

Recréer ses habitudes dans les lieux les plus incongrus était inscrit dans ses gènes. Sa mère était fille de diplomate, et son père venait d'une famille de militaires. Le travail de son père les avait amenés à changer de pays tous les deux ou trois ans, et Julia connaissait la marche à suivre : on s'installe et on se fond dans le décor.

— Vous êtes sûre que vous ne voulez pas en reprendre ? insista la serveuse qui n'avait pas grand mérite à être aux petits soins pour elle, vu qu'elle était la seule cliente.

— Tout à fait sûre, je vous remercie.

La jeune femme fit la grimace, posa la cafetière sur la toile cirée craquelée qui recouvrait la table et s'assit en face de Julia.

— Remarquez, je vous comprends, soupira-t-elle. Il est infect, n'est-ce pas ?

Le sourire de Julia se figea. Elle ne pouvait émettre aucun commentaire au sujet du café.

— Euh... Disons qu'il est un peu...

— Ne vous en faites pas, coupa la serveuse avec un grand sourire. Je sais qu'il est mauvais. Je crois que c'est de famille. Le café de ma mère était tout aussi mauvais. Elle s'appelait Carly. C'est pour ça que cet endroit s'appelle Carly's Diner.

La jeune femme avait une expression chaleureuse et ses yeux bleu pâle – un bleu auquel Julia pensait désormais sous l'appellation de « bleu Simpson » – brillaient de curiosité.

— Vous êtes Sally Anderson, n'est-ce pas ? La nouvelle institutrice ?

— Oui, soupira-t-elle, gênée d'être obligée de mentir à quelqu'un d'aussi sympathique. J'ai emménagé ici il y a un mois.

— Je sais, déclara la serveuse en écartant une mèche de cheveux couleur caramel de son front. Vous êtes déjà venue ici plusieurs fois. J'avais envie d'engager la conversation, mais… Je crois qu'il y a tellement longtemps que je n'ai pas adressé la parole à quelqu'un qui n'est pas d'ici que je ne sais plus comment on fait. Je me dis parfois que les habitants de Simpson sont une race éteinte, comme les dinosaures, et qu'on ne s'en rend même pas compte parce qu'on est complètement isolés.

C'était tellement proche de ce que Julia pensait qu'elle en eut honte.

— Eh bien, fit Julia qui avait tant de fois proféré ce mensonge qu'il jaillit spontanément de ses lèvres, je trouve que Simpson n'est pas si mal que ça, vous savez, euh…

— Alice, l'informa la jeune femme en lui tendant la main, Alice Pedersen. Ravie de vous connaître. J'ai rarement l'occasion de croiser des étrangers, et encore plus rarement des femmes du même âge que moi, alors je trouve ça génial que vous ayez emménagé ici. Vraiment. Vous êtes mariée ?

Julia faillit s'étrangler sur la gorgée de café qu'elle avait imprudemment portée à ses lèvres pour se donner une contenance.

— Pardon ?

— On n'est pas censé demander ça tout de suite, hein? murmura Alice en baissant les yeux. Excusez-moi, comme je vous l'ai dit, je n'ai pas l'habitude de parler avec des étrangers. En ce moment, je passe pratiquement tout mon temps avec mon petit frère. Il a dix-sept ans, et je vous garantis que c'est un sacré numéro. Je l'adore et je sais qu'il est pénible parce qu'il ne supporte pas la mort de notre mère, mais il y a des jours où j'en ai jusque-là. Vous n'avez jamais été mariée?

Julia pouvait lire les sentiments d'Alice sur son visage comme dans un livre ouvert, et il n'y avait que de la curiosité amicale dans ses beaux yeux bleus. Elle laissa échapper un léger soupir.

— Non, Alice. Je n'ai même jamais été fiancée.

Entamer une histoire d'amour est bien la dernière chose à laquelle je pense en ce moment, songea-t-elle. Une vision des cuisses fabuleuses de Sam Cooper lui traversa l'esprit. Une relation sexuelle pourrait cependant me tenter, rectifiat-elle.

— Ah bon? s'étonna Alice en battant des cils. Comment ça se fait? Vous êtes si belle. Vous avez l'air tellement… classe, quoi.

Julia reposa sa tasse.

— Merci. Alice Pedersen. Pedersen… enchaînat-elle, pressée de changer de sujet. Vous êtes peut-être de la famille du shérif?

— C'est mon père. Il m'a raconté que vous avez estourbi Coop avec une citrouille, hier. Il en rigolait encore quand il est rentré à la maison. Je tiens à vous en remercier, parce que ça faisait longtemps que je ne l'avais pas vu rire comme ça.

— Je suis ravie de lui avoir fourni l'occasion de s'amuser, répliqua Julia d'un ton crispé, mais figurez-vous que j'ai eu très peur, sur le moment.

— Peur ? *De Coop* ? s'étonna Alice en arrondissant les yeux. C'est l'homme le plus gentil de la terre. Je le connais depuis toujours, il ne ferait pas de mal à une mouche.

Elle réfléchit un instant à ce qu'elle venait de dire.

— Pas à une mouche américaine, en tout cas. Et à aucune femme, quelle que soit sa nationalité. Même quand il était avec Melissa...

Alice s'interrompit, leva les yeux et plaqua un sourire sur ses lèvres.

— Salut, Coop, lança-t-elle.

Julia tourna vivement la tête. Sam Cooper se tenait derrière elle, toujours aussi grand et tout de noir vêtu, l'air aussi sombre et menaçant que la veille. Depuis combien de temps était-il là ? Pourvu qu'il n'aille pas s'imaginer qu'elle essayait de tirer les vers du nez d'Alice à son sujet !

— Alice, dit-il avant d'incliner la tête à l'intention de Julia. Sally.

Julia posa subrepticement la main sur son ventre. La voix de Sam Cooper était tellement grave et profonde qu'elle faisait vibrer son diaphragme.

À moins que le café ne l'ait rendue malade.

Cooper pressa doucement l'épaule d'Alice.

— Quoi de neuf, Alice ? demanda-t-il. Les affaires marchent ?

Il se glissa à côté de Julia, qui recula vers la fenêtre pour lui faire de la place. Ses larges épaules dissimulaient les deux tiers du dossier de la banquette.

Les yeux d'Alice s'embuèrent.

— Je ne sais pas, Coop. Je crois que je m'y prends de travers.

Elle se leva pour aller chercher un mug et revint lui servir un café en essuyant discrètement une larme. Julia remarqua que le mug de Cooper était lui aussi ébréché, mais alors que le sien l'était à droite de l'anse, celui de Cooper l'était à gauche.

Comme c'est mignon, songea-t-elle, nos mugs sont assortis.

Alice se rassit et laissa échapper un long soupir.

— Je ne sais pas quoi faire de cet endroit, dit-elle en englobant d'un geste circulaire les murs sales et le comptoir en formica craquelé du restaurant. Je ferais peut-être mieux de vendre, mais qui pourrait avoir envie d'acheter ça ?

Cooper prit une gorgée de café et grimaça.

— En tout cas, tu peux te vanter d'entretenir la tradition. Ton café est aussi infect que celui de ta maman. C'est rassurant de savoir que certaines choses ne changeront jamais. Mais on est toujours en aussi bonne compagnie qu'avant, alors ça fait passer le café, conclut-il avec un léger sourire.

Julia le contempla. Était-ce bien le même Sam Cooper que celui qu'elle avait rencontré la veille ? Cet homme qui venait de faire une plaisanterie ? Et qui souriait ? Pourtant, il avait un sourire magnifique. Son sourire adoucissait les traits de son visage et le rendait plus humain, plus accessible. À la lumière du jour, Julia constata que ses yeux n'étaient pas d'un noir d'obsidienne, mais d'un brun très foncé. Il tourna la tête vers elle pour l'inclure dans son sourire, et Julia sentit son souffle se bloquer dans sa gorge.

Quand il se tourna de nouveau vers Alice, Julia recommença à respirer.

— Comment va Matt ? s'enquit-il.

Alice porta le regard de l'autre côté de la vitre sale et se mordit la lèvre.

— Pas très bien, Coop, avoua-t-elle. Il ne se concentre pas sur ses études et il répond de travers à papa. À moi aussi, tu me diras, mais ce n'est pas pareil. Il passe son temps enfermé dans sa chambre devant son ordi en écoutant du rap violent. Il sèche de plus en plus souvent les cours. Il n'est vraiment pas bien dans sa peau.

— Donne-lui des responsabilités.

— Quoi ? s'exclama-t-elle d'un ton choqué en le dévisageant.

— Donne-lui des choses à faire ici, au restaurant. Au besoin, paye-le. Occupe-le, demande-lui son avis avant de prendre des décisions. Implique-le dans ce que tu fais.

— Mais, Coop, gémit-elle, je ne sais pas moi-même ce que je fais ! Franchement, qu'est-ce qui m'a pris de vouloir prendre la relève ? Ça ne rapportait déjà pas grand-chose du vivant de maman, et pourtant tu sais que les gens l'aimaient bien. Ils passaient prendre un café et une part de tarte, rien que pour avoir le plaisir de lui dire bonjour. Maintenant, plus personne ne vient et je ne peux vraiment pas leur en vouloir.

Le Carly's Diner était le seul endroit où l'on pouvait boire et manger à cinquante kilomètres à la ronde, mais si Alice cuisinait aussi bien qu'elle faisait le café, il fallait être affamé ou désespéré pour venir y manger. Mieux valait s'acheter une tablette de chocolat et une pomme à l'épicerie Jensen. Aux murs, de vieux calendriers périmés et un portrait de famille encadré faisaient office de décoration. Julia reconnut le shérif sur la photo. Un peu plus mince et avec quelques années de moins qu'aujourd'hui. La femme qui se tenait près de lui avait le sourire d'Alice, dont une version adolescente se tenait auprès d'elle, tandis qu'un petit garçon à la bouille toute ronde et au sourire édenté lui faisait pendant à côté du shérif.

Une tarte aux pommes ramollie trônait sur le comptoir sous une cloche de verre. Le tableau noir accroché au mur opposé annonçait des hamburgers à quatre dollars et un buffet à volonté à douze dollars qui firent frissonner Julia.

L'endroit avait sérieusement besoin d'un décorateur d'intérieur, mais Simpson tout entier avait besoin d'un décorateur d'extérieur.

— Je ne sais pas, gloussa Julia en arrondissant le dos comme si elle était affublée d'une bosse. Ce n'est pas si mal. Un coup de peinture, quelques coussins…

Elle gloussa encore et attendit les rires qui auraient logiquement dû ponctuer sa plaisanterie. Il y eut un long silence embarrassé.

Alice la regardait comme si elle avait perdu la raison. Cooper se contentait d'afficher son expression impassible.

— C'est dans *Frankenstein Junior*, non ? demanda-t-il finalement. Tu es trop jeune pour te souvenir de ça, Alice. C'est un vieux film avec Gene Wilder. Mais ce n'est pas de votre époque non plus, s'étonna-t-il en revenant à Julia.

— Non, admit-elle avec un soupir. J'ai pour principe de ne regarder que des films anciens. Ça m'épargne bien des déceptions. Si un film est encore apprécié vingt ans après sa réalisation, c'est qu'il est vraiment bon. Je reconnais que les costumes et les coiffures peuvent parfois surprendre et que les seuls téléphones sans fil qu'on y voit sont gros comme des parpaings, mais ce n'est pas trop gênant.

Cooper scrutait le contenu de son mug. Julia l'imita. Qui sait ? La solution au problème d'Alice s'y trouvait peut-être… D'un seul coup, la solution lui apparut.

— Du thé, eut-elle la surprise de s'entendre dire.

— Du thé ? répéta Alice en levant la tête.

— Du thé, confirma Julia d'un ton ferme. C'est ça qu'il faut proposer à la clientèle. Du thé noir et… et des tisanes.

— Des tisanes ? répéta Alice comme si elle entendait ce mot pour la première fois de sa vie.

— Oui ! s'exclama Julia en tournant la tête vers Cooper qui la couvait tranquillement de son regard opaque. Des tas de gens boivent du thé, n'est-ce pas, Cooper ? ajouta-t-elle en gratifiant sa cheville d'un audacieux coup de pied sous la table.

— Tout à fait, répliqua-t-il, toujours impassible – quoique Julia eût l'impression de voir flotter l'ombre d'un sourire sur ses lèvres. À longueur de journée, précisa-t-il.

Il mentait, évidemment, mais Julia eut envie de l'embrasser pour ce mensonge. Et son corps devint subitement brûlant à l'idée d'embrasser Cooper.

— Tu en bois, toi, Cooper ? demanda Alice, sceptique.

Il hocha gravement la tête et le front d'Alice redevint lisse. Apparemment, elle considérait que tout ce que faisait Cooper était forcément bien.

— J'ai vu qu'il y a de la menthe qui pousse devant le café, dit Julia en repensant au délicieux thé à la menthe qu'elle buvait lorsqu'elle vivait au Maroc. Et on peut faire de la tisane avec toutes sortes de plantes : romarin, églantine, verveine, sassafras, sauge… La liste est infinie. On peut aussi aromatiser le thé noir avec de la cannelle ou des écorces d'orange. Je connais une recette géniale pour faire du thé à la vanille ! Une fois qu'on y a goûté, on ne peut plus s'en passer !

— Attends, fit Alice qui s'était emparée de son calepin pour noter ce qu'elle disait. Qui sait ? ajouta-t-elle en levant la tête. Ça marchera peut-être. De toute façon, ça ne coûte rien d'essayer. Qu'est-ce que tu en penses, Coop ?

— Ça peut marcher, répondit-il en laissant de l'argent sur la table, avant de tendre la main à Julia pour l'aider à se lever. On ferait bien d'y aller.

Alice contempla Cooper, bouche bée, puis tourna les yeux vers Julia et les reporta sur Cooper.

— Oh, lâcha celle-ci dans un souffle.

Cooper saisit fermement son coude et l'entraîna vers la porte. Julia avait le choix entre le suivre ou dire adieu à son bras.

— Je vous apporterai les recettes la prochaine fois, lança-t-elle à Alice par-dessus son épaule.

La porte s'ouvrit à cet instant précis, livrant passage à un adolescent. Son crâne était entièrement rasé, à l'exception d'une grosse mèche au sommet qui formait une queue-de-cheval et lui retombait au milieu du dos. Il avait une oreille percée et deux piercings – au nez et au sourcil. Malgré le froid, il ne portait qu'une veste en jean sur son torse nu. Son pantalon était déchiré aux genoux et les clous qui ornaient ses énormes godillots noirs auraient suffi à riveter le toit d'un stade.

Il regarda Julia et Cooper passer devant lui.

— Hé ! lança-t-il à sa sœur. C'est qui, la meuf hyper canon ?

Julia franchit le seuil du café en réprimant un sourire amusé. Dehors, un vent glacial s'était levé.

Il faisait plus froid qu'elle ne l'avait escompté et elle ne s'était pas assez couverte.

Qu'est-ce que je fais là ? se demanda-t-elle subitement.

Paralysée d'anxiété, elle réalisa qu'elle s'apprêtait à se rendre dans un ranch isolé en compagnie d'un homme qu'elle connaissait à peine, pour discuter des problèmes psychologiques d'un petit garçon de sept ans alors qu'elle n'avait aucune expérience dans ce domaine. Cerise sur le gâteau : mis à part une tasse de mauvais café, elle avait l'estomac vide.

Un frisson remonta le long de sa colonne vertébrale, et elle faillit bondir de surprise lorsque quelque chose de lourd et de tiède recouvrit ses épaules. C'était la veste en cuir de Cooper, qui lui arrivait aux genoux. Julia posa sa sacoche à ses pieds pour enfiler les manches, et apprécia un instant la sensation de chaleur dont elle se sentit enveloppée. Elle leva les yeux et croisa le regard de Cooper.

— Merci, dit-elle en essayant de sourire alors qu'elle claquait des dents. Je ne pensais pas qu'il ferait aussi froid. Mais vous ? s'inquiéta-t-elle en tendant le bras vers lui.

Seul le bout de ses doigts dépassait de la manche.

— Le froid ne me dérange pas, grommela-t-il.

Il mentait certainement, mais Julia était trop heureuse qu'il lui ait prêté sa veste.

— Où est votre voiture ? demanda-t-il.

— Ma voiture ?

Il voulait qu'elle prenne sa voiture pour aller jusqu'au ranch ? Elle ne conduisait pas très bien, et la simple idée de se mettre au volant pour rouler dans la campagne lui comprimait le cœur, même si elle savait qu'elle n'aurait qu'à le suivre.

Ce qui l'angoissait, c'était la perspective de faire le trajet de retour toute seule.

Elle ne pouvait évidemment pas dire à Cooper à quel point cela l'horrifiait. Il l'aurait regardée comme une extraterrestre. Les gamins de la région conduisaient des tracteurs avant de savoir marcher. La ville lui manqua subitement plus que jamais. N'importe quelle ville. Avec des trams, des métros et des bus. Des taxis. Des gens dans les rues. Elle passa sa langue sur ses lèvres sèches et tenta un pâle sourire.

— Je... l'ai laissée derrière la maison. Si vous voulez bien m'attendre, je vais aller la chercher...

Elle s'interrompit. La main de Cooper venait de se refermer sur son bras.

— Je voulais juste savoir où elle était, dit-il. Je dois revenir en ville tout à l'heure, je vous ramènerai, assura-t-il en se penchant pour ramasser sa sacoche.

Julia devina qu'il mentait. Sidérée, elle le regarda s'éloigner, puis se ressaisit et courut pour le rattraper, immensément soulagée.

— Comment va Rafael ? demanda Julia pour briser le silence.

— Bien.

C'était le troisième mot que Cooper prononçait en vingt minutes. Les deux autres avaient été « oui » et « non », en réponse à ses questions. Julia abandonna tout espoir de le sortir de son mutisme et s'absorba dans la contemplation du paysage.

Cooper était un excellent conducteur. Si elle admirait tellement les gens qui conduisaient bien, c'était essentiellement parce qu'elle-même était une piètre conductrice. Elle avait beau essayer de se concentrer, au bout de cinq minutes, elle trouvait le moyen de s'occuper l'esprit avec un tas de choses bien plus intéressantes que les feux de circulation et la priorité à droite. Cooper, lui, à la fois vigilant et détendu, passait les vitesses comme on joue d'un instrument de musique.

Le Beethoven du levier de vitesse, songea-t-elle avec un sourire.

Elle avait une conscience aiguë de la présence de cet homme sombre assis à côté d'elle, et ne parvenait pas à comprendre pourquoi.

Une seule chose était sûre : ce n'était pas pour son art de la conversation. Jusqu'à présent, Julia aurait pu jurer que toutes ses hormones sexuelles se situaient dans son cerveau. Ses trois relations précédentes avaient vu le jour parce qu'elle avait découvert que son premier petit copain partageait ses goûts littéraires, que le deuxième avait des raisons intéressantes de ne pas partager ces mêmes goûts, et que le troisième avait une conversation pleine d'esprit et un merveilleux sens de l'humour. Sûrement pas parce que leurs grandes mains couvertes d'un léger duvet noir maniaient le volant d'une voiture avec une souplesse élégante, ni parce que des muscles puissants jouaient sous leur jean quand ils appuyaient sur la pédale d'embrayage… Julia tourna vivement la tête et contempla le paysage d'un regard aveugle.

Quelque chose ne tournait pas rond chez elle. C'était peut-être ce silence qui la rendait folle. Si elle lui parlait, elle parviendrait peut-être à rompre l'étrange envoûtement dont elle était victime.

— C'est encore loin ?

Cooper lui jeta un bref coup d'œil.

— On est arrivés.

— Ah bon ? fit Julia en regardant autour d'elle.

Elle ne vit rien de plus que ce qu'elle voyait depuis une demi-heure : des arbres, de l'herbe, des arbres et de l'herbe.

— On est au Bonnet C depuis dix minutes, lui assura-t-il.

Julia aperçut des clôtures qui bordaient la route et qui s'étendaient jusqu'à une rangée de collines, mais elle ne voyait aucune différence entre les terres clôturées et celles qu'ils avaient traversées auparavant.

— Oh ! s'exclama-t-elle en pressant son nez contre la vitre du pick-up. Des chevaux ! Vous croyez que ce sont des mustangs ?

— Non, répondit Cooper. Ce sont les miens.

— Oh.

Julia observa les superbes créatures. Il y en avait une bonne cinquantaine.

— J'imagine que les mustangs n'existent que dans les films.

— En fait, répliqua Cooper en s'engageant dans une large allée, on en trouve surtout au Nevada et au Nouveau-Mexique. On y est.

Une clôture blanche entourait de grands bâtiments fraîchement repeints, ainsi que plusieurs aires circulaires dont le sol était couvert de sable. Julia avait lu assez de livres de Dick Francis pour reconnaître des écuries et des manèges. À moins qu'on n'appelle ça des corrals, dans l'Ouest ?

Une douzaine d'hommes étaient occupés à travailler avec ardeur, qu'ils ratissent le sol, qu'ils mènent les chevaux à l'aide d'une sorte de longe ou qu'ils les montent. L'impression générale qui se dégageait des lieux était celle d'un ranch prospère.

Cooper ralentit et ils s'engagèrent dans ce qui apparut de prime abord à Julia comme une sorte de formation géologique. Mais en y regardant de plus près, elle se dit qu'aucune formation géologique de sa connaissance n'avait une structure parfaitement rectangulaire.

— Qu'est-ce que c'est ? demanda-t-elle en agitant la main pour désigner le... le machin en bois qu'ils traversaient.

— La maison.

Cooper se gara sous un auvent surplombant un espace aussi vaste qu'une usine. La maison elle-même avait certainement été conçue par des architectes de la NASA.

— Qui a construit cette maison ? s'enquit-elle en détachant les yeux du bâtiment pour regarder Cooper. Dieu ?

— Mon arrière-arrière-grand-père.

Il contourna le camion, ouvrit la portière de Julia et la tint par le coude jusqu'à ce que ses pieds aient atteint le sol de ciment du garage. Elle leva les yeux vers lui en souriant.

— Il a dû abattre toute une forêt pour construire cette chose.

Ses yeux sombres se firent plus insondables que jamais.

— Mon arrière-arrière-grand-père aimait avoir ses aises.

— Je veux bien vous croire. On doit distinguer cette construction aussi nettement que la Grande Muraille de Chine, depuis la Lune !

Julia quitta l'abri de l'auvent et regarda autour d'elle. Le bâtiment était si grand qu'il ne tenait pas dans son champ de vision et elle devait tourner la tête pour le voir entièrement.

— Heureusement que cette construction a vu le jour avant la création de l'Agence de protection de l'environnement, sinon on aurait arrêté votre ancêtre pour destruction de l'écosystème. Pourquoi avait-il besoin d'autant d'espace ?

— Quand il a émigré d'Irlande, il était extrêmement pauvre et il s'était juré de fonder une dynastie une fois qu'il aurait fait fortune. Il était le dernier-né d'une famille de douze enfants, et il avait décidé d'avoir lui aussi douze enfants qui auraient à leur tour douze enfants chacun. Il voulait que tout ce petit monde vive sous le même toit.

— Cela aurait donc fait un total de cent quarante-quatre personnes, déclara Julia en essayant de calculer mentalement la suite. Et arrivé à votre génération, cela aurait fait un total de...

— Vingt mille sept cent trente-six.

— J'imagine que les cousins éloignés auraient été obligés de dormir à l'hôtel, s'amusa Julia en portant un regard admiratif sur la maison. Heureusement que la contraception est apparue entre-temps. Combien de Cooper vivent ici, en définitive ?

— Il n'y a que moi.

— Rien que vous ?

Elle le vit réprimer un soupir.

— Oui.

— Même pas un ou deux cousins pour vous tenir compagnie ?

— Non.

Il fit passer le poids de son corps d'un pied sur l'autre, ce qui, en langage de cow-boy, traduisait sans doute l'embarras.

— Mon arrière-arrière-grand-père n'a eu qu'un fils, mon arrière-grand-père aussi, mon grand-père aussi, et mon père...

— Attendez, l'interrompit Julia, laissez-moi deviner : votre père n'a eu qu'un seul fils et c'est vous.

— Bravo. Venez, ajouta-t-il en lui saisissant le coude.

Ils traversèrent une cuisine qui était aussi grande que le hall seigneurial dans *Robin des bois* de Michael Curtiz avec Errol Flynn, parfaite illustration du dicton qui prétend que si quelque chose mérite d'être fait, il mérite d'être fait en deux exemplaires. Il y avait deux cheminées assez grandes pour y faire rôtir un bœuf entier, et deux fours dans lesquels on aurait pu faire cuire des enfants. La table à tréteaux qui occupait le centre de la pièce était tellement longue qu'on aurait pu faire du roller dessus. Julia eut à peine le temps d'y jeter un coup d'œil, car Cooper tenait son bras dans l'étau de sa main et semblait avoir décidé de lui faire traverser la maison au pas de charge. Ils parcoururent ainsi d'immenses couloirs poussiéreux et sombres, depuis lesquels Julia aperçut des pièces poussiéreuses et sombres. Au bout de quelques kilomètres, Cooper s'arrêta finalement devant une grande porte de chêne qu'il ouvrit, et qu'il l'invita à franchir en plaçant une main sur ses reins.

Julia avança d'un pas hésitant. À l'instar du Carly's Diner, la pièce aurait eu sérieusement besoin d'un décorateur d'intérieur. Des meubles massifs s'alignaient le long des murs, dégageant un espace central dont on se demandait à quoi il servait. Cooper y organisait peut-être des concerts l'été ou quelque chose dans ce goût-là.

Sa vision s'adapta progressivement à la pénombre, et Julia se détendit.

Cooper aimait les livres.

Instantanément, Julia lui pardonna ses problèmes de communication, ses cuisses à tomber à la renverse et ses bras puissants.

Cooper appartenait au même clan qu'elle. Le clan des lecteurs.

Des piles de livres recouvraient toutes les surfaces planes et s'alignaient le long des murs. De vrais livres qui avaient été lus, pas des livres décoratifs. Ses mains la démangeaient d'en caresser le dos, voire de les ouvrir pour humer leur parfum.

La seule source de chaleur de la pièce provenait d'un feu qui crépitait dans l'âtre immense devant lequel d'énormes chaises de chêne formaient un demi-cercle. Julia distingua les silhouettes d'un homme et d'un petit garçon. L'homme était très brun et tout de noir vêtu, exactement comme Cooper.

— Mademoiselle Anderson !

Rafael bondit de sa chaise et courut vers elle.

— Pourquoi êtes-vous venue ici, mademoiselle ? demanda-t-il en levant vers elle son petit visage anxieux. Je n'ai rien fait de mal, n'est-ce pas ?

— Non, mon trésor, répondit-elle en ébouriffant tendrement ses cheveux. Tu n'as rien fait de mal. Je viens simplement te rendre visite pour dire à ton papa que tu es très sage.

Le visage de l'enfant se détendit légèrement. Cooper reprit le bras de Julia et ils s'approchèrent de la cheminée.

— Sally Anderson, permettez-moi de vous présenter Bernardo Martinez, mon chef d'équipe et le père de Rafael.

L'homme ratatiné sur la chaise et qui se tenait la tête dans les mains ne parut pas l'avoir entendu.

— Bernie, gronda Cooper.

Bernardo Martinez redressa lentement la tête, puis se leva comme s'il était âgé d'au moins mille ans.

Quand elle aperçut ses yeux, Julia fut incapable de réprimer une grimace. Ils étaient de la même couleur que les innombrables feux qu'elle avait grillés. Elle se demanda si c'était douloureux d'avoir les yeux aussi rouges.

L'homme était hagard. Une barbe de plusieurs jours assombrissait son visage aux traits réguliers.

— Bernie... répéta Cooper d'une voix plus grave et menaçante encore que la première fois.

Martinez se passa la main dans les cheveux, puis hocha la tête à l'intention de Julia.

— Mademoiselle Anderson, cossa-t-il d'une voix épouvantablement rocailleuse.

— Monsieur Martinez, répliqua-t-elle en inclinant la tête.

Cooper s'agenouilla devant Rafael :

— Southern Star a mis bas, la nuit dernière. Pourquoi n'irais-tu pas demander à Sandy de te montrer son poulain ?

— Un poulain ?

Le visage de l'enfant refléta une joie immense.

— Youpi ! lança-t-il en boxant l'air de ses poings.

Retrouvant ses bonnes manières, il salua poliment Julia, puis sortit de la pièce en courant.

Bernie Martinez tourna la tête vers Cooper, et Julia eut l'impression que ce simple mouvement le faisait atrocement souffrir.

— Qu'est-ce que c'est ? Une femelle ?

Cooper toisa Martinez d'un air dur.

— Un mâle.

— Un mâle, répéta-t-il avec un rire amer. J'aurais dû m'en douter. Même les juments ne supportent pas cet endroit. La malédiction des Cooper s'est une fois de plus abattue sur...

— Ça suffit, Bernie.

Julia frémit. Elle n'aurait pas aimé que Cooper s'adresse à elle sur ce ton. Ça l'aurait privée de l'usage de la parole pendant au moins un siècle. Martinez, en revanche, ne parut pas le moins du monde impressionné.

— Si on n'était pas venus vivre ici, je suis sûr que Carmelita ne m'aurait pas quitté. Je suis sûr que...

— Je t'ai dit que ça suffisait !

Cooper s'approcha de Martinez en serrant les poings et son chef d'équipe redressa fièrement le menton, comme pour le défier de lever la main sur lui. Il fallait s'interposer.

— Bon, lança Julia. Eh bien voilà...

N'obtenant aucune réaction de la part des deux hommes, elle plaqua un sourire factice sur ses lèvres.

Pas plus de réaction.

Ils continuaient à se regarder en chiens de faïence comme si elle n'était pas là. En venir aux mains leur ferait peut-être du bien, après tout.

— Cooper ? l'appela Julia.

Son beau regard sombre lui tira un frémissement.

— J'ai laissé ma sacoche dans le pick-up et j'avais apporté le cahier de Rafael pour le montrer à M. Martinez. Non, non, ajouta-t-elle quand Cooper fit mine de se diriger vers la porte, je vais aller la chercher moi-même, si vous voulez bien me rappeler comment on fait pour regagner la cuisine. Ou si vous me dessinez un plan.

— Prenez à droite en sortant, répondit-il d'un ton aimable. Passez sept portes, tournez à gauche et allez jusqu'au bout du couloir. Vous n'aurez plus qu'à traverser l'office pour vous retrouver dans la cuisine.

— Sept portes, à gauche, office, cuisine, répétat-elle. D'accord.

Elle quitta la pièce et contempla d'un air consterné l'immense couloir qui s'étendait devant elle.

Elle aurait dû semer des petits cailloux à l'aller.

Quand la porte se fut refermée sur Julia, Bernie se laissa retomber sur sa chaise. Il s'absorba dans la contemplation des flammes de l'âtre, et Cooper se contenta de l'observer.

— Elle est partie, Coop, lâcha-t-il finalement. Pour de bon.

— Ouais.

Cooper croisa les bras pour se donner une contenance. Il n'était pas fait pour consoler un homme qui vient de se faire plaquer par sa femme. Bernie donnait l'impression d'avoir traversé l'enfer. Le départ de Carmelita laissait un vide immense dans sa vie. Cooper envia presque Bernie de l'intensité de ses sentiments. Lorsque Melissa l'avait quitté, il n'avait éprouvé qu'un profond soulagement.

Bernie souffrait vraiment, mais cela n'excusait pas son comportement envers Sally Anderson.

— Écoute, Bernie, dit Cooper, je comprends ce que tu ressens, mais tu dois te ressaisir. Mlle Anderson...

— Laisse tomber, le coupa Bernie. Tu n'as aucune chance avec elle. Et même si tu en avais une, tu finirais par la perdre. Toutes les femmes qui viennent ici s'en vont. Tu aurais pu me parler de cette malédiction, Coop, ajouta-t-il en levant sur lui ses yeux injectés de sang. Comment pouvais-je savoir qu'une femme ne reste jamais sur les terres des Cooper?

— Ce n'est qu'une légende, Bernie. Comment peux-tu croire à des bêtises pareilles?

— Des bêtises? répéta Bernie avec colère. Mais bon sang, je viens de perdre ma femme à cause de cette malédiction, moi!

— Si tu as perdu ta femme, ce n'est pas parce qu'elle se trouvait sur ces terres, rétorqua Cooper d'un ton raisonnable. Elle est partie parce que... parce que...

Il s'interrompit. Il ne savait pas pourquoi Carmelita était partie. Comment comprendre ce qui pousse une femme à faire quelque chose?

— Parce qu'on est sur les terres des Cooper, acheva Bernie à sa place.

— Mais non, bon sang!

— Ah bon? Alors pourquoi Melissa est partie, d'après toi? s'enquit Bernie d'un ton hargneux. J'aimerais bien que tu m'expliques.

— Melissa est partie parce que... parce que...

— Parce que vous viviez ici, trancha Bernie en hochant gravement la tête comme s'il venait de démontrer un théorème mathématique.

— Parce qu'elle ne voulait plus vivre avec moi! s'exclama Cooper en levant les mains au ciel. Ça suffit avec cette histoire. Ça n'a rien à voir avec le ranch.

— Pourquoi ta mère est-elle partie? demanda Bernie.

— Elle n'est pas partie. Elle est morte.

Bernie souffrait et Cooper voulait bien en tenir compte, mais il y avait tout de même des limites à ne pas dépasser.

— C'est pareil, s'entêta Bernie. Et ton arrière-grand-mère? Ce n'est pas toi qui m'as dit qu'elle était partie avec le représentant des machines à coudre Singer? Elle est restée le temps de pondre un gamin, et pfft! elle a filé.

— Bernie... grogna Cooper.

— Et les juments qu'on nous amène pour la saillie, hmm? La proportion mâles/femelles de ton élevage est de 70/30. Un rapport statistiquement impossible.

— Un hasard.

— Un hasard? Alors pourquoi la chienne a donné naissance à six mâles, hein? Tu peux m'expliquer ça, ou bien tu vas encore dire que c'est aussi un hasard? Moi, je sais pourquoi Melissa et Carmelita sont parties. Elles sont parties parce que cet endroit est maudit.

Cooper préféra se taire plutôt que de dire ce qu'il pensait de la vertu de ces deux femmes.

— J'aurais dû chercher du boulot dans une banque ou dans un magasin, se lamenta Bernie. On serait encore ensemble et je ne serais pas dans cet état. Rafael non plus, conclut-il en baissant la tête.

— Bernie, lui fit remarquer Cooper d'un ton patient, tu n'aurais pas pu te faire embaucher dans une banque ou dans un magasin parce que tu n'as aucune formation dans ces domaines. Par contre, tu sais dresser les chevaux. Tu es doué pour ça et tu le fais très bien. Quand tu ne perds pas la tête.

— Évidemment que je perds la tête! cria Bernie. Je viens de perdre ma femme à cause de cette putain de malédiction!

— Tu veux bien la boucler avec cette histoire! rétorqua Cooper sur le même ton.

Sally Anderson était la seule femme – la seule jolie femme, qui plus est – à trois cents kilomètres à la ronde qui n'ait jamais entendu parler de la malédiction des Cooper, et il tenait à ce que les choses restent ainsi le plus longtemps possible.

— Mlle Anderson va revenir d'une minute à l'autre. Elle a la gentillesse, alors qu'elle a un emploi du temps très chargé, de venir jusqu'ici pour te parler de ton fils, et tu as intérêt à te montrer poli avec elle.

Cooper ignorait tout de l'emploi du temps de la belle institutrice, mais Bernie n'avait pas besoin de le savoir. Il dodelinait de la tête et avait visiblement du mal à concentrer son regard sur Cooper. Quand il y parvint, ses yeux d'un rouge malsain se mirent à briller.

— Essaye un peu de m'y obliger, maugréa-t-il.

Bernie cherchait ouvertement la bagarre, mais Cooper ne tenait pas à ce que Sally Anderson les découvre en plein pugilat.

— Arrête ton numéro, Bernie.

— Non.

Il se leva en chancelant et se mit en position de combat, ce qui était parfaitement ridicule. Il tenait à peine sur ses jambes. Cooper leva les yeux au ciel.

— Tu sais aussi bien que moi que tu ne fais pas le poids contre moi, Bernie. J'ai été formé au combat, je pèse vingt kilos de plus que toi et je te dépasse d'une tête. Arrête un peu ces bêtises.

Bernie s'était mis à tourner lentement autour de lui.

— Essaye de m'y obliger.

— Bernie, grinça Cooper entre ses dents, tu tiens la gueule bois du siècle et tu vois double...

Bernie projeta son poing vers Cooper, qui esquiva le coup sans bouger les pieds. Bernie lança l'autre poing, si lentement que Cooper aurait pu lire intégralement la biographie d'Eisenhower et avoir encore le temps d'arrêter son poing de sa main.

— Arrête, Bernie, dit-il après lui avoir permis de récupérer sa main. Tu ne peux pas me casser la figure.

— Ah ouais ? répliqua Bernie d'un ton mauvais.

Il respirait bruyamment. Il tenta vainement de faire une béquille à Cooper, mais réussit toutefois à l'atteindre d'un crochet au menton.

— Ne fais pas l'idiot, Bernie. Tu m'as fait mal, là.

— C'était fait pour, répliqua Bernie en montrant les dents.

Il s'accroupit et se mit à encercler Cooper, qui recula.

— Bernie, si tu n'arrêtes pas ce cirque immédiatement…

Bernie plongea. Cooper s'écarta. Le poing puis la tête de Bernie s'écrasèrent sur les dalles en terre cuite qui recouvraient le sol avec un bruit affreux qui tira une grimace à Cooper. Bernie se retourna. Son arcade sourcilière et sa main étaient en sang.

La porte s'ouvrit.

Sally Anderson s'immobilisa sur le seuil, sa sacoche à la main. Les deux hommes tournèrent la tête vers elle.

— C'est un rituel mâle pour établir des liens d'amitié ? demanda-t-elle d'un ton pincé.

5

— Aïe !

Bernardo Martinez chercha à écarter sa tête.

— Arrêtez de faire le douillet.

Julia l'attrapa par le menton pour le forcer à remettre la tête droite, et continua de nettoyer la petite plaie au-dessus du sourcil qui ne saignait déjà presque plus.

— Je croyais que les cow-boys avaient le cuir solide.

— Je ne suis pas un cow-boy, geignit-il quand Julia eut fini. Je ne suis qu'un pauvre *cholo* des bas quartiers qui a suivi des cours d'élevage parce que c'était le cursus universitaire le moins cher.

Mais il souriait lorsqu'il s'assit à la table de la cuisine. Cooper aussi souriait... à sa façon.

Les hommes ! se dit Julia, exaspérée. Il n'y avait pas cinq minutes, ils mettaient autant de conviction à s'étriper que les plus délurés de ses élèves de CE1, et maintenant, ils étaient doux comme des agneaux. Julia souleva la main de Bernardo, inspecta ses phalanges et croisa le regard de Cooper.

— Le ménage n'a pas été fait dans cette pièce depuis combien de temps ?

— C'est propre, répondit-il en fronçant les sourcils, vexé. Quatre de mes hommes se chargent du nettoyage à tour de rôle. Ils dégagent le fumier des écuries et... euh, ils nettoient la maison. L'écorchure de Bernie ne s'infectera pas, croyez-moi. De toute façon, il est immunisé à tout, surtout au bon sens.

— Si vous le dites, répliqua Julia en regardant les coupures de Bernie d'un œil suspicieux. Mais je serais plus tranquille si on désinfectait ça. Votre trousse de premiers secours est toujours dans le pick-up?

— Vous feriez mieux de lui appliquer la pommade antibiotique dont on se sert pour les chevaux, répondit Cooper en pinçant les lèvres. Il y en a un plein saladier au frigo.

Julia observa un instant Cooper en se demandant s'il plaisantait, mais il avait l'air parfaitement sérieux, aussi se dirigea-t-elle vers un réfrigérateur de taille industrielle, ouvrit l'énorme porte d'acier et resta figée de stupeur devant ce qu'elle découvrit.

Certaines de ses copines de Boston vivaient dans des studios plus petits que ce frigo.

— Qui est-ce qui fait la cuisine dans cette maison? Gargantua?

— Mes hommes s'en chargent à...

— ... tour de rôle. Évidemment, conclut Julia en examinant le contenu du réfrigérateur. Où se trouve la pommade antibiotique?

— Dans un saladier.

— Il y en a deux, Cooper.

— Le vert.

Julia regarda le contenu de l'autre saladier, et ses yeux s'arrondirent.

— Et dans le rouge, qu'est-ce que c'est?

Cooper haussa les épaules.

— Le repas, j'imagine.

— Certainement pas, répliqua-t-elle d'un ton ferme.

Elle s'écarta du réfrigérateur en tenant le saladier vert à deux mains et referma la porte d'un coup de hanche.

— Ce qu'il y a là-dedans n'est pas comestible. C'est peut-être une forme de vie mutante ou une expérience qui a mal tourné, mais ce n'est sûrement pas de la nourriture.

Elle inspira à fond. Si ce qui se trouvait dans le saladier vert ne guérissait pas le père de Rafael, ça le tuerait certainement.

— J'espère que vous êtes prêt, monsieur Martinez.

— Bernie.

— D'accord, Bernie. Que vous soyez prêt ou non, l'heure a sonné de savoir si vous êtes vraiment un homme, déclara-t-elle en appliquant la pommade puante sur son front. Je n'en reviens pas que vous en soyez venus aux mains, tous les deux. De vrais gosses ! On ne vous a jamais dit qu'un désaccord ne se règle pas par la violence ? C'est un comportement indigne pour des adultes.

Julia s'échauffait de plus en plus.

— La violence n'engendre que la barbarie. On ne règle pas ses comptes à coups de poing. Qu'est-ce que vous espériez obtenir en vous battant ? Vous devriez avoir honte !

— Oui, mademoiselle Anderson, répondirent-ils à l'unisson.

Julia rit quand elle réalisa qu'elle agitait l'index comme si elle grondait ses élèves de CE1.

— Vous devez trouver que je parle comme une maîtresse d'école, mais c'est ce que vous méritez. À ce propos… ajouta-t-elle en s'efforçant d'oublier qu'elle n'était absolument pas qualifiée pour parler comme elle allait le faire. À ce propos, Bernie, j'ai apporté le cahier de Rafael pour vous le montrer. C'est un élève exceptionnel et il a de très bonnes notes, mais depuis deux semaines, son comportement m'inquiète. Il n'est plus du tout attentif en classe et je l'ai plus d'une fois surpris en train de pleurer.

— Je sais, mademoiselle Anderson, soupira Bernie.

— Sally, rectifia Julia qui détestait toujours autant ce nom.

— Sally. Je vais tout vous expliquer. Ma femme et moi, on est... on était... enfin, on n'était pas vraiment...

— Vous ne vous entendiez plus ? formula gentiment Julia à sa place pour lui venir en aide.

Bernie hocha tristement la tête.

— Je m'en doutais. Et Rafael en a souffert, n'est-ce pas ?

Bernie hocha encore la tête. Julia n'avait aucune expérience personnelle du divorce, mais elle imaginait que cela devait être effroyablement douloureux.

Son regard se porta sur Cooper. Lui aussi, sa femme l'avait quitté. En avait-il autant souffert que Bernie ? Difficile à dire.

— Bernie, déclara-t-elle d'un ton ferme, je pense que quelqu'un devrait aider Rafael à faire ses devoirs. Lui consacrer une heure ou deux tous les jours pour l'aider à reprendre les bonnes habitudes, retrouver le rythme. C'est un enfant brillant et je suis certaine qu'il y parviendra rapidement.

Bernie leva les yeux vers elle, perplexe. Puis la compréhension illumina soudain son visage.

— Mais oui ! s'exclama-t-il en prenant la main de Julia dans les siennes. Vous avez raison, vous avez tout à fait raison.

Il lui serrait sa main avec enthousiasme, mais lorsqu'il aperçut la mine plus sombre que jamais de Cooper, il la relâcha brusquement.

— Comment n'y ai-je pas pensé? C'est une merveilleuse idée, Sally. Merci. Vraiment. Merci beaucoup.

— Oh, non, répondit Julia, désemparée. Je ne voulais pas dire que je...

— C'est exactement ce qu'il faut à Rafael. Des cours particuliers.

— Des cours particuliers, répéta-t-elle machinalement.

— Des cours particuliers. C'est génial. Tout simplement génial.

— Non, en fait... commença Julia.

— Avec une femme, poursuivit Bernie d'un ton rêveur. De la douceur et de la gentillesse, mais aussi de la fermeté. Une main de fer dans un gant de velours...

— Bernie, euh... je ne suis pas certaine que...

— Quelqu'un qui veille sur lui. J'avoue que Carmelita n'était pas vraiment douée pour ça, ajouta-t-il en grimaçant. Mais vous, Sally, vous avez exactement ce qui manque à Rafael. Il vous adore. Il n'arrête pas de parler de vous.

— Écoutez...

Bernie posa sur Julia un regard d'infinie gratitude.

— Vous ne pouvez pas savoir ce que ça représente pour moi, et pour Rafael aussi, bien sûr...

— Écoutez, Bernie...

— Vous nous sauvez la vie, conclut-il. Il n'y a pas d'autre mot. Merci.

— D'accord, céda Julia en levant les mains en l'air. Si c'est ce que vous voulez.

Tout bien considéré, cela ne la dérangeait pas. Elle passait ses après-midi à s'angoisser, et s'occuper de Rafael lui changerait les idées.

Bernie plongea la main dans la poche arrière de son jean.

— Combien demandez-vous pour des cours particuliers ?

— Rangez immédiatement votre portefeuille ! s'exclama-t-elle.

Elle plissa les yeux, réfléchit et se tourna vers Cooper.

— Rafael s'entend bien avec les animaux ? lui demanda-t-elle.

— Très bien. Il veut devenir vétérinaire quand il sera grand.

— Parfait, déclara Julia en pivotant vers Bernie. Voilà ce que je vous propose : je veux que Rafael m'aide à laver mon chien.

Mon chien, se dit-elle, surprise. Qui aurait cru qu'elle prononcerait un jour ces mots ?

— Je veux que Fred soit lavé, peigné et épucé, reprit-elle. En échange, Rafael pourra venir chez moi après l'école et je l'aiderai à... Oh, mais j'y pense ! enchaîna-t-elle en tournant un regard effrayé vers Cooper. Il faudra que quelqu'un passe le chercher pour le raccompagner ici.

— Je pourrais parf... commença Bernie.

— Je m'en chargerai, l'interrompit la voix grave de Cooper.

Sally Anderson et Bernie le dévisageaient comme s'il venait de lui pousser une deuxième tête.

Sally Anderson parce qu'elle n'avait sans doute pas envie de voir régulièrement débarquer chez elle un homme qui entrait en érection chaque fois qu'il posait les yeux sur elle. Et Bernie parce qu'il savait très bien que Cooper n'avait pas le temps de faire la navette jusqu'à Simpson. Ce qui était vrai. Mais ce n'était pas Cooper qui venait de parler, c'était l'animal récemment sorti d'hibernation qui se trouvait entre ses jambes.

Bernie ouvrit la bouche, regarda Cooper, et la referma.

— Je m'en chargerai, répéta Cooper, mais le prix que vous demandez est trop bas.

Les lèvres de Sally formèrent un sourire et Cooper les contempla, fasciné. Elle avait des lèvres naturellement roses, qui s'incurvaient sur un adorable sourire. Des lèvres tentantes...

— Trop bas ? s'étonna-t-elle.

— Oui. Votre chaudière a besoin d'être entièrement révisée et la deuxième marche de votre perron doit être remplacée. Et ce n'est qu'un début.

— C'est vrai, reconnut-elle avec un sourire si éblouissant que Cooper en oublia de respirer. Mais j'ignorais que Rafael était un as du bricolage.

— Bien meilleur bricoleur que son père, cela ne fait aucun doute, répondit Cooper en lui souriant.

Il réalisa subitement qu'il était en train de *flirter* avec Sally Anderson. Une sensation tellement incongrue qu'il perdit le fil de la conversation.

Il flirtait avec une belle femme. Dans la cuisine des Cooper. C'était impossible. D'aussi loin qu'il se souvienne, cette cuisine avait toujours été un espace froid et impersonnel où les hommes passaient en coup de vent pour se remplir l'estomac, pressés de retourner travailler.

Mais la présence de Sally devisant posément avec lui et Bernie rendait soudain la cuisine... agréable.

— Coop? intervint Bernie. Tu veux que je révise sa chaudière?

— Non, répliqua Cooper, la suggestion de Bernie le ramenant brutalement à la réalité. C'est moi qui le ferai. Dès que tu t'avises de toucher à autre chose qu'un animal, c'est la catastrophe assurée. Je...

— Papa! Papa!

Rafael traversa la cuisine en trombe et se jeta dans les bras de son père.

— Southern Star a eu un poulain magnifique! Il a une étoile sur le front, exactement comme sa mère. Tu verrais comment il marche, un vrai champion! Une fois que Coop l'aura dressé, il va rafler tous les prix!

L'enfant bondissait d'excitation.

— Tu crois? répondit Bernie en serrant son fils dans ses bras. Tu vas être très pris, dis-moi. Tu vas devoir t'occuper du poulain après avoir fait tes devoirs chez Mlle Anderson.

Rafael tourna aussitôt la tête vers elle.

— C'est vrai?

— Oui, acquiesça Julia. Si ça te fait plaisir, bien sûr... et si tu es d'accord pour m'aider à laver mon chien.

— Votre chien? répéta l'enfant avec un sourire radieux. Génial! De quelle race il est?

— Cooper? s'enquit Julia en se tournant vers lui.

— Mélangé, répliqua-t-il.

— Ce sont les meilleurs! s'exclama Rafael. Papa, qu'est-ce qu'on mange ce midi? enchaîna-t-il en se frottant le ventre. Je meurs de faim.

Bernie se passa la main sur le menton et jeta un coup d'œil par en dessous à Cooper.

— Je n'ai pas vraiment eu le temps de m'occuper des courses. Qui est-ce qui s'occupe de la cuisine aujourd'hui ?

— Normalement c'était au tour de Larry, mais il est allé à Rupert chercher du fil de fer.

— Qui est-ce qui va faire à manger, alors ? se plaignit Rafael.

Comme mues par des fils invisibles, trois têtes se tournèrent vers Julia pour la dévisager avec la même expression pathétique que celle de Fred la veille, et Julia dut se mordre la joue pour s'empêcher de sourire.

— Qu'est-ce que vous diriez si je proposais de préparer quelque chose à manger ?

Les deux adultes firent poliment mine d'hésiter, mais Rafael était encore trop jeune pour s'encombrer de manières.

— Super ! Je parie que vous êtes une excellente cuisinière, mademoiselle Anderson.

— Euh, je n'irais pas jusque-là, répondit-elle modestement. Disons qu'avec les bons ingrédients et les bons outils, j'arrive à un résultat comestible, déclara-t-elle en faisant glisser son regard vers Cooper. Hors de question d'utiliser le contenu du saladier rouge, par exemple. Et j'ai jeté un coup d'œil à votre bac à légumes, il est positivement répugnant.

— Vous avez jeté un coup d'œil à mon quoi ? demanda Cooper, ahuri.

— À rien, soupira Julia, ravie de déjeuner en compagnie de Bernie et de Rafael – et de Cooper aussi, évidemment. Je suis certaine que votre congélateur est plein de bonnes choses. On ne peut pas vivre au milieu de nulle part sans un congélateur rempli à ras bord. Où est-il ?

— Il n'y a pas grand-chose dedans, répliqua Cooper.

— Ah bon ? déchanta-t-elle.

Elle tenta d'imaginer ce qu'elle avait vu dans le frigo sous une forme comestible, mais échoua lamentablement.

— Non, dit Cooper en s'approchant d'elle.

Julia croisa son regard, et il lui sembla distinguer un sourire dans la sombre profondeur de ses yeux.

— Mais on a un garde-manger.

L'information c'est le pouvoir, mais surtout, l'information c'est de l'argent. Plus une information est secrète, plus elle est puissante et plus elle représente d'argent. Loi première de l'économie moderne, reproduite avec l'aimable autorisation de la Stanford Business School.

Je n'ai pas les coordonnées de Julia Devaux, se dit l'esthète. Pas encore. Mais j'ai celles de deux personnes protégées par le Programme de sécurité des témoins. Des informations qui n'intéressent pas Dominic Santana. Mais il existe certainement quelque part quelqu'un qui serait prêt à payer très cher pour avoir ces renseignements.

Une idée fit subitement se redresser l'esthète. Une idée lumineuse.

Il était temps de se retirer des affaires. L'esthète n'avait aucun doute à ce sujet. Ses vingt contrats précédents lui avaient permis de se tailler une solide réputation, mais le temps ne jouait pas en sa faveur. Tôt ou tard, malgré toutes les précautions du monde, on commettait un faux pas. C'était mathématique. Oui, il était temps de raccrocher le holster.

Après avoir obtenu la tête de Julia Devaux.

Mais l'acquisition de la villa de ses rêves allait creuser un déficit dans ses économies. Déficit qui viendrait grever ses bénéfices.

Il lui faudrait plus d'argent que prévu.

L'information permettant de localiser quelqu'un – les coordonnées d'un homme convaincu de témoigner à charge contre son ancien associé, par exemple – pouvait se négocier et était nettement moins risquée que l'exécution d'un contrat. Avec du matériel informatique haut de gamme, il était possible d'obtenir cette information depuis n'importe quel point du globe – y compris une certaine île des Caraïbes – et de l'adresser absolument partout.

Le ministère de la Justice pouvait mettre en place tous les firewalls qu'il voulait, l'esthète les franchirait sans aucun problème.

Une affaire en or. Des contrats virtuels à… disons cinquante mille par tête. Sans prendre le moindre risque.

Stanford pouvait se vanter de former l'élite des génies informatiques.

— C'était délicieux, déclara Rafael en raflant le dernier biscuit. Merci, mademoiselle Anderson.

— Vous êtes faciles à satisfaire, s'amusa Julia. On retourne des steaks dans une poêle, on épluche quelques patates, et il n'y a plus qu'à s'asseoir pour récolter les compliments.

Le déjeuner qu'elle venait de leur servir était un peu plus élaboré que ça, se dit Cooper. Sally avait fait le tour du garde-manger en plaisantant sur ses dimensions et en inventoriant son contenu. Elle avait ensuite fait mariner des steaks, battu du beurre à l'ail pour les pommes de terre et fait sauter des petits pois et du jambon en un clin d'œil. Et pour couronner le tout, elle avait préparé une fournée de délicieux biscuits.

C'était une excellente cuisinière. Tout ce qu'elle avait préparé était succulent, mais son plus grand talent consistait à mettre tout le monde à l'aise. Tout en confectionnant ce repas, elle avait circulé dans la cuisine comme si c'était la sienne, bavardant avec eux d'une voix tranquille et douce.

Bernie avait abandonné cet air hautain derrière lequel il s'était barricadé ces derniers jours, et Rafael avait ri et gambadé comme un vrai petit garçon de sept ans au lieu d'errer comme une âme en peine, tous les malheurs du monde reposant sur ses frêles épaules.

Ils avaient partagé un déjeuner exquis dans une atmosphère détendue.

Dans la cuisine des Cooper.

Avec une femme.

Un véritable exploit.

Comme si la malédiction qui pesait sur le domaine avait été levée pour quelques heures. Avec Melissa, les repas n'avaient jamais été calmes.

Pendant que la jeune femme faisait de la cuisine un lieu chaleureux, Cooper s'était efforcé de maintenir ses pensées au-dessus de sa ceinture. Il s'était appliqué à détourner le regard de ses seins et de ses fesses, et avait héroïquement refusé de l'imaginer sous lui, ses cuisses souples enserrant ses hanches. Il s'était interdit d'envisager ce qu'il ressentirait en la pénétrant – menue comme elle était, elle devait être extrêmement étroite – et avait refoulé toute pensée de la posséder aussi sauvagement qu'il en avait envie.

La gangue de glace qui l'enserrait depuis si longtemps s'était craquelée, ce qui en soi était une bonne chose – mais à long terme. À court terme, il était obligé de serrer les poings pour se retenir de se jeter sur Sally, de lui arracher ses vêtements et de la posséder comme une bête sur le carrelage de la cuisine pendant des heures.

Cooper n'avait pas le droit de penser à des choses pareilles quand une très jolie maîtresse d'école prenait sur son temps pour venir en aide à son meilleur ami et à son fils, et qu'elle poussait la gentillesse jusqu'à faire de sa cuisine un lieu où il fait bon vivre.

Il resta donc tranquillement assis à sa place, se contentant d'observer et d'écouter, souriant lorsque les autres riaient, ravi de voir Rafael redevenir insouciant.

Mais il eut beau faire, la vision de Sally nue sous lui ou même – oh oui ! – sur lui ne quitta pas son esprit un seul instant. Sally le chevauchant, Sally lui souriant pendant qu'il la possédait. Son sexe enfla douloureusement dans son jean à cette idée et il remua sur sa chaise, éperdu de reconnaissance pour la table qui dissimulait son érection.

En temps normal, il gardait son self-control pendant l'acte, s'appliquant à donner à sa partenaire les caresses qu'elle désirait. S'il ne communiquait pas très bien avec les mots, le langage du corps n'avait en revanche pour lui aucun secret. Une femme n'avait pas besoin de lui dire ce dont elle avait envie, il le devinait à l'ondulation de ses hanches quand il la pénétrait, à la manière dont ses mains s'agrippaient à lui, au rythme de sa respiration.

Sally Anderson aimerait sans doute un climat romantique. Tout en elle était délicat. Elle apprécierait les mots tendres, beaucoup de baisers, des préliminaires infinis. Elle lui demanderait de la pénétrer lentement, progressivement. La nature l'avait si bien pourvu que Cooper devrait procéder en douceur. Elle attendrait de lui qu'il se comporte en gentleman et non en hussard.

Cooper en serait bien incapable.

Penser à Sally le mettait dans le même état que Grayhawk, son étalon noir plusieurs fois primé, lorsqu'il saillait Leyla, une superbe jument arabe. L'accouplement des chevaux est violent parce que c'est leur nature. Cooper s'arrangeait pour que les propriétaires de chevaux n'y assistent pas, car ils entretenaient toutes sortes de visions romantiques à leur sujet, leur conférant une noblesse et un raffinement qu'ils ne possèdent tout simplement pas. Grayhawk était un pur mâle de six cent cinquante kilos, un des animaux vivants les plus puissants du globe. Quand il saillait Leyla, il la mordait au cou jusqu'au sang et les fers de ses sabots meurtrissaient ses flancs.

Si Cooper n'y prenait pas garde, ce serait exactement comme ça qu'il grimperait Sally Anderson. Par-derrière, en se servant de sa force pour la besogner et en lui mordant la nuque.

Cette idée l'horrifia et il s'efforça d'écarter ses pensées de cette image, d'ignorer les sensations brûlantes qu'elle déclenchait en lui. Contrairement à Grayhawk, il était censé être civilisé.

Cooper fit mine de ne pas remarquer que les seins de Sally étaient petits, haut plantés et ronds. Sa main était probablement plus grande que ses seins. Il s'était toujours pris pour un amateur de fortes poitrines – plus c'est gros, meilleur c'est – mais il n'avait été qu'un imbécile.

Sally portait un sweater assez près du corps et s'il regardait attentivement – tout en s'appliquant à dissimuler à quel point il regardait attentivement – il parvenait à entrapercevoir ses pointes de seins. Elles étaient petites et délicates, et devaient être aussi délicieuses que des cerises.

Quant à ses fesses – il avait eu toutes les peines du monde à en détacher les yeux lorsqu'elle s'était baissée pour sortir les biscuits du four –, elles étaient tout à la fois souples et rebondies. En un mot : parfaites.

Ses mains les recouvriraient parfaitement pour la maintenir en place quand il ferait aller et venir son…

— Qu'est-ce que tu en dis, Coop ? s'enquit la voix enfantine de Rafael.

J'en dis que baiser Sally Anderson est la meilleure idée qui me soit jamais venue à l'esprit.

Cooper cligna des yeux, horrifié.

S'était-il exprimé à voix haute ? Si oui, il ne lui restait plus qu'à sortir dehors pour se coller une balle dans le crâne. Son regard balaya frénétiquement l'assemblée.

Personne ne le dévisageait d'un air de profond dégoût. Non, ils attendaient visiblement une réponse de sa part. De quoi pouvait-il bien s'agir ? Il eut l'impression que quelqu'un venait de poser une question à laquelle il était censé répondre par oui ou par non. Il avait donc une chance sur deux de répondre correctement.

— Oui, risqua-t-il.

Rafael leva les poings en l'air.

— Youpiiii !

Bernie avait l'air satisfait, et Sally souriait. Cooper se demanda s'il ne venait pas de prendre une décision irrévocable, comme d'accepter de céder le Bonnet C à une secte, par exemple.

Non, il ne devait pas s'agir de quelque chose d'aussi grave. Tout le monde continuait tranquillement de manger. À la fin du repas, la jeune femme se leva.

— Laissez, s'interposa-t-il quand elle voulut débarrasser. Vous en avez assez fait. Mes hommes se chargeront du reste.

— D'accord, répondit-elle en s'essuyant les mains. Je suis contente que ça se soit arrangé entre vous.

Arrangé? Cooper et Bernie échangèrent un regard d'incompréhension.

— Que quoi soit arrangé? s'enquit Cooper.

Sally leva les yeux au ciel.

— Au risque d'éveiller de douloureux souvenirs, il me semble que vous en êtes venus aux mains il n'y a pas très longtemps.

— Oh, ça! fit Cooper en haussant les épaules. Ce n'était rien.

— On se contentait d'évacuer le stress, approuva Bernie.

Sally secoua la tête.

— Je ne comprendrai jamais les hommes! Moi, si j'ai besoin d'évacuer mon stress, je fais quelque chose qui me détend. Je vais me balader ou je lis un livre, mais il ne me viendrait jamais à l'idée de me jeter sur quelqu'un. Au fait, ajouta-t-elle en se tournant vers Cooper, ça me rappelle que je voulais vous demander quelque chose.

— Vous avez l'intention de vous jeter sur moi? s'étonna Cooper.

— Non. À propos de lecture, précisa-t-elle en plongeant son merveilleux regard turquoise au plus profond de ses yeux. J'aimerais savoir quelque chose.

— Tout ce que vous voudrez, répondit-il spontanément, avant de remarquer que le regard de Bernie passait de l'un à l'autre et qu'il souriait comme un idiot. Nous vous sommes redevables, précisa-t-il d'un ton digne en toisant son chef d'équipe d'un regard furieux.

— Vos livres, dit Sally. Je n'ai pas pu en trouver un seul à Simpson et vous en avez des tonnes. Où les avez-vous trouvés ?

— À Rupert. Qu'est-ce qu'il y a ? ajouta-t-il en la voyant grimacer. Vous n'aimez pas Rupert ?

— Ce n'est pas le problème, répliqua Sally en soupirant. J'ai voulu y aller le premier week-end après mon arrivée. Le directeur m'avait dit que c'était une ville charmante et que ce n'était pas loin, en désignant du doigt la route qu'il fallait prendre pour y aller. Alors je me suis mise en route, expliqua-t-elle en réprimant un frisson. Vous saviez qu'il n'y a aucun panneau indicateur pour Rupert ?

— Je n'y ai jamais fait attention, mais ça me paraît logique, répondit tranquillement Cooper. Tous ceux qui sont nés à Simpson sont capables d'aller à Rupert les yeux fermés.

— Eux peut-être, mais pas moi. Toujours est-il que j'ai roulé pendant une éternité en hésitant à chaque croisement et sans rencontrer âme qui vive, au point de me demander si je n'étais pas arrivée en Chine. Tout était complètement désert. Ma voiture n'est plus toute jeune et je me disais que si je crevais un pneu ou que je tombais en panne, je devrais camper sur le bord de la route. Quand j'ai fini par apercevoir des maisons au loin et le panneau *Bienvenue à Rupert*, la nuit commençait à tomber, alors j'ai fait demi-tour et je me suis dépêchée de rentrer. Vous dites que la librairie vaut le détour ? conclut-elle en levant un regard plein d'espoir vers Cooper.

— C'est une honnête librairie. Bob propose un choix sympathique et vous pouvez lui commander ce qu'il n'a pas en stock. Comptez une semaine de délai, précisa-t-il en se levant. Mais nous avons assez abusé de votre temps, mademoiselle Anderson. Je vais vous raccompagner. Si vous voulez, je pourrai vous emmener à Rupert samedi prochain. J'ai justement à faire là-bas.

— Vraiment ? dit-elle, ravie.

— Vraiment ? fit écho Bernie. Je croyais que tu devais aller à…

Il croisa le regard furieux de Cooper et s'interrompit en se donnant une claque.

— Ah oui, c'est vrai ! Il faut que tu t'occupes de ce truc hyper important, là… À Rupert, justement. Ça m'était complètement sorti de la tête. C'est bon, tu peux aller à Rupert samedi prochain. Tu peux même y passer la nuit si c'est nécessaire, ajouta-t-il avec un clin d'œil.

Cooper prit la jeune femme par le coude en prenant note de rappeler quelques points de discrétion élémentaires à Bernie dès son retour.

Avec un fer à marquer le bétail.

Quelque chose a changé, se dit Julia en regardant par la fenêtre pour éviter d'observer Cooper.

Elle n'avait pas besoin de le regarder. Il exerçait sur elle une telle attraction qu'elle avait conscience de sa présence en permanence. Elle avait ressenti la même chose dans la cuisine. Il était resté tranquillement assis sur sa chaise, ne parlant que rarement, et pourtant tout avait tourné autour de lui, comme si Bernie et Rafael avaient été de petites planètes gravitant autour d'un soleil. Bernie avait une attitude déférente à son égard, et Rafael l'adorait. Quant à elle… Ma foi, elle avait énormément de mal à détacher les yeux de lui.

Julia avait du mal à mettre un nom sur ce qu'elle ressentait. Elle savait qu'elle avait déjà éprouvé cette sensation auparavant, mais c'était un souvenir assez ancien. Qui remontait à la période où ses parents étaient encore en vie.

Voilà, ça lui revenait clairement, à présent.

La dernière fois qu'elle avait éprouvé cette sensation, elle était en vacances à Paris avec ses parents, il y avait quatre ans de cela. Julia, qui avait vécu à Paris entre dix et quinze ans, conservait un excellent souvenir de cette période. Ils avaient profité de leurs vacances pour visiter la ville. Ils étaient descendus dans un charmant petit hôtel de la rue du Cherche-Midi. Sa mère s'était fait couper les cheveux dans l'élégant salon de coiffure où elle avait eu ses habitudes autrefois. Ils avaient beaucoup ri en faisant des achats en prévision de l'emménagement de Julia à Boston et elle s'était sentie libre, insouciante et... en sécurité.

Peu après leur retour aux États-Unis, ses parents étaient morts dans un accident de voiture, et Julia ne s'était plus jamais sentie ainsi. Elle avait été heureuse à Boston, mais des bouffées de solitude et de malaise la saisissaient parfois, et elle avait globalement l'impression d'aller à la dérive depuis la mort de ses parents.

Au cours du mois qui venait de s'écouler, elle n'avait ressenti que de la terreur et une immense solitude. Aujourd'hui, pour la première fois depuis bien longtemps, elle avait vécu un moment de bonheur insouciant.

Elle avait apprécié de plaisanter avec Rafael et Bernie, et même le silence de Cooper lui avait semblé... intéressant. Elle avait éprouvé bien des émotions – soulagement à l'idée que Rafael irait bientôt mieux, amusement devant la reconnaissance éperdue de Cooper et Bernie pour un peu de cuisine toute simple, excitation à l'idée d'aller faire un tour dans une librairie, et bien sûr cette irrésistible attirance pour Cooper. Elle s'était sentie entourée, mais surtout elle avait complètement oublié la peur qui l'accompagnait à chaque instant depuis un mois.

C'était Cooper qui avait cet effet-là sur elle. Impossible d'avoir peur, près d'un homme tel que lui. Comme si un énorme chien de garde veillait sur elle.

Elle le regarda du coin de l'œil. Il plissait les yeux à cause du soleil, les mains nonchalamment posées sur le volant. Autour de ses yeux, un fin réseau de rides striait sa peau tannée par les intempéries, les pommettes saillantes de ses joues formaient un angle étrangement élégant de profil, et le soleil de cette fin d'après-midi révélait de fines mèches argentées dans sa chevelure aile de corbeau.

Plus qu'un chien de garde, il évoquait un loup noir aguerri par les combats.

Il dut sentir son regard, car il tourna les yeux vers elle. Julia lui sourit, heureuse d'être auprès de lui.

Le pick-up tangua légèrement.

— Qu'est-ce qu'il y a ? demanda-t-il.

— Je te souris, c'est tout, répondit-elle. Sans raison précise. J'imagine que toi, tu ne souris pas souvent ?

Julia se sentait tellement libre et sereine qu'elle l'avait spontanément tutoyé. Auprès de lui, elle avait l'impression de pouvoir tout faire, tout dire.

— Non, admit-il, l'ombre d'un sourire passant cependant sur ses lèvres.

— Tu ne parles pas beaucoup non plus.

— Non.

— Ça ne me dérange pas, assura-t-elle d'un ton guilleret. Je parle et je souris pour deux, ça équilibre les choses.

Julia reporta son regard vers la fenêtre et, pour la première fois, s'autorisa à vraiment regarder la campagne. Son expédition à Rupert lui avait laissé un souvenir cauchemardesque et elle n'avait rien vu du paysage. Arc-boutée sur le volant de sa voiture, elle avait seulement considéré les prairies qu'elle traversait comme un espace dégagé qui faisait d'elle une cible idéale. Et les longues portions de routes bordées de sapins lui avaient semblé idéales pour tendre une embuscade. Elle n'avait eu aucun mal à imaginer un tueur dissimulé derrière chaque tronc d'arbre.

Maintenant qu'elle ne le considérait plus à travers le prisme de la terreur, Julia prenait conscience de la splendeur du paysage. Un vent puissant faisait filer à toute vitesse de légers nuages filandreux dans le ciel d'un bleu soutenu, et la vue était tellement dégagée qu'elle pouvait suivre l'ombre des nuages sur l'herbe des prairies.

— Qu'est-ce que c'est ? demanda-t-elle en désignant des arbres exceptionnellement beaux.

— Des frênes amers, répondit-il en ralentissant comme ils atteignaient les abords de Simpson. On les appelle aussi les bois piquants ou les arbres du mal de dents.

— Du mal de dents ? s'étonna-t-elle. Pourquoi ?

— Je ne sais pas. Je n'y ai jamais réfléchi. Le taxinomiste avait peut-être mal aux dents le jour où il leur a donné ce nom-là.

— À moins qu'un trappeur affamé n'en ait fait bouillir l'écorce pour la manger et se soit cassé une dent, proposa Julia, prompte à imaginer les conditions de vie très dures des premiers occupants de la région.

Cooper gara le pick-up devant la maison de Julia et coupa le moteur.

— Je crois que nous ne le saurons jamais.

— Bon, commença-t-elle, eh bien merci beaucoup de…

Mais Cooper faisait déjà le tour de son véhicule. Il ouvrit sa portière et lui tendit la main. Julia descendit de la cabine haut perchée du pick-up, leva les yeux et se sentit une fois de plus irrésistiblement attirée vers lui. Elle réalisa qu'elle n'avait pas lâché sa main et récupéra la sienne presque à contrecœur.

— Tu veux entrer prendre un café ? proposa-t-elle sans réfléchir. Ou bien un des thés parfumés dont je parlais à Alice ce matin ? ajouta-t-elle pour ne surtout pas réfléchir aux raisons qui l'incitaient à le faire entrer chez elle.

— Oui, répondit-il d'une voix grave et douce.

Il n'avait pas hésité une seconde, et Julia en conclut qu'il avait vraiment envie d'entrer. L'expression de son visage demeurait néanmoins indéchiffrable.

La deuxième marche du perron grinça, et elle se souvint qu'il avait promis de la réparer. Le simple fait de savoir qu'elle le reverrait lui faisait du bien. Fred, qui les attendait au pied des marches, se faufila dans la maison en remuant la queue dès qu'elle ouvrit la porte.

Dans son petit living miteux, Julia retira son manteau et pivota vers Cooper. Il l'observait depuis le seuil de la pièce, sa haute et large silhouette masquant presque entièrement l'encadrement de la porte. Il ne fit pas un geste et ne prononça pas un mot, mais Julia sentit son cœur battre plus fort tandis qu'elle se noyait dans le lac sombre de ses yeux.

Quelque chose d'humide toucha ses doigts et la fit sursauter.

Cooper s'accroupit et tendit la main.

— Salut, toi, murmura-t-il.

Fred bondit aussitôt vers lui et posa le museau sur sa cuisse pour se faire caresser. Lorsque Julia réalisa qu'elle enviait Fred de pouvoir poser la tête sur ces cuisses impressionnantes, elle comprit qu'il était temps de faire du thé.

Ses mains tremblaient quand elle versa l'eau bouillante sur les feuilles d'Earl Grey auxquelles elle avait ajouté des gousses de vanille. Elle plaça la théière, deux tasses, deux cuillers et le sucrier sur un plateau, et sentit que ce rituel familier conjugué au délicieux arôme du thé à la vanille la détendait un peu. Lorsqu'elle retourna dans le living, Cooper avait pris place près de la petite table.

Il avait également retiré sa veste, et Julia distingua les muscles massifs de son torse et de ses biceps à travers la laine de son sweater gris foncé. Il se leva dès qu'elle entra dans la pièce, une marque de politesse qui s'était perdue à l'Est mais qui subsistait encore dans la région. Il ne se rassit qu'une fois qu'elle fut elle-même installée.

Ils sirotèrent leur thé en silence, leurs regards rivés l'un à l'autre.

Julia fut incapable de parler de tout et de rien comme elle le faisait d'habitude, pour la bonne raison qu'elle avait la gorge nouée. Jamais encore elle n'avait eu une conscience aussi aiguë de ce qui l'entourait. Tous ses sens étaient à vif. Il s'était mis à pleuvoir, et des gouttes de pluie crépitaient doucement contre les carreaux. Fred s'était endormi et agitait les pattes dans son sommeil, rêvant sans doute de quelque partie de chasse épique. Elle percevait distinctement le bruit de la respiration de Cooper et la sienne. Elle entendait son cœur battre trois fois plus vite que d'habitude. Toutes sortes d'émotions s'entremêlaient dans sa poitrine. Peur, solitude, désespoir. Un désir si intense que son corps tout entier était en feu.

Cooper reposa sa tasse vide et se leva. Julia se sentit gagnée par la panique à l'idée de son départ.

Elle réalisa subitement qu'elle ne pourrait pas passer la nuit seule, tremblante et perdue, recroquevillée sur elle-même. C'était tout simplement impossible. Elle avait besoin de Cooper comme elle avait besoin d'air et de soleil. Elle n'aurait pas su dire si elle avait besoin de lui parce qu'elle avait envie de faire l'amour, ou pour éloigner le profond sentiment de solitude qui s'emparait d'elle dans l'obscurité, ou pour ces deux raisons à la fois. Tout ce qu'elle savait, c'était qu'elle ne supporterait pas de passer la nuit seule et que l'unique personne avec qui elle avait envie d'être, c'était lui et personne d'autre.

Il baissait les yeux vers elle, une main posée sur la table.

Julia plaça la main sur la sienne. Sa main était tiède, ferme, puissante. Elle la sentit frémir, puis s'immobiliser. Leurs regards se fondirent l'un dans l'autre.

— S'il te plaît, murmura-t-elle. Reste avec moi.

6

Il opérait depuis la Norvège. L'esthète aimait l'imaginer comme un petit homme gris, penché au-dessus d'un petit portable gris dans une petite pièce grise, mais en réalité personne ne savait à quoi il ressemblait. Personne ne l'avait jamais vu.

L'essentiel était de savoir, à l'instar de quelques rares élus disséminés un peu partout dans le monde, que l'homme de Norvège proposait un service des plus utiles. Pour un tarif raisonnable, il faisait parvenir n'importe quel message à n'importe qui n'importe où dans le monde, en toute discrétion. Impossible de remonter à la source du message.

L'esthète ouvrit le fichier prélevé sur le système informatique du bureau des US marshals et regarda le premier nom qui était apparu : Richard M. Abt. Les éléments qui suivaient lui permirent de reconstituer aisément l'affaire.

Richard M. Abt avait travaillé comme chef comptable chez Ledbetter, Duncan & Terrance, un cabinet d'avocats chargé de défendre la mafia. Quelques transactions douteuses, puis carrément illégales, avaient déclenché une enquête du FBI qui s'était soldée par l'arrestation de Richard

M. Abt. Il s'était fait piéger et encourait vingt ans de prison. Seule façon de voir sa peine réduite : dire tout ce qu'il savait des agissements illégaux de Ledbetter, Duncan & Terrance.

L'esthète se demanda combien ce cabinet serait prêt à payer pour qu'un accident mortel empêche Richard M. Abt de témoigner devant la cour de justice.

Il était deux heures du matin en Norvège, mais pour autant que l'esthète pouvait en juger, le Norvégien ne dormait jamais.

Il lui envoya un message :

À l'intention de Simon Ledbetter. Information et nouvelle identité Richard Abt disponible après réception d'un avis de dépôt de 20 000 $ US sur le compte n° GHQ 115 Y Banque populaire suisse bureau principal de Genève. La mort devra sembler accidentelle.

Puis l'esthète s'assit pour déguster un succulent filet de faisan fumé en écoutant *La Bohème*. Dans le rôle de Rodolfo, Luciano Pavarotti était vraiment au sommet de son art.

Reste avec moi.

Les mains de Cooper étaient grandes et puissantes. Avec ces mains-là, il pouvait démonter un M16 en sept secondes, mater un étalon sauvage ou soulever une balle de fourrage de cent cinquante kilos. La main pâle et délicate de Sally Anderson était deux fois plus petite.

Pourtant, quand elle l'avait posée sur la sienne, elle l'avait immobilisée aussi sûrement qu'en y plantant un pieu. Sa vie en eût-elle dépendu, Cooper n'aurait pas réussi à la bouger.

Comme la veille, sa petite main était tremblante et glacée.

Cooper pouvait comprendre son tremblement parce qu'il était dans le même état, mais il n'était absolument pas gelé. Son corps avait atteint le point d'ébullition.

Tout le désir sexuel qu'il avait refoulé jaillissait en lui comme un geyser. Il avait l'impression que son érection était dix fois plus puissante que d'habitude, et son sexe palpitait douloureusement contre son jean.

Sally levait vers lui un regard inquiet. Elle était visiblement consciente de l'audace de sa proposition et craignait qu'il ne refuse.

Non. Cooper n'allait certainement pas refuser.

Aucune force terrestre ne serait assez puissante pour l'écarter d'elle, désormais.

Lentement, Cooper s'accroupit devant Sally de façon à placer ses yeux en face des siens. Vus de près, ses iris étaient composés d'un incroyable mélange de bleu et de vert.

Il n'osa pas la toucher. Pas encore. D'une main, il agrippa le dossier de sa chaise et saisit le rebord de la table de l'autre. Bien qu'il ne la touchât pas, elle se retrouvait prisonnière de ses bras, coincée entre la table et lui.

Ils s'observèrent en silence et Cooper s'efforça d'apaiser le rythme de sa respiration. Il n'avait aucune idée des gestes et des paroles qu'elle attendait de lui, aussi jugea-t-il préférable de rester immobile et silencieux. Le regard de Sally passa sur ses mains, et ses yeux s'arrondirent quand elle découvrit que l'effort qu'il déployait pour résister à la tentation de la toucher avait entièrement blanchi ses jointures. Elle releva les yeux et son regard s'attarda sur sa bouche.

Un signe. Enfin.

Cooper s'approcha lentement, très lentement, et effleura ses lèvres des siennes. Un soupir de soulagement leur échappa en même temps.

Les lèvres de Sally étaient telles qu'il les avait imaginées. Douces, veloutées, diaboliquement excitantes.

Il mourait d'envie d'introduire sa langue dans la douceur de cette bouche. Pas seulement sa langue, d'ailleurs…

Cooper entrouvrit légèrement les lèvres et sentit son cœur s'emballer lorsque Sally l'imita. Il fit courir la pointe de sa langue sur sa lèvre inférieure et inclina délicatement la tête pour goûter sa bouche. Quand il sentit la langue de Sally venir timidement à la rencontre de la sienne, une excitation fulgurante s'empara de lui, l'amenant au bord de l'orgasme.

Si un simple baiser lui faisait autant d'effet, les choses risquaient de mal tourner ! S'agrippant plus fermement encore au dossier de la chaise, il écarta les lèvres et s'autorisa à explorer sa bouche. Elle avait une saveur aussi délicieuse qu'il s'y était attendu.

Il lâcha le rebord de la table. Lentement, comme si elle luttait contre un courant contraire, sa main alla se poser sur la nuque de Sally. Sans cesser de l'embrasser, il effleura du bout des doigts la peau soyeuse de son cou, puis les fit courir sur le délicat relief de sa clavicule.

La bouche de Sally s'offrit docilement à la sienne sous cette caresse, et Cooper se sentit à nouveau tout près de perdre pied. La façon qu'elle avait de répondre le bouleversait.

La caresser de deux manières à la fois déclenchait en lui une réaction trop fulgurante. Il s'écarta. Sally garda les yeux fermés et ses lèvres humides demeurèrent un instant entrouvertes.

Quand ses paupières se soulevèrent, elle fouilla son regard, cherchant quelque chose qu'il n'était pas en mesure de lui donner.

— Cooper? murmura-t-elle.

Il fut incapable de lui répondre. Sa gorge était nouée et un cerclage d'acier comprimait son torse. Un bruit dont il ignorait la signification remonta dans sa gorge. La tension sexuelle contractait chacun de ses muscles. Il était dans l'état que Grayhawk avait dû connaître quand l'odeur de Leyla avait atteint ses naseaux.

S'il n'y prenait pas garde, il risquait de faire mal à cette femme merveilleuse. Jamais encore un tel flot de désir ardent ne l'avait possédé.

Sa peau était incroyablement douce, plus douce que la plus fine des soies. Si fine qu'il avait l'impression que ses mains rugueuses risquaient de l'accrocher comme une étoffe fragile. Il fit remonter sa main jusqu'à sentir ses cheveux sous ses doigts et les écarta pour recouvrir la délicate structure de son crâne.

Il valait peut-être mieux que Sally ne soit pas rousse. Les rousses l'avaient toujours rendu fou. Tout en elle l'excitait tellement que si elle avait été rousse, il n'aurait sans doute pas réussi à se maîtriser. Il devait faire appel à toute sa volonté pour se retenir d'arracher ses vêtements.

Il aurait pu le faire. Sally n'aurait pas protesté. Il le lisait dans ses yeux. Elle hésitait un peu, par timidité, mais elle avait clairement envie de lui.

Elle trouverait peut-être même excitant qu'il arrache ses vêtements. Mais s'il s'avisait de le faire, la retenue déjà fragile de Cooper volerait en éclats. Une fois qu'il lui aurait arraché son pull, son soutien-gorge, son jean et sa culotte, il serait incapable de s'arrêter. Il la renverserait sur le sol, la forcerait à écarter les cuisses et la posséderait sauvagement.

Sally n'était pas prête pour un accouplement aussi violent, et ne le serait peut-être jamais. Cooper accepterait d'elle tout ce qu'elle voudrait bien lui donner à condition qu'elle le fasse volontairement, quand elle sentirait que le moment était venu.

Au lieu d'arracher ses vêtements, de la renverser par terre et de la chevaucher à la hussarde, il se contenta donc de faire courir le doigt sur l'encolure de son gilet et d'en tripoter le premier bouton de nacre tout en la dévorant des yeux. Son regard ne manifesta pas la moindre objection, et il s'enhardit à déloger le minuscule bouton de sa boutonnière.

Les pans du gilet s'écartèrent, révélant deux centimètres de peau d'une blancheur laiteuse, et le visage de Sally se détendit. Si Cooper ne l'avait pas observée avec autant d'attention, il ne l'aurait peut-être pas remarqué. Ce n'était pas un sourire, c'était plus subtil que cela. Sa tension avait reculé d'un cran, juste assez pour lui faire savoir qu'ils s'engageaient sur un chemin qu'elle connaissait. Et que c'était ce qu'elle désirait.

À un niveau purement animal, Sally avait perçu la violence de son désir, et son comportement s'apparentait à celui d'une jument caracolant à l'approche d'un étalon. Les juments savent d'instinct que l'accouplement est sauvage, furieux, brutal. Sally devinait que les choses pouvaient prendre un tour sauvage entre eux.

Un autre bouton. Puis encore un autre. La main tremblante de Cooper était de plus en plus tâtonnante. Heureusement que le gilet n'en comptait que six ! L'expression de Sally se faisait de plus en plus accueillante à chaque bouton défait, et quand il écarta les pans du gilet pour le faire glisser sur ses épaules, elle laissa échapper un soupir.

Cooper eut la satisfaction de découvrir que son soutien-gorge s'ouvrait devant. Passer les bras dans son dos pour le dégrafer aurait peut-être suffi à lui faire perdre le contrôle. Sally laissa retomber les bras le long de son corps, et le soutien-gorge suivit le chemin du gilet. Elle était nue depuis la ceinture.

Elle lui adressa un pâle sourire auquel il ne répondit pas. Il était incapable de sourire. Ce qu'il ressentait était bien trop puissant pour tenir dans un sourire.

Il laissa échapper un soupir hoquetant. Plus rien ne l'obligeait à la dévisager aussi attentivement. Il pouvait désormais regarder ce qu'il venait de dénuder.

Lorsqu'il s'autorisa enfin à baisser les yeux, il eut une sorte d'éblouissement. Sally était petite, menue, absolument parfaite. Il avait presque peur de la toucher, peur de gâter la blancheur laiteuse de sa peau, qui semblait si fragile qu'un souffle d'air aurait pu lui laisser un bleu.

Il fit courir le bout de l'index sur son sein droit, avant de le prendre délicatement en main. Il avait vu juste. Doux comme du satin tiède, son sein s'adaptait parfaitement à la courbe de sa main. Il pencha la tête pour en approcher la bouche, lécha le mamelon d'un rose pâle. Il avait la saveur exacte qu'il lui avait prêtée. Cerise. Ses deux mamelons avaient un goût de cerise. Quand il releva la tête, ils étaient humides, durcis, et d'un rose soutenu.

Sally respirait plus vite. Sous son sein gauche, son cœur palpitait follement. Désir ? Crainte ?

Cooper effleura ses lèvres des siennes.

— N'aie pas peur, murmura-t-il. Je ne te ferai aucun mal.

Dieu l'entende.

— Je sais, répondit Sally d'un filet de voix timide.

Elle lui donnait le signal de la rassurer avec des mots, de la cajoler. Sally Anderson était une maîtresse d'école qui aimait les livres. S'il trouvait les mots justes, Cooper l'apaiserait, l'exciterait même. Il fallait qu'il l'excite, que sa petite fente devienne moite et accueillante.

Malheureusement, Cooper ne savait pas séduire et rassurer avec des mots. Et son esprit baignait dans un tel océan de désir que c'était déjà un miracle qu'il arrive à parler.

Cooper lâcha la chaise. Il voulait la déshabiller, tout de suite. Il défit le bouton de son jean, baissa la fermeture et faillit gémir lorsque le dos de sa main effleura la peau douce de son ventre plat. Passant un bras autour d'elle, il la souleva légèrement et, de l'autre main, fit glisser son jean et sa culotte le long de ses jambes. Chaussettes et chaussures suivirent le mouvement et elle se retrouva entièrement nue.

Dieu du ciel !

Cooper la reposa délicatement sur la chaise, laissant une main sur le haut de sa cuisse, le regard rivé sur les boucles rousses et brillantes de sa toison. Il baissa la tête jusqu'à ce que son front rencontre celui de Sally.

— Tu es rousse, souffla-t-il.

Sally Anderson était rousse. Sam Cooper était un homme mort. Le vague espoir qu'il avait entretenu de préserver un reste de santé mentale, de ne pas tomber éperdument amoureux d'elle, venait de s'éteindre.

Sally Anderson était merveilleusement belle, intelligente, généreuse, chaleureuse. Et rousse.

— Oui. Oui, euh… oui, je suis rousse. Pourquoi, c'est embêtant ?

Elle semblait gênée, et même un peu effrayée. Craignait-elle que les rousses le dégoûtent ?

— Non, répliqua-t-il avant de s'éclaircir la gorge. J'aime beaucoup les cheveux roux, chez une femme.

— Oh, souffla-t-elle. Bon, eh bien tant mieux, alors…

— Hmm.

Il fut incapable d'articuler une syllabe de plus. Il était trop occupé à étudier le contraste de sa main sur sa cuisse, le contact de sa peau rugueuse sur sa peau délicate. Comme si elle ne lui appartenait plus, mue par une sorte de volonté propre, sa main se déplaça et recouvrit l'endroit que convoitait son sexe.

Sally écarta les jambes, légèrement, mais assez pour lui faire savoir qu'elle était disposée à l'accueillir. La toison qui recouvrait son mont de Vénus était soyeuse. Les doigts de Cooper s'immiscèrent dans les replis de son sexe. Elle était aussi étroite qu'il l'avait suspecté. Et moite.

De son doigt inquisiteur, Cooper encercla délicatement l'ouverture et la perle durcie du clitoris.

Il y avait bien longtemps de cela, il avait été monstrueusement surpris lorsqu'une serveuse lui avait confié en rougissant qu'elle aimait beaucoup être caressée ainsi. Apparemment, bien des hommes malmenaient le clitoris de leurs partenaires. La brutalité des hommes l'avait plus d'une fois sidéré.

Pour Cooper, caresser le sexe d'une femme avec délicatesse était quelque chose d'instinctif. Si on n'était pas assez attentif, si on bâclait cette étape, on risquait de passer à côté des infimes signaux que le corps d'une femme émettait à ce moment-là.

Le sexe d'une femme était comparable à la bouche d'un cheval. Avant d'embaucher un homme dans son ranch, Cooper regardait comment il s'y prenait pour placer le mors. Les chevaux ont beau être grands et forts, leur bouche est extrêmement délicate. Si on la malmène, on leur fait mal. Si on la traite avec respect, on peut leur demander tout ce qu'on veut.

Dans ce domaine, un homme n'avait pas besoin d'en appeler à sa force physique. Cooper avait vu des mains puissantes et efficaces se révéler incompétentes quand il s'agissait de placer le mors. De la même façon, bien des hommes solidement bâtis et gâtés par la nature se révélaient incompétents quand il s'agissait de donner du plaisir à une femme.

Les cuisses de Sally s'étaient spontanément écartées sous ses caresses expertes, et la moiteur de son sexe s'affirmait de plus en plus. Cooper glissa prudemment un doigt dans l'ouverture, tout en l'observant attentivement. La rougeur qui s'était emparée de son décolleté gagna son visage, ses lèvres s'entrouvrirent et le rythme de sa respiration s'accéléra.

Cooper inséra lentement son doigt en elle et sentit qu'elle s'ouvrait à lui. Il le remua délicatement. La plupart des femmes avaient un point extrêmement sensible, juste à cet endroit...

Sally gémit en écartant les cuisses et les muscles de son ventre se contractèrent. Cooper interrompit ses caresses, stupéfait de cette réaction enthousiaste. Dans son jean, son sexe sanglotait d'impatience. Il se secoua pour se ressaisir.

La jeune femme porta une main tremblante à son visage. Une petite main qui n'était plus du tout gelée et qui brûla sa peau comme un brandon.

146

— Cooper ? demanda-t-elle en scrutant son regard. Tu... tu veux aller dans la chambre ?

— Plus que tout au monde, souffla-t-il d'une voix rauque.

Sa gorge était brûlante, râpeuse. Les mots en jaillissaient un à un tels des cailloux pointus.

— Mais une fois que tu seras sur le lit et que j'aurai enlevé mon jean, il ne s'écoulera pas une seconde avant que je sois en toi. Si tu veux faire durer les préliminaires, mieux vaut rester ici.

— Oh.

La bouche adorable de Sally resta un instant figée sur ce « Oh », et Cooper eut l'impression de voir les rouages de son esprit s'engrener tandis qu'elle considérait ce qu'il venait de dire. Son pouce encercla son clitoris. Il entendit distinctement les poumons de Sally se vider de leur air et sentit son excitation à la contraction de ses muscles autour de son doigt. Il serra les dents. Si son sexe enflait davantage, il allait exploser.

Il respira à fond pour s'efforcer de retrouver le contrôle de lui-même.

— Il y a autre chose, jugea-t-il plus sage de la prévenir tant qu'un peu de sang irriguait encore son cerveau. Je n'ai qu'un seul préservatif dans mon portefeuille. Pour des raisons sentimentales, j'imagine, parce que je n'ai pas eu de relations sexuelles depuis plus de deux ans. Il ne doit même plus être utilisable et de toute façon, je suis dans un tel état que dix préservatifs ne seraient pas encore assez.

Sally devint toute rouge. Un sourire gêné tordit ses lèvres et elle saisit son poignet pour écarter sa main. Cooper la laissa faire, et fut éberlué de la voir porter sa main à sa bouche pour effleurer ses phalanges de ses lèvres.

— Ne t'en fais pas, chuchota-t-elle.

Ses yeux formaient deux lacs turquoise d'une telle profondeur qu'il aurait pu se noyer dedans.

— Je prends la pilule. On n'a pas besoin de...

La bouche de Cooper étouffa la fin de sa phrase, puis il la souleva dans ses bras et l'emporta dans la chambre.

7

Julia eut l'impression de s'envoler.

La loi de la gravité ne la concernait plus, son corps ne pesait plus rien à la surface de la terre. Cooper la portait avec autant d'aisance que si elle avait été un nuage. Ses seuls points d'ancrage avec le monde réel étaient les muscles puissants qui la soutenaient et la bouche de Cooper sur la sienne.

Il n'y eut pas un instant d'hésitation, aucun cafouillage, aucune porte malencontreusement ouverte. Comme s'il était né dans cette maison, Cooper se dirigea droit vers sa chambre. La porte était entrouverte, et le coup de pied qu'il lui donna la fit rebondir contre le mur. Le bruit se répercuta comme un coup de feu dans le silence.

Ce bruit fut le premier signe que le contrôle lui échappait, que l'étau d'acier dans lequel il s'était lui-même placé perdait son mordant. Si Julia n'avait pas eu l'impression d'être prisonnière d'un filet brûlant, ce bruit l'aurait glacée. Elle l'avait senti bander ses muscles au maximum lorsqu'il l'avait embrassée, mais elle n'avait pas deviné l'effet que ces baisers avaient sur lui. Les baisers de Cooper étaient délicieusement tendres et suaves.

Quand elle lui avait demandé de rester, un autre que lui se serait jeté sur elle. Mais pas Cooper. Il l'avait embrassée doucement, l'avait lentement déshabillée et caressée en scrutant ses réactions. À chaque étape, il avait attendu son signal. Julia aurait pu penser qu'il était le genre d'homme à ne pas s'enflammer.

Mais elle avait vu les muscles de son visage se tendre et ses narines palpiter comme les naseaux d'un fougueux étalon. Et bien qu'elle n'ait pas osé poser son regard, l'aperçu qu'elle avait eu de son érection avait suffi à balayer ses doutes.

Il exerçait un tel contrôle sur lui-même qu'elle s'était dit qu'ils allaient gentiment faire l'amour, après quoi elle se blottirait contre lui. C'était le moment qu'elle avait toujours préféré. Quand un homme vous serre dans ses bras. Mais si Cooper ouvrait les portes à coups de pied, les choses allaient peut-être se passer plus brutalement qu'elle ne l'avait escompté.

Il fonça vers le lit et l'y déposa sans cesser de l'embrasser. Lorsqu'elle fut allongée, il recula.

La perte de la chaleur de son corps la fit frissonner. Étendue sur le lit, Julia eut soudain conscience d'être entièrement nue. Elle tendit la main vers le dessus-de-lit pour s'en recouvrir.

— Non, gronda-t-il. Ne te couvre pas.

— J'ai froid, murmura-t-elle.

C'était vrai. Elle avait un peu peur aussi, mais elle ne pouvait pas le dire. C'était elle qui lui avait demandé de rester, après tout. Elle avait invité Cooper dans son lit et il n'était pas question de faire machine arrière.

Quand il entreprit de se déshabiller avec des gestes brusques, Julia ne put s'empêcher de le trouver assez effrayant ; sa grâce masculine qu'elle avait tant admirée s'était envolée. Il lui parut plus grand et plus fort que jamais, et la façon dont ses muscles puissants roulaient sous sa peau au gré de ses mouvements était vraiment impressionnante. À la lumière du living qui pénétrait par la porte ouverte, elle le vit retirer son sweater et son T-shirt, qu'il lança à travers la pièce. Après quelques rapides mouvements des mains, il fut entièrement nu.

Julia frissonna en découvrant ce que ces vêtements avaient jusqu'alors dissimulé.

Elle avait déjà vu des corps d'hommes athlétiques, évidemment, à son club de gym ou bien en photo. Mais ils n'avaient rien de commun avec la force de la nature qui se tenait devant elle. Cooper ne ressemblait absolument pas aux mâles séduisants qui font la couverture des magazines. Son torse était couvert d'une épaisse toison de poils noirs. Des poils noirs recouvraient également ses avant-bras et ses jambes. Ses muscles avaient été sculptés autrement que par des séances de musculation. Par la vie, par le combat. Son corps était massif, dur et couvert de cicatrices. Un corps de guerrier.

Cooper était un guerrier.

Julia avait oublié cet aspect de sa vie, oublié qu'il n'était pas qu'un gentil éleveur de chevaux pas très à l'aise avec les mots. Cooper était un tueur. Le même genre d'homme que ceux qui cherchaient à l'abattre.

Une bouffée de panique la saisit quand elle réalisa que sa solitude l'avait amenée à briser la règle cardinale de Herbert Davis : ne nouer aucune relation avec les gens du coin. Trop dangereux. Elle ne devait dire à personne qu'elle faisait partie du Programme de sécurité des témoins. Santana avait le bras long, et un million de dollars de récompense était une somme assez importante pour tenter n'importe qui. En demandant à Cooper de rester, Julia venait peut-être de signer son arrêt de mort.

C'était l'homme le plus puissant qu'elle ait jamais vu. Il aurait pu l'étrangler d'une seule main.

Cooper pivota vers elle. Son sexe était énorme, long et gros. La goutte translucide qui perlait au sommet se trouvait au même niveau que son nombril.

Le danger pouvait provenir de plusieurs sources. Celle-ci en était une.

Le cœur de Julia battait si fort qu'elle avait l'impression que les murs de la maison en tremblaient. La panique, la peur et l'excitation se mélangeaient.

Cooper s'agenouilla sur le lit qui ploya sous son poids, et Julia contracta ses muscles pour éviter de rouler dans la cuvette qu'il avait créée.

Quand il se pencha au-dessus d'elle, Cooper ne ressemblait pas à un amant s'apprêtant à faire l'amour, mais à un soldat prêt au combat. Les muscles de son torse et de ses bras étaient tendus au maximum, et son biceps saillit lorsqu'il prit appui sur une main tandis qu'il lui écartait les cuisses de l'autre. Il ne souriait pas. Son visage ne reflétait pas la moindre douceur. La peau qui recouvrait ses pommettes anguleuses était tendue comme celle d'un tambour et sa bouche formait un pli sinistre.

Son sexe ressemblait plus à une arme qu'à un instrument de plaisir. Il avait la rigidité du métal, et Julia n'en avait encore jamais vu d'aussi gros.

Cet homme était le danger personnifié, mais elle ne pouvait pas s'enfuir. Il était trop tard.

Cooper la recouvrait. Il était lourd, inflexible. L'espace d'une seconde, elle fut incapable de respirer. Elle sentit qu'il plaçait son sexe entre ses cuisses, son gland contre sa fente. Il entra en elle d'un seul coup de reins.

Cette pénétration lui fit mal.

Son sexe était trop gros, elle n'était pas prête. Les parois de son vagin s'étaient écartées sous la poussée de son sexe avec une sensation de brûlure.

Julia cligna des yeux pour chasser les larmes qui s'y étaient formées. Elle avait souhaité ce qui lui arrivait, c'était elle qui l'avait demandé. Si c'était trop pour elle, elle ne pouvait s'en prendre qu'à elle-même.

Cooper redressa la tête pour avaler une goulée d'air comme s'il chevauchait la crête d'une vague. Une mèche épaisse de cheveux noirs retomba sur son front. Les tendons de son cou évoquaient la corde d'un arc. Ses mains agrippèrent les hanches de Julia. Il suait à grosses gouttes.

— Tu n'es pas prête, laissa-t-il échapper entre ses dents. Je ne peux pas m'arrêter. Impossible. Désolé. Désolé... répéta-t-il.

— Ça va, murmura-t-elle.

Il émit un grognement, son torse s'abaissa jusqu'à reposer délicatement au-dessus d'elle, et il enfouit la tête dans l'oreiller voisin du sien. D'une flexion des cuisses, il se mit alors à aller et venir en elle, vite et fort, de toute la puissance de son corps.

Julia eut l'impression d'être saisie par une tornade, ballottée au gré des éléments déchaînés. Elle s'accrocha à ses épaules, non comme on enlace un amant, mais comme on s'agrippe à un arbre au milieu d'une tempête.

Le rythme de ses poussées s'accrut. Son corps frappait contre le sien, le lit cognait contre le mur et les ressorts protestaient violemment. Cela dura si longtemps que Julia perdit la notion du temps et eut l'impression que le sexe de Cooper avait été en elle toute sa vie durant, la pistonnant furieusement.

Tout à coup, sans qu'aucun signe avant-coureur ne l'ait alertée, l'orgasme déferla dans son corps. Elle poussa un cri, agitée d'irrépressibles soubresauts. La vague du plaisir l'atteignit avec la fulgurance d'un train lancé à pleine vitesse.

D'habitude, Julia mettait longtemps à jouir. L'orgasme commençait à se manifester par de subtils frémissements, et elle n'atteignait le point culminant que beaucoup plus tard. Ses cuisses se mettaient à trembler, une onde de chaleur se répandait dans son ventre, toutes sortes de paysages merveilleux apparaissaient sous ses paupières closes – bref, son corps la prévenait de ce qui allait se passer.

Pas cette fois. Cette fois, ce fut comme si un retournement puissant s'était opéré, la projetant au cœur de l'orgasme le plus fulgurant qu'elle ait connu, les muscles de son vagin enserrant étroitement le sexe de Cooper.

Il cria contre l'oreiller et Julia sentit les vibrations de sa voix profonde se répercuter le long de ses bras et au creux de sa poitrine. Il rugit et grogna, son sexe enfla en elle et il jouit à son tour. Il enfouit son sexe au plus profond d'elle pour y déverser sa semence à longs traits brûlants.

La vague décrut. Julia s'agrippait aux épaules de Cooper. La tension raidissait les muscles de son dos emperlé de sueur. Elle réalisa soudain à quel point les rapports sexuels qu'elle avait connus jusqu'alors avaient été… polis. Des rapports distants et mesurés, qui lui avaient donné l'impression de prendre le thé avec son partenaire, dans une version plus amusante où les convives étaient nus.

Ce qu'elle venait de vivre avec Cooper était primaire, animal. Cela n'avait été ni distant ni poli. Le plaisir lui-même avait été… bestial. Ils s'étaient accouplés à la façon des aigles ou des couguars.

Son membre était toujours d'une rigidité de pierre en elle, et elle comprit qu'il ne plaisantait pas quand il avait dit qu'une seule fois ne suffirait pas.

Pour Julia, une seule fois suffisait amplement.

Elle était épuisée, laminée par cette longue chevauchée et cet orgasme explosif, et ses muscles étaient complètement relâchés. Cooper pesait si lourdement sur elle qu'elle devait gonfler ses poumons au maximum pour parvenir à respirer, et elle était en train de se demander si elle pouvait se permettre de le repousser lorsqu'elle sentit ses hanches recommencer à bouger.

Mon Dieu, non! Pas une deuxième fois! Le rapport qu'ils venaient d'avoir était le plus long qu'elle ait expérimenté. Le plus excitant aussi. D'ailleurs, elle était encore excitée. Sa tête avait beau lui dire que ça suffisait comme ça, la partie inférieure de son corps n'était pas de cet avis.

Profondes et vigoureuses, ses poussées furent plus délicieuses que la première fois. Il allait et venait aisément en elle, et Julia sentit le plaisir enflammer son corps.

Cooper releva la tête et la dévisagea, ses traits sombres aussi dépourvus d'expression qu'à l'ordinaire. Ils avaient beau partager l'acte le plus intime qui peut réunir deux êtres humains, Julia n'aurait su dire ni ce qu'il pensait ni ce qu'il ressentait.

Sous ses coups de reins, le corps de Julia avait atteint une chaleur infernale. Cooper prit son visage entre ses mains, ses pouces reposant sur ses joues, l'immobilisant complètement. Il la dévisageait d'un regard si intense qu'elle ne pouvait même pas fermer les yeux.

Lentement, Cooper baissa la tête jusqu'à ce que sa bouche rencontre la sienne. Au grand étonnement de Julia, son baiser ne fut ni brutal ni possessif. Il effleura ses lèvres des siennes, encore et encore. Il fit pleuvoir des baisers aussi légers qu'une plume sur ses joues et ses paupières, de vrais baisers de papillon. La bouche de Cooper parcourut son front, taquina son oreille, son menton. C'était tellement doux que cela en devenait presque douloureux.

Le contraste entre ces baisers et ses assauts était électrique, comme si deux hommes différents lui faisaient l'amour en même temps.

Sa main remonta le long des muscles de son dos et elle passa les bras autour de son cou. Toucher sa peau déclenchait une sensation extraordinaire. Il semblait fait d'acier tiède. Il l'embrassait lentement et langoureusement, comme s'ils avaient toute la vie devant eux, comme s'il était un jeune homme courtisant une jeune fille qu'il venait de renverser dans l'herbe pour la première fois, et pourtant ses hanches cognaient furieusement contre les siennes, de plus en plus vite.

De ses lèvres, Cooper l'incita à entrouvrir les siennes, et cette caresse furtive eut sur elle un effet dévastateur. Son cri se perdit dans la bouche de Cooper lorsqu'elle jouit à nouveau, plus fort encore que la première fois, des vagues brûlantes déferlant les unes après les autres. C'était si intense qu'elle ne savait plus si elle avait envie de hurler ou de pleurer. Son cœur martelait sa poitrine, et elle s'accrocha de toutes ses forces à ses épaules tandis que des larmes roulaient sur ses joues.

Cooper murmurait quelque chose à son oreille, mais elle était incapable de comprendre ce qu'il disait. Elle ne pouvait plus entendre ni penser, seulement ressentir.

Il était toujours aussi dur en elle – elle avait l'impression qu'il pourrait rester dans cet état éternellement – mais ses mouvements s'étaient interrompus. Il continuait de lui faire l'amour avec ses lèvres, répandant de doux baisers sur son visage et le long de son cou.

Julia resserra l'étreinte de ses bras. Toutes ses défenses avaient volé en éclats, et si elle avait eu le malheur d'ouvrir la bouche à cet instant précis, elle lui aurait révélé tous ses secrets.

Bouleversée d'émotion, elle ferma les yeux et attendit que les battements de son cœur ralentissent. Sa respiration se calma progressivement, et c'est étroitement serrée contre Cooper, seul repère stable dans son monde chaviré, que Julia s'endormit.

Il y avait tellement de sang.

Maigre et pâle, l'homme gisait par terre, sa tête baignant dans une mare de sang épais et visqueux. Elle recula, horrifiée, et dérapa sur le sol gluant. L'homme au revolver se retourna lentement et sa bouche aux lèvres écarlates s'ouvrit sur un sourire cruel.

— Tu vas mourir, ma jolie, déclara-t-il.

Son sourire s'élargit et il leva lentement son revolver.

Non! Aucun son ne sortit de sa bouche. Le mot se répercuta dans sa poitrine, mais le monde resta plongé dans un silence glacial. Elle était à genoux, elle essayait de ramasser quelque chose, n'importe quoi, elle sentait son cœur battre comme un tambour dans sa gorge et se demandait si elle serait consciente de l'instant où il cesserait de battre.

— Trop tard, gronda l'homme.

Son doigt affermit sa pression sur la détente et elle se prépara à mourir, là, sur ce trottoir, à genoux dans le sang d'un autre homme...

Julia ouvrit les yeux, tremblante, désorientée, perdue. Elle était en nage, paralysée d'effroi. Où était-elle ? Que se... ?

Une silhouette se dressait près du lit, plus sombre que la nuit. Son hurlement se bloqua dans sa gorge et elle rampa jusqu'à la tête du lit avec un gémissement de terreur. Recroquevillée sur elle-même, elle souhaita de toutes ses forces que la balle ne lui fasse pas mal...

La silhouette se pencha au-dessus du lit et saisit sa main tremblante.

— *Sally,* dit une voix profonde.

— Quoi ? fit Julia en tournant la tête tandis qu'elle luttait pour passer du cauchemar à la réalité. Qui est Sa...

Une sirène d'alarme mugit dans sa tête. Elle se mordit les lèvres si fort qu'un goût de sang emplit sa bouche, et ses yeux s'emplirent de larmes.

Cooper serrait étroitement sa main dans les siennes. Ses mains étaient tièdes, fortes, rassurantes.

— Sally, ma belle, écoute-moi.

Julia cligna des yeux et voulut remettre de l'ordre dans ses pensées, mais elles s'éparpillèrent dans sa tête comme les perles d'un collier brisé. L'étreinte de Cooper était la seule chose qui eût un semblant de cohérence. Julia s'y accrocha désespérément. Il se pencha encore vers elle, et elle sentit la chaleur de son corps transpercer l'obscurité.

— Il faut que j'y aille, ma belle.

Il était entièrement habillé. Il avait même enfilé sa grosse veste d'hiver. Son visage était à demi plongé dans les ténèbres, mais elle vit sa mâchoire se contracter.

— Je dois partir à cheval avec cinq hommes à quatre heures et demie du matin. On va vérifier l'état des cabanes aux limites du domaine. Ça nous prendra trente-six heures. Peut-être plus. Je ne pourrai pas t'appeler, les portables ne passent pas là-bas.

— D'accord, répondit Julia.

Ses dents claquaient si fort qu'elle avait eu du mal à articuler sa réponse. Des images terrifiantes de son cauchemar la hantaient. Elle avait à peine compris ce qu'il venait de dire et n'avait pas la moindre idée de ce que pouvaient être les cabanes qu'il avait mentionnées. Tout ce qu'elle comprenait, c'était que Cooper allait la laisser toute seule dans le noir avec ses démons.

— Ça va ? demanda-t-il finalement de sa voix profonde et calme.

Julia saisit ce qu'il voulait dire. Tous ses muscles avaient protesté quand elle avait rampé à la tête du lit. Ses cuisses lui faisaient mal et son entrejambe était meurtri. Jamais elle n'avait fait l'amour avec un homme aussi longtemps, aussi passionnément. Cooper n'avait pu se contrôler et se le reprochait.

Il voulait savoir s'il lui avait fait mal.

Non, il ne lui avait pas vraiment fait mal. La douleur qu'elle ressentait à l'entrejambe venait seulement de l'intensité de ses orgasmes.

Mais ça n'allait pas du tout. Elle était perdue, effrayée. Elle avait désespérément envie qu'il reste avec elle, de se blottir contre lui et de sentir sa force l'envelopper. Elle savait désormais que Cooper avait le pouvoir de lui faire oublier ses peurs.

— Ça va, mentit-elle d'une voix crispée.

Elle écarta les lèvres sur un sourire artificiel, sachant que dans l'obscurité Cooper ne pourrait voir que la blancheur de ses dents.

— Ça va très bien.

Il étreignit plus fortement ses mains, et Julia le vit crisper la mâchoire. Il n'était pas dupe de son mensonge.

— Il faut que j'y aille, répéta-t-il.

Julia acquiesça prudemment. Si elle avait ouvert la bouche, elle aurait fondu en larmes et supplié Cooper de rester avec elle.

Il ne pouvait pas rester avec elle.

Personne ne pouvait rester avec elle. Elle était vouée à la solitude.

Cooper l'observa longuement. Julia était nue et glacée. Le seul point chaud de son corps, c'était sa main entre celles de Cooper. Quand il les écarta, Julia dut faire appel à toute sa volonté pour réprimer un long frisson. Elle était gelée jusqu'à la moelle des os.

Debout près du lit, il la dominait de toute sa taille. Difficile de croire que peu auparavant, cet homme était entièrement nu, le sexe enfoui au plus profond de sa chair. Pendant qu'ils faisaient l'amour, Julia avait été incapable de penser à autre chose qu'à son corps immergé en elle et au plaisir bouleversant qu'il lui donnait. Pendant qu'ils faisaient l'amour, elle s'était sentie liée à lui comme elle ne s'était encore jamais sentie liée à aucun être humain.

À présent, ils étaient séparés, loin l'un de l'autre. Il l'abandonnait aux ténèbres glacées de sa solitude.

Les aiguilles phosphorescentes de son réveil indiquaient quatre heures du matin. S'il voulait être de retour au ranch à l'heure, il était temps qu'il se mette en route.

Cooper recula d'un pas et s'arrêta. Julia perçut le souffle de sa respiration, sentit les ondes de frustration qui émanaient de lui. Il fit passer le poids de son corps d'une jambe sur l'autre, rechignant visiblement à la quitter.

— Sauve-toi vite, chuchota-t-elle.

Cooper soupira et hocha la tête. Un instant plus tard, il avait disparu. Julia entendit la porte d'entrée se refermer, puis le bruit de moteur qui démarrait.

Le silence se referma sur elle, aussi sombre et froid que la nuit. Julia posa le front sur ses genoux et laissa venir ses larmes.

8

La pièce vibrait encore du contre-ut de Luciano Pavarotti quand l'icône annonçant l'arrivée d'un nouvel e-mail clignota à l'écran.

Vingt mille dollars US déposés sur compte suisse. Accident de voiture OK ?

L'esthète vérifia son compte de Genève, l'un des dix qu'il possédait en Suisse, et bénit au passage les autorités bancaires suisses pour les nombreux privilèges qu'elles accordaient à leurs clients. Les vingt mille dollars étaient bien là.

Mimi enfilait son manchon en assurant à Rodolfo que cela réchaufferait ses mains. Elle était en train de mourir.

L'esthète écarta ses doigts du clavier pour savourer cet instant douloureusement glorieux. Ce passage était si émouvant, si tragique. Rodolfo entama son chant de douleur, le corps sans vie de Mimi dans ses bras. Quand la musique se tut, l'esthète attendit d'avoir repris contenance avant de taper sa réponse au Norvégien.

Richard M. Abt : transféré à Rockville, Idaho. Adresse : 120 Crescent Drive sous le nom de Robert Littlewood. Accident de voiture parfait. Bonne chance.

Par curiosité pure, l'esthète rouvrit le fichier volé pour vérifier à quoi correspondait le M. de Richard M. Abt. C'était un peu comme de farfouiller dans un grenier. Voilà. Marion. Richard Marion Abt. Un prénom bien étrange pour un homme. L'esthète comprenait qu'il ait préféré le réduire à son initiale.

Quoi qu'il en soit, cet homme-là appartenait désormais au passé.

L'esthète eut un sourire. Richard Marion Abt. Anéanti d'un simple clic.

— Doucement !

Julia sourit et essuya la mousse de savon qui lui était entrée dans l'œil. C'était si bon d'avoir un autre être humain dans la maison. Elle avait passé son dimanche à errer comme une âme en peine, cloîtrée entre ses quatre murs, triste et solitaire, parlant à Fred pour se donner l'illusion d'une présence. Retrouver ses élèves le lundi matin lui avait donné l'impression de renaître.

Rafael était venu chez elle après la classe et Julia l'avait aidé à faire ses devoirs, mais il était clair que Fred l'intéressait plus que la conjugaison. Dès qu'il avait été capable de réciter par cœur sa liste de verbes, il s'était attelé à la tâche autrement plus passionnante de laver Fred.

Julia l'aida à mettre le chien dans la baignoire remplie de bain moussant parfumé à la rose. Deux jours de repos, d'affection et de copieuses gamelles l'avaient bien requinqué. Fred ne boitait presque plus et semblait en passe de tomber amoureux de Rafael. Un processus visiblement réciproque. L'enfant et le chien affichaient tous deux le même sourire idiot.

Julia regarda Rafael verser un peu plus de bain moussant sur le dos de Fred pour le shampooiner.

— Tu sens toujours mauvais, dit-elle à Fred en rebouchant le flacon. Mais au moins, une fragrance de rose atténue légèrement ton parfum naturel.

Fred répliqua d'un jappement bref.

Des coups sonores retentirent à la porte d'entrée. Julia se redressa, le cœur battant. *Cooper.* La porte étouffait sa voix, mais c'était bien la sienne. Elle n'avait pas eu de nouvelles de lui depuis son départ au beau milieu de la nuit de samedi à dimanche. Elle s'essuya les mains et se dirigea vers la porte en s'efforçant de calmer les battements de son cœur.

Il se tenait sur le seuil, aussi impressionnant que dans son souvenir, vêtu de noir de la tête aux pieds, et tenait dans les mains une grande boîte enveloppée de papier d'emballage brun. Cela faisait deux jours qu'elle pensait à lui en permanence. Dès qu'il l'aperçut, il retira son grand chapeau de cow-boy.

— Sally.

Oh, cette voix! Il avait murmuré des tas de choses à son oreille de cette belle voix grave. En l'entendant, Julia se retrouva projetée dans la chambre obscure, le sexe de Cooper allant et venant furieusement entre ses cuisses. Ses genoux se mirent à trembler.

— Cooper, souffla-t-elle.

Elle dut s'accrocher à la porte pour éviter de chanceler. Cooper fit un pas en avant et son odeur lui parvint. Cuir et pluie. Un parfum délicieusement viril.

Derrière elle, Rafael glapissait joyeusement et Fred aboyait. Cooper tourna son regard vers la salle de bains et lorsqu'il reporta les yeux sur elle, Julia lut clairement dans ses pensées. Rafael était occupé dans la salle de bains avec Fred. Ils étaient donc, pour l'instant, seuls.

Julia avait disposé de trente-six heures pour répéter l'attitude qu'elle adopterait quand elle le reverrait. Amicale, mais réservée. Ou alors cool et vaguement amusée. Ou alors sentimentale sans se montrer collante. Ou bien amicale – c'était bien, ça, amicale – mais ironique...

Elle n'eut le temps de composer aucune de ces attitudes, car Cooper s'était rapproché d'un pas et l'embrassait. Profondément, passionnément. Sa bouche s'était emparée de la sienne avec autant de fougue que son sexe l'avait possédée.

Il la serra contre lui, la souleva et l'emporta prestement dans la chambre. Sans cesser de l'embrasser, il ferma la porte et poussa le verrou. Julia sentit une grande main remonter sous sa jupe pour caresser sa hanche et ferma les yeux de bonheur. C'était si bon de retrouver le contact de ces mains sur elle. Elle se hissa sur la pointe des pieds, écarta davantage les lèvres et insinua la langue dans sa bouche.

Cooper frissonna. Il s'écarta d'elle pour la soulever contre le mur, puis, la retenant d'une main, lui retira son collant, sa culotte et ses chaussures, et cala ses jambes sur ses hanches. Le dos de sa main effleura son sexe quand il se débraguetta et un nouveau frisson parcourut son corps. Elle était moite d'impatience.

Incroyable. D'habitude, Julia s'échauffait lentement. Il lui fallait de longs préliminaires, des mots doux et des caresses. Elle n'avait rien eu de tout cela et pourtant elle était prête à le recevoir. Poser les yeux sur Cooper avait suffi à la mettre dans cet état. De même qu'un hamster associe toute pression contre les barreaux de sa cage à de la nourriture, Julia associait Cooper à une récompense charnelle imminente.

Il écarta son caleçon et son sexe jaillit glorieusement. Il le guida d'une main entre ses cuisses, le présenta face à sa fente, y inséra délicatement l'extrémité et la pénétra d'une vigoureuse poussée.

Il la possédait complètement. Sa bouche dévorait la sienne, le poids de son corps la plaquait contre le mur. La toile rugueuse de son jean frottait contre sa peau sensible et accroissait son excitation.

Il interrompit leur baiser pour l'observer à travers ses paupières mi-closes. Son visage était sombre, inflexible.

— Je n'ai fait que penser à ça pendant un jour et demi, murmura-t-il, les yeux brillants.

Cet aveu déclencha instantanément les prémices de la jouissance chez Julia. Il prit une profonde inspiration et se retira à demi pour entamer un mouvement de va-et-vient.

— Mademoiselle Anderson ? Où êtes-vous ? On a besoin d'un sèche-cheveux !

Julia et Cooper se pétrifièrent, mais l'orgasme de Julia persista à enfler inexorablement vers son point culminant, comme animé d'une vie propre. Incapable de l'arrêter, elle trembla de tous ses membres quand les vagues déferlèrent. Le souffle puissant de Cooper résonnait dans la pièce tandis qu'il demeurait en elle, délicieusement rigide et immobile.

— Mademoiselle Anderson ?

La voix de Rafael s'éloignait. Il se dirigeait vers la cuisine où il ne la trouverait évidemment pas. Il n'y avait qu'une seule autre pièce dans la maison. Les pas de Rafael retentirent dans le salon.

Dieu merci, les contractions commençaient à décroître. Tremblante, Julia repoussa Cooper. Il recula, les yeux fermés, son visage crispé reflétant une atroce souffrance. Julia fit glisser ses jambes vers le sol, en espérant qu'elles veuillent bien la soutenir.

— Mademoiselle Anderson ? Où êtes-vous passée ?

Le bouton de la porte tourna dans le vide.

— Attends...

Sa voix était si faible qu'elle ne portait pas plus loin que ses lèvres. Julia s'éclaircit la gorge.

— Attends une minute, Rafael. J'arrive.

— D'accord. Apportez un sèche-cheveux.

Rafael retourna dans la salle de bains en sifflotant gaiement.

Julia ne put s'empêcher de baisser les yeux. Cooper bataillait avec sa braguette pour caler sa prodigieuse érection dans son pantalon. Il croisa son regard, et Julia grimaça de compassion.

— Ça doit faire mal, non ?

— Tu n'imagines même pas, grommela-t-il.

— Et tu n'as pas, euh...

— Non, confirma-t-il. Mais je n'ai pas l'intention d'en rester là. Une fois que j'aurai raccompagné Rafael, je reviendrai. Et là, je ne me priverai pas de le faire. Plusieurs fois.

Il n'y avait plus d'air dans les poumons de Julia. Uniquement de la chaleur.

Il enveloppa son cou de sa grande main et déposa un baiser sur ses lèvres.

— Va retrouver Rafael. Je vous rejoins dans une minute.

Julia hocha la tête et s'avança vers la porte d'un pas chancelant.

— Sally ?

Elle se retourna.

— Tu ne crois pas que tu devrais remettre ta culotte et tes chaussures avant de sortir ?

— Si, répondit-elle, un peu hébétée.

Elle ne s'était pas encore remise du prodigieux orgasme qu'il venait de lui donner rien qu'en la pénétrant.

Culotte. Culotte. Où diable était passée sa... Ah ! Elle était là, avec son collant et ses chaussures. Une fois rhabillée, elle constata que Cooper avait l'air un peu moins sauvage, lui aussi. Mais il n'avait pas retiré sa veste. Elle lui arrivait en haut des cuisses et dissimulait son érection.

Julia prit son sèche-cheveux dans un tiroir de la commode. Elle se dirigeait vers la porte lorsqu'elle sentit la présence de Cooper juste derrière elle.

— Mademoiselle Anderson ? appela Rafael depuis la salle de bains.

— J'arrive ! Je suis à toi tout de suite !

Elle faillit bondir de surprise quand la main de Cooper se posa sur son épaule. Il se pencha vers elle et déposa un baiser sur sa nuque, si léger que ce fut pratiquement fini avant d'avoir commencé.

— Ce soir, tu seras à moi, gronda-t-il tout près de son oreille.

La main sur la poignée de la porte, Julia fut victime d'une bouffée de chaleur telle que ses genoux menacèrent de la trahir. Cooper n'aurait pas dû lui dire des choses pareilles. Pas quand elle s'apprêtait à rejoindre un petit garçon. Elle devait être écarlate. Ses pensées étaient complètement chamboulées et son cœur battait à une vitesse folle. Elle dut s'y reprendre à deux fois pour ouvrir la porte. Il ne fallait surtout pas qu'elle se retourne. Si elle avait le malheur de se retourner, elle verrait Cooper et ne résisterait pas à la tentation de passer les bras autour de son cou. Elle garda donc les yeux résolument braqués sur la porte, l'ouvrit, et se dirigea vers la salle de bains d'un pas incertain.

La baignoire était remplie à ras bord d'eau savonneuse qui débordait chaque fois que Fred remuait. Julia tendit le sèche-cheveux à Rafael, qui ne lui jeta qu'un bref coup d'œil.

— Super! Merci, mademoiselle Anderson. Si on ne sèche pas Fred, il risque de s'enrhumer. Allez, Fred! Sors de là! ajouta-t-il en claquant des doigts.

— Attends! s'écria Julia.

Trop tard. Fred avait bondi de la baignoire, entraînant la moitié de son contenu avec lui. Il s'ébroua, projetant une nuée de gouttes d'eau autour de lui. Julia leva les mains devant elle pour parer le plus gros, mais Rafael fut largement aspergé. La salle de bains était tellement humide que l'usage du sèche-cheveux risquait de se révéler dangereux. Julia lui prit l'appareil des mains et l'emporta à l'office, où elle étala un vieux drap par terre.

— Vous serez mieux ici, dit-elle en branchant le sèche-cheveux.

Rafael le mit en marche, et Julia alla retrouver Cooper qui l'attendait dans l'entrée, le gros paquet qu'il avait en arrivant dans les mains.

— C'est pour toi, dit-il simplement.

Un cadeau! Julia battit des cils. La boîte était emballée dans du papier d'emballage brun que retenait une ficelle. Le papier brun et la ficelle étaient considérés comme très chics à Boston. Bien sûr, le papier devait être recyclé et artisanal, les bords se devaient d'être déchirés irrégulièrement, la ficelle était en chanvre naturel et le tout enveloppait un objet luxueux.

Le tampon de la quincaillerie Kellogg's, inégalement imprimé sur l'emballage, ne laissait guère présager un cadeau luxueux. Julia prit le paquet, qui se révéla étonnamment lourd. Troublée, elle leva les yeux vers Cooper.

— Merci beaucoup.

Il hocha gravement la tête.

Julia secoua la boîte, et quelque chose remua lourdement à l'intérieur. Elle n'avait aucune idée de ce qu'elle pouvait contenir. L'expression de Cooper était aussi impénétrable qu'à l'ordinaire. Julia défit la ficelle et le papier, et ouvrit la boîte. Elle contempla un instant l'énorme chose d'acier et de cuivre, puis considéra Cooper, interloquée.

— Serrure de sécurité.

— Oh, dit-elle d'une voix hésitante. Une serrure de sécurité... Justement, ça faisait longtemps que j'en avais envie.

— La serrure de ta porte n'est vraiment pas solide.

— Tu sais comment l'installer ?

— Bien sûr, répondit-il d'un ton aussi outragé que si elle lui avait demandé s'il savait lire ou marcher.

Quelques minutes plus tard, Cooper fourrageait dans sa boîte à outils, s'employant efficacement et virilement à changer la serrure. Julia jugea préférable de se rendre à la cuisine pour trouver quelque chose d'efficace et de féminin à faire.

Lorsque Fred, sentant presque la rose, et Rafael, un grand sourire aux lèvres, s'approchèrent de la table, Julia avait préparé du thé et placé sur un joli plat la tarte au citron qu'elle avait préparée la veille pour tuer le temps.

Cooper les rejoignit un instant plus tard. Par la porte de la cuisine, Julia aperçut la serrure de sécurité, étincelante et énorme, assez solide pour protéger des secrets d'État, fixée à sa porte. Elle lui adressa un grand sourire.

— Merci, Cooper.

Il s'était pétrifié sur le seuil de la cuisine quand elle avait souri, mais Julia commençait à se familiariser avec les différentes nuances de son impassibilité, et son sourire s'agrandit.

— Viens prendre le thé avec nous, l'invita-t-elle. Tu as bien mérité une part de tarte.

Rafael en avait déjà englouti trois parts, et Julia l'avait surpris en train d'en glisser subrepticement des morceaux à Fred. Elle coupa une large part pour Cooper, et une autre beaucoup plus petite pour elle. Elle avait aromatisé le thé avec de l'écorce d'orange séchée et des bâtons de cannelle. Cooper le huma prudemment avant d'en prendre une petite gorgée, puis une autre, visiblement conquis. Julia sourit de le voir mâcher avec enthousiasme dès la première bouchée de tarte au citron.

— Bon, marmonna-t-il. Le thé aussi.

Bon ? Julia se sentit un moment outrée de ce commentaire. Bon ? C'était le seul mot qui lui venait à l'esprit pour qualifier sa tarte au citron ? Elle tenait cette recette de sa mère. « Fabuleux » était le seul terme adéquat pour lui rendre justice. Elle s'apprêtait à lui en faire la remarque quand elle le vit plisser les yeux de plaisir à la façon de Fred. Elle se détendit. « Bon » était le mot qu'utilisaient les cow-boys pour dire « fabuleux ». Elle enveloppa le reste de tarte dans du papier d'aluminium.

— Pour Bernie, dit-elle en se doutant que Rafael ne se ferait pas prier pour lui faire un sort.

Cooper et Rafael se levèrent.

— File dans le van, fit Cooper sans détacher les yeux de Julia. Mais avant cela, remercie Mlle Anderson.

— Merci beaucoup, mademoiselle Anderson, lança Rafael d'un ton obéissant.

L'enfant se pencha ensuite vers Fred pour le serrer dans ses bras et décampa.

Cooper l'observait toujours. Son regard glissa sur ses lèvres.

— Je ne vais pas t'embrasser maintenant, déclara-t-il en rivant son regard brûlant de désir pur sur celui de Julia. Je ne pourrais plus m'arrêter.

Son expression était si ardente qu'elle en eut le souffle coupé. L'atmosphère vibrait d'électricité. Cooper attrapa son chapeau sur le porte-manteau, lissa ses cheveux et le plaça sur sa tête.

— Je reviendrai plus tard. Le plus vite possible, lâcha-t-il avant de sortir.

Julia commençait à avoir l'habitude de ses brusques départs. Qui sait? Prendre longuement congé était peut-être un rituel décadent des gens de la ville. Julia écarta la porte grillagée et le regarda installer Rafael sur le siège du passager. Comme toujours, les gestes de Cooper étaient précis, gracieux et puissants.

Son sweater et son jean semblaient parfaitement propres, mais ils ressemblaient tout aussi parfaitement à ceux qu'il portait dimanche. Il grimpa dans un van noir qu'elle n'avait encore jamais vu.

Julia le regarda s'éloigner en se demandant quel genre d'homme possède plus de véhicules que de vêtements.

Préliminaires, préliminaires, préliminaires.

Cooper répétait ce mot dans sa tête comme un mantra. Il avait déposé Rafael au ranch et allait retrouver Sally. Se cogner la tête contre son volant irriguerait peut-être son cerveau et l'aiderait à s'en souvenir.

Préliminaires, préliminaires, préliminaires...

Il n'arracherait pas ses vêtements et ne la plaquerait pas contre le mur pour la posséder brutalement.

Non, non, non et non.

Il consacrerait du temps aux préliminaires. Juré.

Il n'avait pratiquement pas débandé depuis deux jours. Les hommes avec qui il était allé vérifier l'état des abris aux limites du domaine lui avaient jeté de nombreux coups d'œil inquiets. Dès que son sexe acceptait de se mettre au repos, un nouveau souvenir érotique l'assaillait de plein fouet. Les seins de Sally, par exemple, leur délicieuse saveur...

Il n'avait pas pu fermer l'œil la nuit précédente. Pas une minute. Cooper avait été entraîné à se priver de sommeil pendant sa formation de SEAL, mais cette insomnie n'avait rien à voir. Cette fois, il n'avait pas volontairement cherché à se priver de sommeil. Dès qu'il s'était allongé, la vision du corps adorable de Sally s'était élevée si clairement dans son esprit qu'il avait eu l'impression de pouvoir le toucher. Ses jambes encerclant ses hanches, ses petits seins pressés contre lui, sa bouche effleurant son oreille... Quand il avait fermé les yeux pour chasser cette image, le parfum de sa peau avait assailli sa mémoire, ce parfum de rose, unique et si féminin.

Cela faisait donc deux nuits de suite qu'il ne dormait pas, et pourtant il ne ressentait aucune fatigue. La testostérone qui irriguait son organisme le maintenait en pleine forme.

Dans sa vie normale av. M. – avant Melissa –, il avait couché avec Lory Kendall en classe de première et n'avait plus jamais souffert de désir sexuel insatisfait ensuite. Il s'était toujours trouvé une femme désireuse de le soulager. Il suffisait de savoir où chercher. Après Melissa, que ce soit pendant leur mariage ou pendant l'année qui avait suivi leur divorce, son sexe était resté bien sagement entre ses jambes.

Désormais, celui-ci refusait de se mettre au repos. La nuit, surtout. Il avait passé la nuit précédente les yeux grands ouverts dans son sac de couchage, à transpirer comme une bête malgré le froid glacial, le film en Technicolor de ses ébats avec Sally défilant en boucle dans sa tête. Sans même pouvoir se soulager manuellement, du fait de la présence de ses employés.

La pénétrer pendant deux minutes n'avait servi qu'à l'enflammer davantage. De tous les exploits que Cooper avait accomplis dans sa vie, ce retrait avait été le plus héroïque. D'autant plus héroïque que Sally était en plein orgasme.

On aurait dû lui remettre une médaille.

Les battements de son cœur s'accélérèrent lorsqu'il aperçut la petite maison de guingois au tournant du virage. Il eut furieusement envie de se garer devant chez elle et de foncer à sa porte, mais il fit l'effort d'aller se garer un peu plus loin. Son van allait passer la nuit là. Il serait obligé de repartir avant l'aube afin d'arriver au ranch à temps pour l'entraînement des chevaux.

Ses efforts en vue de préserver la réputation de Sally ne serviraient cependant pas à grand-chose à Simpson, où tout se savait très rapidement.

Cooper avait entendu dire qu'une clause de « turpitude morale » figurait dans le contrat des enseignants, et qu'ils risquaient leur poste s'ils contrevenaient à la morale de la communauté. La seule personne susceptible de la renvoyer de l'école était le directeur, Larry Jensen, qui se trouvait être le cousin germain de Cooper. Larry ne s'aviserait certainement pas de la renvoyer sous prétexte qu'elle couchait avec lui. Au contraire, il serait ravi que son cousin ait mis fin à sa longue abstinence.

Mais ce que Sally et lui faisaient ensemble ne regardait pas la communauté.

Il grimpa les marches du perron et grimaça en entendant grincer la deuxième marche. Cette réparation figurait en tête de ses priorités. La porte s'ouvrit avant qu'il ait eu le temps de frapper, révélant une Sally souriante. Aussi belle, délicate et précieuse que dans son souvenir.

— Tu as ouvert la porte, dit-il en fronçant les sourcils.

Le sourire de Sally disparut. Elle regarda Cooper, puis la porte, puis le regarda à nouveau.

— Euh... oui. Oui, j'ai ouvert la porte.

— Sans que je me sois identifié.

Sally leva les yeux au ciel.

— Cooper, je t'ai entendu remonter l'allée. Je t'attendais. Qui d'autre que toi cela aurait-il pu être ?

Un sale type, un drogué, un violeur, un tueur en série... Il n'y avait que l'embarras du choix. Cooper eut soudain une vision effrayante de Sally blessée, morte peut-être, et dans un éclair de panique aveuglante, il prit conscience de ce qui disparaîtrait de sa vie s'il lui arrivait quelque chose.

Cooper avait eu plusieurs éclairs d'intuition dans sa vie, une sorte de sixième sens qui l'avertissait du danger. Il avait appris à se fier à son instinct. Cela n'avait rien de magique et il ne se prenait pas pour un médium. Il avait simplement appris à développer un talent naturel d'observateur attentif.

C'était exactement ce qui venait de se produire. Quelque chose dans son subconscient l'avait averti qu'un danger menaçait Sally. Qu'on pouvait lui vouloir du mal.

Pas tant qu'il serait en vie.

Cooper entra dans la maison, retira son chapeau et s'approcha si près de Sally qu'elle dut renverser la tête en arrière.

— N'ouvre jamais cette porte si tu ne sais pas qui se trouve derrière, c'est clair ?

Il s'était exprimé du ton ferme et dur qu'il employait avec ses hommes à l'armée. Les leçons dont l'animal humain se souvient le mieux sont celles qu'il a apprises durement ou, mieux encore, dans la douleur. Sally ne devait jamais oublier ce qu'il venait de lui dire.

Les lèvres de la jeune femme tremblèrent et il en fut désolé, mais pas au point d'éprouver des remords.

— Oui, Cooper, murmura-t-elle en cherchant son regard. Tu as raison. C'était idiot de ma part.

— Demain, j'installerai un judas et une deuxième serrure sur ta porte. Des alarmes aux fenêtres aussi.

— D'accord.

— Je veux que tu sois en sécurité.

Les mots qui avaient sourdement franchi ses lèvres avaient jailli du plus profond de son torse. Sally chancela et devint blême. Il l'avait effrayée. Bravo, Cooper... La plus belle et la plus désirable de toutes les femmes acceptait miraculeusement de coucher avec lui, et il ne trouvait rien de mieux à faire que de la terroriser.

C'était malheureusement un mal pour un bien.

— Promets-moi de ne plus jamais faire ça.

— Je te le promets, souffla-t-elle d'une voix tremblante en écarquillant ses grands yeux turquoise.

Les mots se bousculèrent dans la tête de Cooper, si nombreux qu'il fut incapable d'en prononcer un seul. Aucun d'eux ne parvint à s'imposer par-dessus l'image gravée dans son esprit : Sally mortellement blessée. Cette vision lui avait fait bouillir le sang.

Il enfouit les mains dans ses cheveux et se pencha pour l'embrasser. Sa bouche était douce et accueillante, tout comme il savait que son entrejambe le serait. Elle était prête à le recevoir. Le corps tout entier de Sally le lui disait. La façon dont ses lèvres s'écartaient pour mieux savourer son baiser. La façon dont elle se tortillait contre lui. La façon dont ses mains s'agrippaient à ses épaules.

Sa fente serait aussi chaude et moite que tout à l'heure. Cooper le savait aussi certainement qu'il savait comment il s'appelait.

Cette pensée – Sally douce et moite, prête à l'accueillir – déclencha un rugissement dans sa tête.

Il la souleva dans ses bras et l'emporta vers la chambre. Le simple fait de parvenir jusqu'au lit lui apparut comme l'expression sublime de sa volonté, car son instinct lui avait ordonné de la renverser sur le sol et d'écarter ses vêtements juste ce qu'il fallait pour la pénétrer et la chevaucher.

Avant même de la déposer sur le lit, il avait trouvé le moyen de lui enlever pull et soutien-gorge. Leurs bouches fusionnèrent. Cooper était dans un tel état d'excitation qu'il craignait de la brutaliser avec ses mains. Dieu merci, elle portait une jupe. Il la souleva et déchira sa culotte. L'écho du satin déchiré ne s'était pas encore éteint dans le silence de la chambre que le crissement métallique de sa fermeture Éclair lui répondait. La langue de Cooper s'insinua profondément dans la bouche de Sally tandis que sa main remontait le long de sa cuisse et qu'il lui écartait les jambes de l'autre.

Elle était moite, et elle gémit dans sa bouche quand il lui caressa l'entrejambe. Elle était aussi douce, chaude et accueillante que sa bouche l'avait laissé présager.

Cooper écarta les replis de sa chair et laissa échapper un grognement en sentant le corps de Sally vibrer en réponse à sa vigoureuse pénétration.

Le sexe niché au plus profond de sa chair, il prit appui sur ses avant-bras. Leurs regards se croisèrent. L'excitation avait tellement dilaté ses pupilles qu'elles n'étaient plus bordées que d'un infime fil turquoise.

— Préliminaires, articula-t-il péniblement.

Sally appuya les mains sur les muscles raidis de sa nuque jusqu'à ce que sa bouche effleure la sienne.

— Plus tard, murmura-t-elle avant de l'embrasser.

9

— Tiens, ma chérie, dit Loren Jensen à sa femme le lendemain, tu peux déjà mettre ça dans des sacs.

L'épicier tapait un à un le prix de ses articles sur sa caisse enregistreuse d'un autre âge, mais Julia avait appris à prendre son temps depuis son arrivée à Simpson. Pour tout dire, elle commençait même à apprécier le rythme paisible de cette bourgade isolée. Une bonne chose, à n'en pas douter, car s'il avait existé, les Jensen auraient remporté haut la main le prix des commerçants les plus lents d'Amérique.

Si elle avait été à Boston, Julia aurait jeté des coups d'œil impatients à sa montre. Elle avait l'impression que cela faisait une éternité qu'elle n'avait pas pianoté des doigts sur le volant de sa voiture à un feu rouge, ou tapé du pied d'impatience dans une file d'attente à la banque. Un tel comportement n'avait pas lieu d'être à Simpson. Et pourquoi aurait-elle dû se sentir pressée ? Pour aller où ? Il n'y avait nulle part où aller à Simpson.

Faire ses courses à l'épicerie Jensen était devenu un rituel agréable. Loren et Beth étaient adorables, et le couple qu'ils formaient faisait irrésistiblement penser à une version mixte de Laurel et Hardy. Loren était aussi grand et mince que Beth était petite et boulotte, avec des joues aussi rondes que des balles et rouges comme des pommes d'api.

Si Julia leur demandait un produit qu'ils n'avaient pas en stock – du pain complet aux sept céréales ou du yaourt à la grecque –, ils en prenaient note et le commandaient à un grossiste de Rupert.

— ... yaourt, lait, œufs, pain... Dites donc, vous savez que depuis que vous commandez ce pain complet, de plus en plus de clients m'en demandent, lui apprit Loren en souriant avant de se tourner vers sa femme. Pas vrai, chérie ?

— Ils ne veulent plus que celui-là. On va essayer le pain aux noix, la semaine prochaine. Le yaourt à la grecque marche très bien aussi. Vous n'êtes pas notre meilleure cliente, Sally – ce que vous mangez suffirait à peine à un oiseau – mais vous êtes la plus avisée, cela ne fait aucun doute. Vous êtes bien sûre d'avoir pris tout ce qu'il vous fallait ? ajouta Beth avec un grand sourire avant de balayer le magasin du regard.

Julia se demanda si elle le voyait tel qu'il était, ou si elle était là depuis si longtemps qu'il était devenu invisible à ses yeux, comme ces femmes qui ne voient même plus leur salon – les rideaux passés, les meubles éraflés et le canapé fatigué qui a vu grandir les enfants –, incapables de réaliser que leur maison a vieilli en même temps qu'elles.

Le magasin était petit, plus large que profond, avec une grande vitrine où trônaient des emballages décolorés par le soleil que Julia n'avait pas vus changer depuis son arrivée. En fait, l'épicerie donnait l'impression de ne pas avoir changé depuis le mandat du président Eisenhower.

Le carillon accroché au-dessus de la porte égrena sa petite mélodie provinciale, et Julia se retourna. Glenn Kellogg, le maire de Simpson, qui était également le propriétaire de la quincaillerie Kellogg', fit son entrée. C'était un homme bedonnant, dans la force de l'âge, qui arborait en permanence un large sourire jovial. Il était particulièrement volubile quand il tombait sur Julia. Beth lui avait confié que c'était parce qu'elle était la première personne depuis cinq ans à s'installer à Simpson, et que Glenn aimait à penser qu'elle était la première goutte d'eau annonciatrice d'un flot de nouveaux arrivants. Julia appréciait sa gentillesse un peu exubérante. Abstraction faite de son stock inépuisable de blagues lamentables, il était parfaitement inoffensif.

— Bonjour, Glenn, dit-elle.

Glenn hocha la tête, les lèvres pincées, et Julia se demanda s'il l'avait seulement reconnue. Loren, qui notait la commande que Julia venait de passer pour du pain pita et des tomates cerises, leva les yeux et sourit.

— Salut, Glenn.

— Salut, Loren, répondit-il d'une voix terne en lui retournant mollement son sourire.

— Tout va bien ? demanda Loren.

— Ouais, ouais, tout va bien.

Glenn sortit la liste des commissions de la poche poitrine de sa chemise et la déplia lentement. Julia remarqua que ses mains tremblaient. Glenn contempla sa liste d'un regard aveugle, comme s'il avait oublié qu'il savait lire.

— Comment vont les affaires ? questionna Loren en l'observant d'un air inquiet.

— Ça va, ça va.

Glenn laissa tomber sa liste sur le comptoir et regarda autour de lui comme s'il était surpris de se trouver là.

— Et les enfants ? Ils sont contents d'être à l'université ?

— Ouais, ouais, répliqua Glenn d'une voix creuse en se frottant le ventre. Ils vont bien.

— Et ton ulcère ?

— Ça va. Ça va.

Médusé, Loren se mordit la lèvre.

— Eh bien, euh… j'imagine que tu vas me donner cette liste, non ?

— Quelle liste ? fit Glenn en baissant les yeux, découvrant avec surprise la liste qu'il avait laissée tomber sur le comptoir en lino. Oh, oui. Tiens, ajouta-t-il en la tendant à Loren.

— Comment va Maisie, Glenn ? demanda gentiment Beth.

— Ça va. Elle… Non, s'interrompit-il en clignant des yeux. Non, elle ne va pas bien. Pas bien du tout. Elle ne peut pas… Elle ne veut pas…

Il laissa échapper un long soupir de frustration et ses yeux devinrent humides.

— Allons, Glenn, calme-toi, dit Beth en s'approchant de lui pour poser la main sur son épaule. Qu'est-ce que Maisie ne veut pas ?

— Elle ne veut plus rien, répondit Glenn en tournant vers Beth un regard désespéré. Plus rien du tout. Il y a des fois où elle ne veut même plus se lever et quand elle se lève, elle ne veut pas s'habiller. Elle est comme ça depuis que le petit est parti en septembre. Elle reste assise à regarder le mur et elle dit qu'il n'y a plus rien qui compte.

— Moi aussi, j'étais très déprimée quand Karen s'est mariée, assura Beth. C'était affreux. Comme si ma vie s'était arrêtée d'un seul coup. Le médecin m'a prescrit des antidépresseurs, mais ça ne m'a pas vraiment guérie.

— Déprimée ? répéta Glenn en regardant tour à tour Beth et Loren. Vous croyez que c'est ça ? Elle ferait une dépression ? Mais pourquoi ?

Cette fois, son regard engloba Julia. Son regard bleu Simpson était humide et peiné. Il tendit les mains devant lui – de grosses mains calleuses, les mains d'un homme qui avait durement travaillé toute sa vie – dans un geste de supplication.

— Nous sommes heureux en ménage. J'aime Maisie, je l'ai toujours aimée. Nos enfants sont superbes. On est en bonne santé et les enfants aussi. Que veut-elle de plus, hein ? Qu'est-ce qu'elle peut bien vouloir de plus ?

Loren haussa les épaules et détourna les yeux, visiblement gêné par ces questions et par l'émotion de Glenn. Julia croisa le regard de Beth, et le message qui passa entre elles était aussi vieux que le genre féminin. « Les hommes. Ils ne peuvent pas comprendre. »

— Tu sais, Glenn, dit Beth, je ne crois pas que les choses marchent comme ça.

— Ah bon ? s'étonna Loren en contemplant sa femme d'un air intrigué. Et comment ça marche alors, d'après toi ?

— Tu veux bien t'occuper de la liste, mon chéri ? rétorqua-t-elle d'un ton mielleux. Je dois expliquer deux ou trois choses à Glenn. Ce qu'il faut que tu comprennes, Glenn, enchaîna-t-elle en se tournant vers lui, c'est que le fait que vous soyez en bonne santé, les enfants et toi, n'implique pas nécessairement que Maisie aille bien.

— Mais... tout va bien, répondit-il en écartant les mains, déconcerté.

— Glenn, lui dit Beth d'un ton de reproche avant d'émettre un long soupir. Est-ce que tu te souviens de l'incendie de ton magasin en 1979, quand Maisie était enceinte de Rosie ?

— Si je m'en souviens ? répliqua-t-il en souriant faiblement. Maisie était solide comme un roc, à l'époque. Elle avait organisé une cuisine de campagne pour nourrir les pompiers et après ça, elle a cuisiné pour les ouvriers qui ont rebâti le magasin. Tant qu'il n'a pas été entièrement reconstruit, elle n'a pas eu ses douleurs. Rosie est née douze heures après que le dernier clou a été planté.

— Et tu te souviens de la fois où tu as cru que tu faisais une crise cardiaque alors que c'était une simple hernie ?

— Bien sûr, répondit Glenn en fronçant les sourcils. Maisie m'a emmené à Boise en pleine tempête de neige, et elle n'a pas voulu me quitter tant que les médecins ne lui ont pas assuré que j'étais tiré d'affaire. Mais c'est exactement ce que je cherche à te dire, Beth, soupira-t-il. On en a vu de toutes les couleurs avec Maisie. On a encaissé de sacrés coups durs et on s'en est toujours sortis. Alors qu'est-ce qui lui prend, subitement ?

— Je crois que son problème, c'est que plus personne n'a besoin d'elle. Les enfants sont grands. Il paraît que tu as l'intention de vendre ton affaire... ajouta-t-elle en le regardant par en dessous.

— C'est vrai, admit Glenn en jetant un regard coupable vers Loren. Nos revenus baissent d'année en année, à croire que la ville rétrécit, et notre Lee n'a pas l'intention de me succéder. Monsieur se voit professeur d'histoire, je vous demande un peu... La quincaillerie Kellogg's a été fondée par mon grand-père en 1938. J'ai l'intention de continuer encore un an ou deux, mais si la situation ne s'améliore pas, je serai obligé de mettre la clef sous la porte. C'est la vie, conclut-il en haussant les épaules.

— En attendant, tu as ton commerce. Ton Rotary. La chasse, à l'automne. Et ton poker du vendredi soir, précisa-t-elle en adressant un regard noir à son mari.

Les deux hommes se dandinèrent gauchement.

— Et Maisie, qu'est-ce qu'elle a ? poursuivit Beth. Jusqu'à présent, elle s'occupait de toi, parce que tu étais occupé au magasin, et des enfants. Mais maintenant...

— J'ai toujours besoin d'elle, protesta Glenn.

— Non, répliqua gentiment Beth. Toi et les enfants, vous aviez besoin d'elle avant. Mais plus maintenant. Maisie doit faire quelque chose pour elle.

— Oui, mais quoi ? Tu dis que tu as fini par t'en sortir. Qu'est-ce que tu as fait pour ça ?

— J'ai aidé Loren à l'épicerie.

— Tu crois que je devrais la prendre au magasin ? réfléchit Glenn en se tripotant le menton. Non... ça ne marchera jamais. Maisie déteste l'outillage.

— Ce n'est pas forcément la solution qui lui convient, répondit Beth. Qu'est-ce qu'elle aime faire ?

— Je ne sais pas trop. Elle ne...

Glenn s'interrompit et son visage s'éclaira.

— Cuisiner ! Elle adore cuisiner ! C'est un vrai cordon-bleu. Elle en connaît un rayon question cuisine. Loren et toi, vous pourriez peut-être...

— Désolé, Glenn, déclara Loren qui avait fini d'emballer les articles de sa liste. Nous aussi, on a bien du mal à boucler les fins de mois.

Les affaires ne marchent pas fort à Simpson. On sera peut-être bientôt obligés de fermer boutique, nous aussi. Nos gamins n'ont pas plus l'intention que les tiens de nous succéder, soupira-t-il. Ni de rester à Simpson. Les jeunes n'ont pas envie de rester ici. Dans dix ans, Simpson sera une ville fantôme, si tu veux mon avis.

— Je comprends, répliqua Glenn en baissant les épaules. Mais je ne vois pas à qui je vais bien pouvoir demander d'embaucher Maisie.

Il régla ses achats et ramassa ses sacs.

— Merci de m'avoir écouté, Beth. Loren, ajouta-t-il avant d'incliner la tête à l'intention de Julia. Mademoiselle Anderson.

Beth lui ouvrit la porte et lui tapota l'épaule.

— Passe le bonjour à Maisie de ma part et dis-lui de m'appeler si elle a envie de bavarder.

Elle le regarda s'éloigner, puis se retourna avec l'air de quelqu'un qui vient de se débarrasser d'un problème.

— Merci d'avoir patienté, dit-elle à Julia. Je m'occupe de vos articles tout de suite.

— Je ne suis pas pressée, répondit-elle. Ma mère a fait une dépression quand j'avais quinze ans. Je me souviens que ça m'avait fait très peur.

Elle n'avait pas su qu'elle allait dire cela avant d'avoir ouvert la bouche.

— C'est vrai? répliqua Beth d'un ton chaleureux. Mes enfants aussi ont eu peur quand j'ai fait la mienne, mais c'était plus fort que moi. Et votre maman, elle s'en est sortie?

— Elle…

Des souvenirs enfouis affluèrent. Lorsqu'elle avait quinze ans, son père avait subitement été muté de Paris à Riyad. Autant sa mère avait adoré Paris, autant elle avait immédiatement détesté l'Arabie Saoudite. Les restrictions imposées aux femmes lui avaient pesé et elle avait sombré dans une profonde dépression. Et puis un jour, Julia avait surpris sa mère, la femme de l'ambassadeur, la femme de l'attaché culturel et la femme d'un homme que tout le monde soupçonnait d'être un agent de la CIA, en train de rouler autour de l'immense bâtiment de l'ambassade, car c'était le seul endroit où une femme était autorisée à conduire. Les quatre femmes avaient visiblement abusé du porto et chantaient à tue-tête *It's a Man's Man's Man's World*.

Après cette bouffée délirante, Alexandra Devaux s'était appliquée à créer un foyer chaleureux pour elle et les siens à Riyad, comme elle l'avait toujours fait partout où ils avaient vécu.

Julia sentit des larmes lui monter aux yeux. Elle aurait tant aimé partager cette histoire avec Beth. Mais celle-ci la prenait pour Sally Anderson, une femme qui n'avait jamais quitté les États-Unis et dont la mère était bien vivante.

— Sally? s'inquiéta Beth. Qu'est-ce qui est arrivé à votre maman?

Julia essuya furtivement ses larmes et se racla les méninges pour inventer une histoire plausible.

— Oh, elle... elle a rejoint en tant que bénévole une association chargée d'apprendre à lire aux enfants de travailleurs étrangers. Après ça, elle s'est consacrée au soutien scolaire. Elle s'en occupe toujours aujourd'hui.

Pas trop mal pour un mensonge improvisé.

Beth soupira.

— C'est ça qu'il faudrait à Maisie. Vous savez ce que je pense? Je pense que c'est une excellente cuisinière. Mais qui a besoin d'embaucher une cuisinière à Simpson? conclut-elle en se dirigeant vers le comptoir pour préparer le ticket de caisse de Julia.

Quand elle eut terminé, Beth ajouta un pack de bières à ses articles.

— J'ai failli oublier, avec toutes ces histoires, déclara-t-elle.

— Mais... je ne veux pas de bière, protesta Julia. Je n'en bois jamais.

— Ce n'est pas pour vous, mon chou. C'est pour Coop. C'est sa marque préférée.

— Je... Je... bredouilla Julia qui sentit son visage s'enflammer. Oh, c'est... Eh bien, euh... d'accord. Ajoutez-le au ticket.

— Non. Je dois bien ça à Coop. Il m'a prêté un de ses pick-up quand notre camion de livraison est tombé en panne. Vous lui direz que c'est un cadeau de la maison.

— Bon... Eh bien, dans ce cas, merci beaucoup.

— Tout le plaisir est pour nous, répondit Loren en prenant sa femme par la taille.

— On est tellement contents que Coop ait enfin trouvé quelqu'un, précisa Beth avec un grand sourire.

10

— Alors ?

Le samedi matin suivant, Alice observait Julia de ses yeux bleu pâle. Celle-ci prit une autre bouchée de tarte au citron pour s'assurer qu'elle ne s'était pas trompée.

— Qu'est-ce que tu en penses ? insista Alice, anxieuse.

Merveilleux, pensa Julia. Si on a envie de faire un coma diabétique.

— Dis-moi, Alice, répondit-elle en cherchant le moyen d'épargner la susceptibilité de la jeune fille, tu es sûre d'avoir suivi la recette que je t'ai donnée à la lettre ?

— Oui, répliqua-t-elle en fronçant les sourcils. Je me suis contentée de rajouter un peu de sucre parce que je trouvais que c'était fade.

— Je crois qu'il serait préférable de s'en tenir à la recette originale, conclut diplomatiquement Julia.

— Tu peux compter sur moi, assura Alice. À partir de maintenant, je suivrai tous les conseils que tu me donneras. J'ai fait goûter le thé à trois personnes, et Karen Lindberger m'a dit qu'elle tâcherait de convaincre ses amies du Comité des femmes de Rupert d'organiser leurs réunions ici. Tu te rends compte ?

Julia dut faire un effort pour éviter de regarder les murs miteux et le plancher éraflé.

— C'est bien, approuva-t-elle en tâchant de paraître enthousiaste. Je te donnerai d'autres recettes de tartes et de gâteaux la semaine prochaine.

— Merci, dit Alice en lui reservant du thé. Et le thé, comment tu le trouves ?

— Excellent, répondit sincèrement Julia entre deux gorgées. Félicitations.

Alice s'assit en face d'elle, satisfaite. Elles avaient la salle pour elles seules. Contrairement aux espoirs grandissants d'Alice, le restaurant était toujours vide le samedi matin. Si Julia était là, c'était uniquement pour respecter son rituel de Boston. Samedi matin : coffee-shop. Mais elle était aussi venue dans l'espoir de retrouver Cooper, qui lui avait plus ou moins promis de l'emmener à Rupert.

Il n'en avait pas reparlé depuis la semaine précédente, et elle n'était pas sûre qu'il s'en souviendrait. Les soirées et les nuits de la semaine s'étaient toutes déroulées selon le même schéma. Cooper arrivait en fin d'après-midi, et tandis qu'elle aidait Rafael à faire ses devoirs, il réparait sa maison. La chaudière fonctionnait à merveille, plus rien ne fuyait nulle part, la deuxième marche du perron ne grinçait plus et la maison était équipée de tous les dispositifs de sécurité possibles et imaginables.

Sa sécurité était apparemment devenue une obsession pour Cooper. Portes et fenêtres disposaient d'une alarme directement reliée au bureau du shérif, les portes de devant et derrière étaient munies d'un verrou étincelant, d'une chaîne de sécurité, d'un judas et de ce que Cooper appelait un «éclairage extérieur de sécurité», à savoir d'énormes spots conçus pour la scène d'un théâtre qui lui permettraient de voir d'éventuels visiteurs nocturnes comme en plein jour.

Un dispositif un peu excessif pour Simpson, mais Julia devait reconnaître qu'elle se sentait rassurée. Tant que personne ne s'aviserait d'attaquer sa porte à la hache, elle était protégée.

Sans oublier que le meilleur de tous les systèmes de sécurité était dans son lit toute la nuit: Sam Cooper.

Une fois son bricolage terminé, il raccompagnait Rafael au ranch, puis revenait aussitôt et emmenait Julia dans la chambre. Une seconde plus tard, ils s'aimaient. Avec ardeur.

Leurs nuits ne ressemblaient en rien à celles des héros de comédies romantiques, mais c'était prodigieusement excitant, et Julia avait connu dix fois plus d'orgasmes au cours de ces nuits que dans sa vie entière. Ils ne s'interrompaient ni pour bavarder, ni pour manger, ni pour dormir. Avant de connaître Cooper, Julia n'aurait jamais cru qu'il fût humainement possible de faire l'amour pendant des heures, nuit après nuit.

Cooper présentait encore parfois une solide érection quand il se retirait d'elle avant l'aube. Il se rhabillait, prenait congé d'un baiser, et Julia dormait comme une souche jusqu'à sept heures et demie. Elle accusait facilement cinquante-deux heures de sommeil en retard au compteur, mais elle était en pleine forme et ne ressentait pas la moindre fatigue. Entre l'école, Rafael, Fred et Cooper, elle n'avait pas une minute à elle. Pas le temps de broyer du noir. Plus de cauchemars.

— Alors comme ça, tu vas à Rupert avec Coop? demanda Alice d'un ton détaché.

Julia la dévisagea, stupéfaite.

— Comment sais-tu…

La réponse s'imposa dans son esprit avant qu'elle ait eu le temps de formuler la question. Le téléphone arabe n'était pas une nouveauté dans les petites villes.

— Je ne sais pas trop, répliqua-t-elle honnêtement à Alice. Cooper a mentionné ça en passant la semaine dernière, mais il n'en a pas reparlé depuis. Il a peut-être oublié.

— Quand Coop dit qu'il va faire quelque chose, tu peux être certaine qu'il le fait. C'est un homme de parole.

— Quand il parle, fit remarquer Julia en rougissant.

— Je reconnais qu'il n'est pas bavard, concéda Alice en la dévisageant si intensément que Julia se demanda ce qu'elle lisait sur ses traits. Mais c'est quelqu'un de bien, tu sais.

— Oui…

— C'est quelqu'un de… de tranquille, disons. Du coup, il y en a qui en profitent pour le sous-estimer. C'est ce qu'a fait sa femme, en tout cas.

La curiosité qui surgit en elle fut irrépressible. Julia n'essaya même pas de la contenir. Elle se pencha vers Alice et s'efforça de garder un ton neutre.

— Sa femme… Comment était-elle ?

Alice s'apprêta à lui resservir du thé, mais Julia prévint son geste en plaçant une main au-dessus de sa tasse.

— Melissa travaillait pour les agents de change de Cooper à Seattle. À le voir comme ça, on ne dirait pas, mais Cooper est très riche et Melissa connaissait précisément la valeur de ses biens. La phase de séduction s'est déroulée à Seattle, et Coop est revenu un jour avec cette femme à son bras. Ici, on a tous fait des efforts, parce qu'on aime bien Cooper, mais elle ne s'est jamais intégrée.

— C'est dommage, commenta hypocritement Julia.

— Attends la suite. Melissa n'arrêtait pas de répéter à qui voulait l'entendre qu'elle avait sacrifié une grande carrière professionnelle pour venir s'enterrer ici et qu'elle gâchait son MBA au fin fond de l'Idaho. Seulement voilà, ajouta-t-elle avec un sourire malicieux, mon frère Matt…

— Je l'ai croisé, murmura Julia.

— C'est vrai, acquiesça Alice en levant les yeux au ciel. Tu as donc pu juger l'animal sur pièces. Bon, à l'époque il n'était pas aussi pénible qu'aujourd'hui, mais Melissa lui tapait sur les nerfs à gémir sans arrêt, alors il est allé sur le site Internet de l'université de Washington et il a découvert que Melissa n'avait jamais obtenu son diplôme. Après ça, il est allé fouiner dans les fichiers des agents de change de Seattle, et il s'est avéré que Melissa n'avait jamais rien été de plus qu'une simple secrétaire. Cooper, qui savait à quoi s'en tenir, ne lui a pourtant jamais rabattu son caquet pendant tout ce temps-là. Et tu sais pourquoi ? Parce que Cooper est un vrai gentleman.

Julia approuva silencieusement.

— Melissa, elle, n'arrêtait pas de se plaindre à tout le monde que Cooper était affreusement ennuyeux. Tu le trouves ennuyeux, toi ? s'enquit-elle abruptement en transperçant Julia de son regard bleu pâle.

Elle demeura un instant interloquée. Cooper ? Ennuyeux ? Elle remua sur sa chaise et sentit des muscles intensément sollicités tirer douloureusement. La raideur de ses cuisses persistait généralement jusqu'à l'heure du déjeuner.

— Non, répondit-elle avec sincérité. Je le trouve mystérieux et fascinant. Un peu fruste, peut-être, mais sûrement pas ennuyeux.

— D'accord, dit Alice en clignant des yeux, un doux sourire s'épanouissant sur ses lèvres. C'est bien. Je me doutais que tu saurais l'apprécier…

Les habitants de Simpson s'étaient-ils donné le mot ? Pourquoi s'obstinaient-ils à jouer les entremetteurs entre elle et Cooper ? Ce qu'ils vivaient était provisoire. Julia retournerait à Boston dès que le procès de Santana serait terminé.

— Écoute, Alice, jugea-t-elle plus prudent de clarifier. Si tu penses ce que je crois que tu penses…

Mais Alice s'était levée pour débarrasser la table et ne l'écoutait plus.

— Je le savais. J'en étais sûre. C'est super. Cooper a fini par trouver quelqu'un, et tu es bien trop intelligente pour croire à cette stupide malédiction.

Julia sentit son sang se figer dans ses veines.

— Quelle malédiction, Alice ?

Mais celle-ci avait déjà disparu dans la cuisine.

— Alice ? répéta Julia en élevant la voix. De quelle malédiction parles-tu ?

Alice passa la tête dans l'entrebâillement de la porte de la cuisine.

— La malédiction des Cooper, évidemment, répliqua-t-elle avant d'écarquiller les yeux en regardant derrière Julia. Salut Coop ! Tu es sur ton trente et un, dis donc ! C'est pour ton mariage ou pour ton enterrement ?

— Il vient de doubler la récompense, annonça Aaron Barclay en lançant une cassette audio à son chef.

Herbert Davis ne leva même pas les yeux du dossier qu'il était en train de lire. Il se contenta de tendre le bras pour attraper la cassette au vol. Alors seulement, il s'autorisa à jeter un coup d'œil à son assistant.

— Qui ça ? demanda-t-il.

— Santana, répondit Aaron avec une grimace de dégoût. C'est sur la cassette. Son lieutenant vient de faire passer le mot que le contrat sur Julia Devaux rapportera un million de plus à celui qui l'exécutera.

Davis cessa de tripoter la cassette.

— Merde, souffla-t-il. Santana offre deux millions de dollars de récompense pour… pour…

— La tête de Julia Devaux, confirma Barclay, sinistre. Cette partie-là reste inchangée.

— Mais… mais c'est de la folie ! De la folie… se reprit-il. Logique, pour un psychopathe comme Santana. La mort de Devaux lui garantit la liberté. Mais quand même. Deux millions, c'est du jamais-vu ! Tous les apprentis tueurs du pays vont se mettre sur le coup, ça va être l'émeute. Qu'est-ce qui lui prend, à Santana ? Je croyais que S. T. Akers avait réussi à faire reporter son procès à la saint-glinglin.

— Oui, admit Barclay en calant sa hanche contre le bureau de Davis, mais la juge Bromfield a décidé de déférer Santana à Furrows Island en attendant le procès. Elle a une dent contre la mafia et c'est uniquement pour emmerder Akers qu'elle a pris cette mesure. L'équipe d'Akers s'est arrangée pour faire traîner les choses, alors elle se venge. Franchement, si j'étais à la place de Santana, je n'hésiterais pas à claquer deux millions pour échapper à Furrows Island.

Furrows Island. Davis y était allé un jour pour recueillir une déposition. Des bâtiments en parpaings lugubres sur une île désolée et battue par les vents. L'atmosphère qui régnait à l'intérieur était proche de l'idée que Davis se faisait de l'enfer. Une zone de non-droit où se retrouvaient les criminels les plus violents et les plus dangereux. Les gardiens verrouillaient les portes et les laissaient se débrouiller entre eux. Une véritable décharge publique pour malades mentaux.

Santana était un vrai dur, un criminel-né. Mais il avait vécu dans le luxe pendant des années et la belle vie ramollit le plus endurci des hommes. Elle donne l'habitude de faire exécuter les basses besognes par des hommes de main.

— Ça va devenir très chaud, rêvassa Barclay.

— Ouais, lâcha Davis en faisant rouler sa tête sur sa nuque pour soulager la raideur de ses épaules. Je n'en connais pas beaucoup qui résisteraient à l'appel de deux millions de dollars. Et merde ! s'emporta-t-il en frappant du poing sur son bureau.

Il releva les yeux et échangea un long regard avec Barclay. Les deux hommes pensaient à la même chose. Barclay fut le premier à parler.

— On pourrait la mettre ailleurs.

— On pourrait, acquiesça Davis. Mais où ?

— La loi nous interdit de lui faire quitter le pays, déplora Barclay. On pourrait la mettre en prison. Derrière les barreaux, elle serait en sécurité.

— Tout aussi illégal, corrigea Davis. C'est bien dommage, mais on ne peut pas emprisonner un citoyen sous prétexte qu'il s'est trouvé au mauvais endroit au mauvais moment. On a combien d'hommes à Boise ?

— Huit.

— C'est ridicule, s'indigna-t-il. N'importe quelle agence locale a plus de personnel que ça.

— Restrictions budgétaires, répliqua laconiquement Barclay. Et ça ne fait que commencer, ajouta-t-il en plaçant le dossier de l'agence de Boise sous ses yeux.

Davis l'étudia en fronçant les sourcils. L'équipe était vraiment réduite au strict minimum.

— On pourrait peut-être retirer l'affaire Krohn à Grizzard et Martinez ? finit-il par suggérer.

Barclay secoua la tête.

— Impossible. Requête expresse du sénateur Filmore : « Accordez la plus scrupuleuse attention à l'affaire Krohn. » Texto. C'est une affaire politique. Santana n'est qu'un escroc. Un escroc de très grande envergure, certes, mais pour Filmore, c'est du menu fretin comparé à Krohn. Sa condamnation pèsera lourd dans la balance aux prochaines élections, si tu vois ce que je veux dire.

Davis opina du chef en tordant la bouche.

— On ne peut pas mettre un débutant sur le coup. Qui est-ce que ça nous laisse ? demanda-t-il en retirant ses lunettes pour se pincer l'arête du nez. Pacini, peut-être ?

Barclay croisa les bras et se fendit d'un grand sourire.

— Pacini est en congé paternité.

— Quoi ?

Davis soupira.

— Il ne manquait plus que ça. Congé paternité, bougonna-t-il. Et puis quoi encore ? Un congé maladie parce qu'on s'est arraché une petite peau près de l'ongle ? Trois jours d'arrêt en cas de décès de son animal de compagnie ?

— C'est bon, Herb. Tu ne vas pas me rejouer la complainte du bon vieux temps, je la connais par cœur. Avant, c'était mieux, on était de vrais durs et rien ne nous arrêtait.

— Absolument, maintint Davis. Si on recevait un pruneau, on s'envoyait deux aspirines et le lendemain, on reprenait le collier. De mon temps, pour la naissance d'un enfant on avait droit à une demi-journée et un cigare. Les chefs comme les autres.

— Je n'ai vu mon premier fils qu'un mois après sa naissance, acquiesça Barclay d'une voix lourde de regret. C'est peut-être pour ça que ma femme a demandé le divorce.

Un silence pesant s'abattit sur eux.

Davis se replongea dans l'étude du dossier de Boise.

— J'ai l'impression qu'on ne pourra pas compter sur des renforts avant au moins deux, voire trois mois. D'ici là, soit Julia Devaux aura témoigné sous serment, soit elle sera...

Il hésita.

— Grillée, conclut Barclay.

11

Julia s'apprêtait à s'adosser confortablement au siège passager du pick-up quand elle s'immobilisa, les yeux écarquillés.

— Cooper ?

Le véhicule tangua lorsqu'il grimpa sur son siège. La portière se referma sur lui en douceur.

— Hmm ?

— Cooper, murmura-t-elle en se penchant vers lui. Il y a un… Il y a un revolver là-dedans.

Cooper jeta un regard indifférent derrière lui avant de mettre le pick-up en prise.

— Non, dit-il.

— Non ? répéta Julia, sidérée.

Le pick-up démarra brusquement et sa ceinture de sécurité se tendit.

— Ce n'est pas un revolver.

Julia avait été stupéfiée de découvrir qu'un complet bien coupé avait le pouvoir de transformer un homme du tout au tout. Cooper était plus imposant et inaccessible que jamais.

Quand il était apparu devant elle dans son élégant complet, avec son visage froid et distant, Julia avait eu un sursaut de panique à l'idée de s'enfoncer dans la nature en compagnie d'un homme aussi effrayant. Mais cela n'avait pas duré une seconde. Cooper n'était pas dangereux pour elle, elle le savait. Cela faisait une semaine qu'elle passait ses nuits avec lui.

Alice avait glissé dans la main de Cooper une part de tarte au citron convertie par ses soins en cauchemar pour diabétique, et il l'avait posément avalée. Julia l'avait observé et lorsque leurs regards s'étaient croisés, elle avait été certaine qu'ils pensaient la même chose – c'est ignoble, non ? Cooper avait cependant gentiment vanté les mérites de la cuisinière, souri en voyant Alice rosir du compliment, et cessé de sourire quand elle lui en avait coupé une deuxième part, « cadeau de la maison ». Héroïquement, Cooper l'avait avalée aussi rapidement que la première.

Julia avait beaucoup d'imagination – c'était même un de ses nombreux défauts – mais elle ne pouvait pas imaginer un homme violent engloutissant une seconde part de cette tarte-là par amitié.

Tandis qu'elle s'éloignait dans la campagne avec cet homme qui gardait un revolver à portée de main dans la cabine de son pick-up, son imagination recommença malgré tout à faire des siennes.

— Tu cherches à me faire croire que ce truc-là n'est pas un revolver ? demanda-t-elle en désignant l'objet du menton.

— Ce n'est pas un revolver, répéta-t-il. C'est un Springfield. Un excellent fusil de chasse.

— Oh.

Julia demeura un instant silencieuse, puis se tortilla sur son siège. L'objet était là, sous ses yeux, luisant et mortel. C'était la première fois de sa vie qu'elle se trouvait aussi près d'un revolver. Enfin, d'un fusil.

— Tu as l'intention de tuer quelqu'un à Rupert aujourd'hui ?

— La qualité du fourrage que m'a vendu Davis Walker la semaine dernière laissait à désirer, rétorqua-t-il après un instant de réflexion. Je plaisante, Sally, précisa-t-il quand elle déglutit bruyamment.

— Oh, soupira-t-elle, vivement soulagée. Tant mieux. Mais alors, enchaîna-t-elle en désignant à nouveau l'arme, pourquoi as-tu besoin de cela ?

— Ce n'est pas à moi. C'est Bernie qui se sert de ce pick-up, d'habitude, et c'est son Springfield. Personnellement, je préfère les armes de poing.

— Pourquoi Bernie a-t-il besoin d'un fusil ?

— Pour tuer les vauriens.

Julia n'avait jamais entendu ce mot que dans des rediffusions de *Bonanza* ou dans les vieux westerns.

— Les vauriens ? Tu veux dire les… voleurs de bétail ?

Son attention fut attirée par le mouvement des jambes de Cooper lorsqu'il changea de vitesse et elle rata l'expression de son visage, mais il lui sembla percevoir un gloussement. Elle leva les yeux vers lui et distingua effectivement l'ombre d'un sourire s'attardant sur ses lèvres.

— J'ai dit quelque chose de drôle ?

— Le dernier voleur de bétail des États-Unis s'est éteint depuis longtemps, et de toute façon nous n'avons pas de bétail. Bernie tire principalement des rats musqués et de gros lièvres. Un cerf ou deux, quand la chasse est ouverte. On aime assez le gibier. Le fusil te dérange, Sally ? ajouta-t-il en lui jetant un coup d'œil. Je peux le mettre à l'arrière si tu préfères. Bien que ce soit plus sûr de le laisser dans le râtelier. Je te promets qu'il n'est pas chargé. Les munitions sont dans la boîte à gants.

Julia se souvint des nombreuses raisons qui faisaient qu'elle vivait en ville. En ville, on va au restaurant et des serveurs aux manières policées disposent dans votre assiette des choses que les gens de la campagne se chargent de tuer.

— N... Non, ça va.

Elle ne voulait pas passer pour une mijaurée. On était dans l'Ouest, après tout. Les enfants se faisaient certainement les dents sur des cartouches de fusil dans la région.

— Disons que ça m'a surprise sur le moment. Étant donné ton ancien métier, c'est bien naturel que tu saches t'en servir.

— Oui, je sais m'en servir, répondit Cooper en appuyant sur l'accélérateur comme ils s'engageaient sur une route déserte. Mais personnellement, je préfère le couteau.

Deux millions de dollars pour la tête de Julia Devaux.

L'esthète du crime laissa échapper un ricanement dédaigneux quand le message apparut sur son écran. Santana avait définitivement perdu l'esprit.

Le monde entier avait perdu l'esprit.

Les choses avaient bien changé depuis l'époque où douze à quinze hommes solides se partageaient le monde. Des hommes résolus et sans pitié, qui commandaient par l'acier et par le sang et ne perdaient jamais le sens de la mesure. Des hommes sur qui on pouvait compter pour respecter les règles. Des hommes qui n'auraient jamais envoyé de prison un message aussi pitoyable, véritable aveu de faiblesse.

Un million de dollars pour un contrat, c'était déjà exorbitant. Un contrat rapportait normalement dans les cent mille, deux cent mille dollars grand maximum. Une offre supérieure gâchait le métier. Les pauvres types qui couchaient sous les ponts allaient nourrir de faux espoirs et empêcheraient les pros de travailler correctement en encombrant le paysage.

Offrir deux millions, c'était tout simplement de la folie. Les anciens n'auraient jamais toléré cela, Furrows Island ou pas. Mais les anciens avaient apparemment disparu, et la loi tacite du monde des tueurs professionnels venait de voler en éclats.

C'était le signe irréfutable qu'il était temps de se retirer des affaires. Les deux millions de Santana seraient employés à bon escient.

L'esthète regarda des nuages moutonner derrière les baies vitrées allant du sol au plafond de son luxueux penthouse. Une vue imprenable, comme l'avait souligné l'agent immobilier. Une fois la vente conclue, celui-ci était reparti persuadé que c'était cela qui lui avait permis d'emporter le morceau, bien loin d'imaginer que c'était parce que le penthouse était à l'abri des balles – excepté celles d'un sniper à bord d'un hélicoptère, évidemment.

Des gouttes de neige fondue recouvrirent bientôt les vitres. L'hiver commençait tôt cette année. Il était temps d'épingler Julia Devaux et de s'envoler pour les Caraïbes.

Sa villa de Sainte-Lucie était située sur un promontoire dominant une plage de sable fin qui s'étendait à perte de vue. L'eau de la mer était de la même couleur que le ciel, et on en distinguait le fond à plus d'un mille marin des côtes. L'esthète ne se faisait pas d'illusions sur les habitants de l'île. Les Caraïbes fourmillent d'individus louches, exilés fiscaux pour la plupart, hommes d'affaires qui ont joué avec la légalité. Des gens disposés à rétribuer grassement des conseils avisés sur l'art et la manière d'opérer des virements d'argent en toute discrétion. Les conseiller lui permettrait de joindre l'utile à l'agréable. Faire affaire avec des gens dont l'argent ne se présente pas sous forme de mallettes remplies de petites coupures lui changerait agréablement la vie.

Cooper se souvint d'avoir lu un jour quelque part que des savants avaient découvert sur quels critères reposait la notion de beauté. Le cerveau humain était en fait victime d'un tour que lui jouait la géométrie. La clef de la beauté, c'était tout simplement la symétrie. Si on avait un visage parfaitement symétrique, bingo! on pouvait devenir top model ou acteur de cinéma.

Il jeta un coup d'œil à la femme assise à côté de lui. Une de ses incisives chevauchait légèrement l'autre, et son sourcil droit était plus haut que le gauche. Elle souriait généralement de travers. Et pourtant, elle était époustouflante. Il n'arrivait pas à détacher les yeux de son visage. Ce qui prouvait que ces savants n'étaient que des charlatans.

C'était une chance qu'il connaisse par cœur la route de Rupert, parce qu'il se laissait facilement distraire par les émotions qui passaient sur son visage. Sally était si expressive que son visage était comme un écran sur lequel ses émotions défilaient en Technicolor. Son teint était exquis, depuis la perfection nacrée de sa peau jusqu'à ses pommettes délicatement rehaussées d'une touche abricot, et se mariait harmonieusement avec le turquoise intense de ses yeux surmontés du fin pinceau arqué de ses sourcils auburn.

Quand il en trouverait le courage, il lui demanderait de laisser repousser ses cheveux de leur couleur naturelle. En rousse, Sally serait tout simplement irrésistible. Elle l'intimidait tellement qu'il n'osait pas encore le faire.

Il avait plus souvent fait l'amour avec Sally au cours de cette seule semaine qu'il n'avait honoré sa femme pendant toute la durée de leur mariage, mais il était loin d'avoir exploré tout son corps. Il n'était jamais rassasié d'elle, et l'idée d'essayer quelque chose de nouveau ne lui était pas venue. Il fallait vraiment qu'il se décide à expérimenter autre chose que la position du missionnaire. Il savait si précisément comment la faire jouir qu'il avait hâte d'explorer de nouvelles façons de lui faire l'amour – un jour prochain, lorsqu'il parviendrait à maîtriser son impatience. Il connaissait la saveur fruitée de ses seins, les doux gémissements qui lui échappaient quand il la possédait fougueusement – la possédait-il jamais autrement que fougueusement, d'ailleurs ? –, les contractions de sa chair enserrant son sexe…

Et voilà. Son érection s'affirmait une fois de plus. Heureusement, il avait gardé sa veste. Pense à autre chose, s'ordonna-t-il. Mais ses pensées s'enroulèrent à nouveau autour de Sally. Il se sentait plus proche d'elle que d'aucune autre femme. Bien plus que de Melissa, cela ne faisait aucun doute.

Cooper se demanda avec un sentiment de malaise si ses silences l'incommodaient ou l'intriguaient. Melissa lui avait souvent reproché son mutisme, l'accusant de l'ignorer.

Sally était bavarde. Normalement, cela aurait dû l'irriter. Solitaire par tempérament et par choix, il se laissait cependant irrésistiblement envoûter par sa voix mélodieuse. L'écouter raconter les menus incidents de la semaine écoulée était tout simplement délicieux. Sally était drôle et intelligente.

Sa façon de décrire les habitants de Simpson le laissait stupéfait, comme si elle lui parlait d'une ville dont il ignorait tout. Elle lui parlait de la vie des gens qu'il connaissait depuis des années. Comment pouvait-elle savoir tout cela et surtout, comment se faisait-il qu'il n'en sache rien ?

Il avait découvert qu'il existait quelque chose qui s'appelait le « syndrome du nid vide », mal dont souffrait Maisie Kellogg et dont Beth Jensen avait souffert avant elle. Il avait appris aussi que Chuck Pedersen ne s'était toujours pas remis de la mort de Carly. Ce qu'elle lui révélait sur ces gens avec qui il avait grandi le surprenait et l'attristait. Pourquoi personne ne lui racontait jamais rien ?

Où était-il pendant que tout cela se passait ?

Tandis que Cooper roulait à travers la campagne, Julia se fit la réflexion que s'il ne lui parlait pas beaucoup, c'était peut-être parce qu'elle était une femme. Mais, à force de lui jeter des coups d'œil en coin, elle parvint à la conclusion que le fait qu'elle soit une femme ne devait faire aucune différence. Cooper était taciturne, voilà tout.

Elle se dit aussi, et ce n'était pas la première fois, qu'elle connaissait bien mieux son corps que ce qu'il avait dans la tête. Jamais elle n'avait partagé une telle intensité charnelle avec un homme et pourtant, elle n'arrivait pas à lui faire desserrer les lèvres.

D'habitude, Julia ne cherchait pas à inciter les gens à lui parler s'ils n'avaient pas envie de le faire. Bon, c'est vrai, elle préférait toujours parler plutôt que se taire, cependant... elle estimait qu'on doit respecter le choix des autres. Même si ces choix sont difficiles à comprendre.

Mais elle était en pleine campagne, à présent. Ils traversaient de vastes étendues herbeuses sans croiser âme qui vive. Et bientôt, ce fut pire encore. Le paysage changea, et ils se retrouvèrent au cœur d'une forêt touffue où des arbres immenses et effrayants masquaient la lumière du soleil.

Le paysage était aussi vide que son âme – que sa vie.

Sa vie. Julia s'efforça de ne pas penser à ce qu'allait devenir sa vie. Plus tard. Après le procès, si elle s'en sortait. Elle ne pourrait plus retrouver sa vie d'avant.

S'il lui était donné de retrouver quoi que ce soit.

Elle savait qu'elle ne retrouverait pas son travail. Oh, la maison d'édition pour laquelle elle travaillait serait certainement obligée de la reprendre si le ministère l'y contraignait, mais elle ne retrouverait pas le poste d'éditrice qu'elle avait conquis de haute lutte.

Dans le monde du travail, personne n'est irremplaçable. Les mouvements de personnel y sont comparables aux vagues de l'océan. Une fois qu'une vague est passée, plus personne ne se souvient de ce qu'il y avait avant.

Federico Fellini avait été adopté par une autre famille et du moment qu'on le nourrissait et qu'on ne l'embêtait pas, il était parfaitement heureux. Jean et Dora pensaient peut-être encore parfois à elle le samedi matin, mais pas les autres jours. À Boston, Julia ne pourrait plus se couler dans l'espace que sa disparition avait libéré. Elle n'y avait pas vécu assez longtemps pour s'y faire des racines. Au fond, elle n'avait jamais vécu assez longtemps nulle part pour s'y faire des racines, se dit-elle tristement.

Que ce soit pour le meilleur ou pour le pire, sa vie était désormais à Simpson.

Elle frissonna et remarqua que Cooper se baissait pour allumer le chauffage. Elle n'avait pas froid à l'extérieur, c'était au cœur d'elle-même qu'elle était gelée. Gelée, malheureuse et seule.

Combien de tueurs avait-elle à ses trousses? Herbert Davis persistait à tenir des propos rassurants quand elle l'appelait, mais elle sentait bien qu'il était inquiet. Il n'était pas certain qu'elle vivrait assez longtemps pour témoigner contre Santana.

Julia était aussi inquiète que lui.

Près de Cooper, dans ce véhicule qui traversait la forêt, elle se sentait pourtant en sécurité. Elle n'avait pas besoin de couler un regard vers le volant pour savoir que ses mains étaient puissantes. Qu'il était grand et fort. Qu'il donnait l'impression de savoir tout faire.

S'ils crevaient un pneu, il serait sans doute capable de soulever le pick-up en serrant une corde entre ses dents et de changer la roue d'une main. Non seulement c'était un soldat entraîné, mais il y avait un fusil dans le pick-up et Cooper avait dit qu'il savait s'en servir.

Il avait également dit qu'il était meilleur au couteau.

Le cours qu'avaient suivi ses pensées la fit frissonner. Elle se sentait perdue, dépassée par les événements. Qu'est-ce qu'elle faisait là? Dans cet endroit où elle n'était qu'une étrangère. Elle aurait voulu chasser ses idées noires, mais elle n'avait aucun moyen de les chasser. Pas de films, pas de livres, pas même de whisky.

Elle n'avait que Cooper. Cooper était un excellent moyen de chasser ses idées noires la nuit. Mais on était en plein jour et elle ne pouvait pas espérer qu'il lui fasse l'amour en conduisant. Il fallait absolument qu'il lui parle.

— Cooper ?

— Oui ?

— Parle-moi, demanda-t-elle d'un ton mélancolique.

— Te parler ? répondit-il d'une voix tendue. De quoi veux-tu que je te parle ?

— Parle-moi... Parle-moi de la malédiction des Cooper.

— Quoi ? s'exclama-t-il en serrant le volant. Où as-tu entendu parler de ça ?

— Je ne sais plus, mentit-elle. Ici ou là.

— Ce n'est rien. Une légende idiote.

— Qui raconte quoi ? Une légende idiote qui raconte quoi, Cooper ? insista-t-elle doucement comme il gardait le silence.

Le silence se prolongea encore, et Julia songea qu'il ne répondrait pas. Insister eût été impoli. Elle était en train de chercher un sujet de conversation neutre, quelque chose que Cooper percevrait comme inoffensif, quelque chose d'intime, peut-être, quand sa voix s'éleva, plus rocailleuse que jamais.

— Qu'est-ce que tu veux savoir ?

Il n'en avait pas envie, mais il lui parlait et c'était préférable au silence.

— Eh bien... de quoi s'agit-il ? Je présume qu'il s'agit d'une malédiction qui concerne ta famille. Ça doit être passionnant d'avoir un pedigree aussi impeccablement littéraire, ajouta-t-elle avec un grand sourire. Comme dans *Le Fantôme de Canterville*. Tu es en quelque sorte l'héritier d'une longue tradition.

Il lui sembla percevoir un léger soupir, mais ce fut tout ce qu'elle obtint.

— Cooper? Tu es toujours là? lança-t-elle une minute plus tard.

— Oui. Je t'ai parlé de mon arrière-arrière-grand-père, non?

— Le douzième des douze enfants, acquiesça Julia. L'homme qui a bâti la Biosphère originelle.

— Absolument.

Ils atteignaient les abords de Rupert. Julia n'avait pas réussi à aller jusque-là avant de rebrousser chemin, la première fois, et elle eut la surprise de découvrir une charmante petite ville.

— En 1899, il est arrivé dans l'Ouest pour prendre possession des cinq cents hectares de terrain que lui avait attribués le gouvernement des États-Unis. Une fois son terrain délimité par du fil barbelé, il a commandé une épouse par correspondance.

— Voilà qui est original.

— À l'époque, cela n'avait rien d'original. C'était ce que dictait l'instinct de survie. Il y avait cent hommes pour une femme dans la région. Si on voulait avoir une chance de fonder une famille, on commandait une épouse de la même façon qu'on commandait le whisky et les armes.

— Sauf qu'en ce qui concerne le whisky et les armes, j'imagine qu'on pouvait exiger une marque plutôt qu'une autre, fit-elle remarquer d'un ton acide.

Cooper lui jeta un coup d'œil en coin.

— Absolument. En commandant sa femme, je crois qu'on peut dire que mon ancêtre s'est trompé de marque.

— Qu'est-ce qui ne collait pas? Lui a-t-on fait parvenir un article défectueux? D'une durée de conservation limitée? se moqua-t-elle. J'imagine que renvoyer un produit à l'usine ne faisait pas partie des mœurs de l'époque.

— Il est tombé amoureux d'elle, répliqua-t-il sobrement. Elle était irlandaise, comme lui. Ses parents s'étaient réfugiés aux États-Unis après la Grande Famine, mais la grippe les avait emportés. C'était avant les antibiotiques. À seize ans, elle s'est retrouvée seule au monde. Quand elle est tombée sur l'annonce que mon arrière-arrière-grand-père avait fait paraître dans le journal, elle s'est dit qu'elle avait le choix entre épouser un homme qu'elle n'avait jamais vu ou mourir de faim. Elle lui a écrit et lui a fait parvenir un daguerréotype. Mon arrière-arrière-grand-père l'a brûlé par la suite, mais il paraît qu'elle était d'une grande beauté. Il lui a envoyé de l'argent et elle est venue le rejoindre ici. Les problèmes ont commencé presque tout de suite. Mon ancêtre n'était pas facile à vivre. C'était quelqu'un de… taciturne.

Pas possible !

— Ma foi, dit-elle gentiment, il n'est pas indispensable d'avoir la langue bien pendue pour faire un bon époux.

— Je ne crois pas, non, répondit-il après lui avoir décoché un regard interrogateur. Toujours est-il qu'à Simpson, les gens se sont très vite rendu compte qu'ils ne s'entendaient pas.

— Simpson existait déjà à cette époque ? s'étonna-t-elle.

— Oui. Ce n'était encore qu'un bled paumé.

Alors qu'aujourd'hui c'est devenu une métropole trépidante, se dit Julia.

— On en était à ton arrière-arrière-grand-père qui ne parlait pas beaucoup et qui avait épousé une très belle femme, dit-elle pour inciter Cooper à reprendre le fil de son récit. Ils ne s'entendent pas. Et ils ont un enfant. Un fils.

— Tu connais déjà l'histoire, accusa-t-il en tournant vivement la tête vers elle.

— Non, rétorqua-t-elle avec un petit sourire satisfait. C'est toi qui me l'as dit. Et puis, s'ils n'avaient pas eu de fils pour perpétuer le nom des Cooper, tu ne pourrais pas me raconter cette histoire aujourd'hui, tu ne crois pas ?

— C'est juste, acquiesça-t-il. En résumé, elle n'est restée que le temps de mettre Ethan au monde.

— Ton arrière-grand-père, clarifia Julia.

— Lui-même. Elle l'a mis au monde et elle s'est assurée qu'il survivrait. Ethan avait deux ans quand sa mère est partie. Du jour au lendemain, sans que personne sache pour où.

— Son mari n'a pas cherché à la retrouver ?

— Non. Il paraît qu'après son départ, il a complètement cessé de parler.

— Il ne s'est jamais remarié ?

— Non. Il a continué son travail à la ferme et gagné un peu plus d'argent chaque année. Finalement, il a décidé d'importer des étalons. C'est comme ça que le ranch a vu le jour.

— Tu es donc la cinquième génération d'éleveur ?

Et la cinquième génération de taiseux, ajouta-t-elle pour elle-même.

— Oui, répondit-il avec un léger sourire. On est assez connus dans le milieu des éleveurs.

C'était un euphémisme. Loren Jensen lui avait dit que l'élevage de Cooper était l'un des plus réputés du pays.

— Et après ? Que s'est-il passé ?

— Comment cela ? fit Cooper en fronçant les sourcils.

— Cooper, dit-elle d'un ton de reproche. Un mariage raté ne constitue pas une malédiction. Que s'est-il passé ensuite ? Est-ce que ton arrière-

arrière-grand-mère a hanté le domaine après sa mort ?

— Non. Elle a tout bonnement disparu et elle n'est jamais revenue, ni morte ni vivante.

— Mais alors, d'où vient la légende de la malédiction ?

— Mon arrière-grand-père, Ethan, s'est marié à son tour, reprit-il en garant son pick-up. Et après cinq ans de mariage, sa femme est partie avec le représentant des machines à coudre Singer. Elle a emporté sa machine à coudre avec elle, précisa-t-il après un instant de réflexion.

— Et ta grand-mère ? demanda Julia.

— Elle est partie avec le chef d'équipe de mon grand-père.

— Et ta mère est morte quand tu étais petit, conclut-elle lentement. Et… et ta femme t'a quitté. C'est très triste. Mais je ne vois toujours pas de malédiction là-dedans.

Cooper descendit et fit le tour du véhicule pour lui ouvrir la portière.

— J'imagine que les gens ont additionné deux et deux et ont décidé que ça faisait cinq. On raconte qu'aucune femme, qu'aucune femelle d'aucune sorte ne peut vivre au Bonnet C. Que le domaine est voué à rester sans femmes. Par un inexplicable hasard génétique, il y naît beaucoup plus d'étalons que de juments, ajouta-t-il en posant la main au creux de ses reins pour s'engager dans la rue avec elle.

Quand ils eurent atteint le trottoir opposé, Julia leva vers lui un regard déçu.

— Et c'est tout ? C'est ça, la malédiction ?

— C'est ça.

— Tu n'as rien laissé de côté ? Même pas un petit fantôme qui agite ses chaînes en poussant des gémissements lugubres ?

— Pas un seul.

— Rien que des épouses Cooper qui plaquent leur mari ?

— On peut résumer ça comme ça, concéda-t-il en grimaçant.

— Je trouve cela parfaitement ridicule. Les gens racontent vraiment n'importe quoi.

— Qu'est-ce que tu veux dire ? demanda-t-il en la dévisageant d'un air perplexe.

— Je m'attendais à quelque chose de bien plus excitant. Une *vraie* malédiction. Tout ce que tu m'as raconté, ce sont des histoires de mariages qui finissent mal. Et alors ? Ce n'est pas une malédiction, ça, c'est la vie !

Cooper s'immobilisa au beau milieu du trottoir.

— Tu le penses vraiment ?

— Évidemment, répliqua-t-elle avec un grand sourire. Une malédiction, ronchonna-t-elle en secouant la tête. Je n'ai jamais rien entendu d'aussi stupide !

— Moi non plus, dit-il, soulagé. Viens, je vais te montrer la librairie, et après ça je t'emmènerai déjeuner dans un petit restaurant que je connais.

Richard Abt, plus connu à Rockville, Idaho, sous le nom de Robert Littlewood, s'élança sur la chaussée. Il ne prêtait pas particulièrement attention à la circulation car ce n'était pas vraiment nécessaire dans cette petite ville. Surtout dans le quartier résidentiel où il se trouvait. On ne voyait pas passer beaucoup de voitures dans la petite rue bordée d'arbres.

Abt était perdu dans ses pensées. Il était appelé à témoigner dans cinq mois, après quoi il retrouverait sa vie d'avant, mais cette perspective ne l'excitait guère. Il n'était pas marié et personne ne l'attendait. De plus, les comptables n'étaient pas légion dans cette région. Il pourrait monter un petit cabinet privé, se dit-il alors qu'une voiture s'écartait du trottoir.

Robert Abt n'aurait pas eu la moindre chance de s'en sortir.

Quand son esprit enregistra le ronronnement du moteur, son corps retombait déjà sur le capot du véhicule tel un pantin désarticulé.

— C'est une bonne histoire, non? s'enquit Cooper d'une voix tranquille.

Julia leva les yeux, un peu perdue. Elle était tellement absorbée par l'histoire de Song Li qu'elle ne savait plus très bien où elle était. Les premières pages du livre l'avaient transportée dans le Viêtnam des années 1960. Le résumé qui figurait sur la quatrième de couverture annonçait l'histoire du conflit vietnamien, vu à travers le regard d'une jeune fille qui avait grandi pendant la guerre.

Julia était déjà certaine de l'acheter.

— Tu l'as lu?

Cooper hocha la tête.

Julia referma le livre et tapota la couverture du livre de poche. *Terre salée.*

— C'est aussi bon qu'on le prétend?

Les critiques qu'elle avait lues lorsque le livre était sorti avaient éveillé son intérêt, mais elle n'avait pas eu l'occasion de le lire.

— C'est encore mieux, assura-t-il en lui prenant sa pile de livres des mains. Quel enfer! C'est un miracle que cette femme ait survécu. Comme si elle était destinée à raconter cette histoire.

Une expression lointaine passa sur son visage, comme si un souvenir affreux l'assaillait subitement.

— Oh, Cooper, murmura Julia.

Elle n'y avait pas pensé. Elle avait pourtant vu des tas de documentaires sur le sujet à la télévision. Bien des choses concernant Cooper devenaient claires à présent. Elle posa la main sur son bras aussi dur que l'acier.

— J'imagine que ça a dû être horrible?

— Quoi donc? fit Cooper en regardant sa main.

— La guerre, bien sûr. Excuse-moi d'avoir posé cette question. Évidemment que ça a été horrible. Mon Dieu, ça devait être un véritable enfer…

— C'est à la guerre du Viêt-nam que tu fais allusion, Sally?

— Oui, bien sûr, bégaya-t-elle, troublée.

— J'avais cinq ans au moment de la prise de Saigon, lui fit-il gentiment remarquer. Je n'ai pas non plus participé à la guerre de Corée. Ni à la Seconde Guerre mondiale, précisa-t-il après un instant de réflexion.

Julia se sentit affreusement stupide.

— Oh. En effet, dit-elle en secouant la tête. Je regarde trop de vieux films. Je suis désolée. Je me mélange toujours les pinceaux avec les dates. Mais…

Elle inclina la tête sur le côté et l'observa. Il avait peigné ses cheveux noirs en arrière et son complet était superbement coupé. Sans doute italien. Sa cravate en soie faisait écho à la pochette de sa poche poitrine. Il évoquait à la perfection un homme d'affaires prospère… à un détail près. Ses mains. Ses mains massives et puissantes étaient indubitablement des instruments de destruction. Malgré l'élégant complet et les mocassins cirés, Cooper ressemblait toujours à un guerrier.

— Chuck Pedersen disait que tu avais reçu une médaille. À quelle occasion ? L'opération Tempête du Désert ?

— Non. Je me suis engagé en 1992 et je suis parti en 2002, à la mort de mon père. Ce qui fait que je n'ai pas non plus participé à la guerre d'Irak.

— Mais alors, à quelle occasion ? À quelle guerre as-tu participé ?

Avait-elle zappé une guerre quelque part ? Pendant son déménagement de New York à Boston, peut-être ?

— Aucune guerre, répliqua-t-il en prenant une longue inspiration. Vol 101, ajouta-t-il d'une voix lugubre.

— Cooper ! s'exclama-t-elle, stupéfaite.

Les guerres étaient des événements qui se déroulaient au loin, mais le vol 101 avait été détourné sur le sol américain, à l'aéroport JFK, à quelques kilomètres à peine de l'université de Columbia où Julia avait fait ses études. Elle avait suivi le déroulement de cette tragédie sur CNN. Le pays tout entier était resté scotché devant la télévision pendant quatre jours et quatre nuits, priant pour les otages. Tout le monde avait suivi les événements en direct : les exigences des terroristes, l'échec des négociations et l'épouvantable spectacle des sept otages abattus à bout portant dans le cockpit ouvert, leurs corps tombant les uns après les autres sur le tarmac.

— Cette petite fille, dit-elle, le ventre noué à ce souvenir. Tu étais là quand… quand…

Elle fut incapable de prononcer les mots.

— Oui. J'étais là. On nous avait immédiatement appelés et on nous a donné l'ordre d'attendre l'issue des négociations. On a attendu et attendu. Mais quand cette petite fille a été...

Cooper détourna les yeux et serra les dents.

— On a décidé d'intervenir.

Julia se souvenait des hommes encagoulés qui avaient pris l'avion d'assaut sur la piste. À l'époque, elle ne connaissait évidemment pas Cooper.

À cette époque-là, se souvint-elle subitement, elle sortait avec Henry Borsello, un étudiant en histoire. Charmant, bavard impénitent, superficiel et peu fiable. Tout le contraire de Cooper, en somme. Julia essaya de se représenter Henry Borsello avec une cagoule sur la tête en train de prendre d'assaut un avion. Impossible.

— Allons déjeuner, Cooper, déclara-t-elle. Ce n'est pas tous les jours qu'on a l'occasion de déjeuner avec un héros. C'est moi qui t'invite.

Cette idée parut le choquer et il fronça les sourcils en la prenant par le bras.

— C'est hors de question.

12

— Parle-moi, Cooper, dit Julia avant de mordre dans son chiliburger.

Cooper fit signe à la serveuse de leur apporter du café, sans doute pour gagner du temps pendant qu'il réfléchissait à ce qu'il pourrait lui dire. Son regard s'illumina soudain.

— Tu aimes bien cet endroit?

Julia reposa délicatement sa tasse et regarda autour d'elle. The Brewery. Plancher de bois teinté. Une cheminée garnie de bûches crépitant gaiement apportait une touche chaleureuse et confortable à l'atmosphère de la salle, décorée au petit bonheur la chance mais avec beaucoup de goût. De vieux pots en cuivre tenaient lieu de jardinières, une ancienne roue de charrette avait été convertie en lustre, des plats en étain trônaient sur une table à tréteaux parmi des vases garnis de plantes, essentiellement des mauvaises herbes. La cuisine n'était séparée de la salle que par une commode d'apothicaire à dessus de marbre qui faisait également office de comptoir. Julia reporta son attention sur Cooper.

— C'est tout à fait charmant, répondit-elle. Dis-moi autre chose, enchaîna-t-elle d'un ton mutin.

Ses mâchoires se contractèrent tandis qu'il se creusait les méninges pour trouver une chose à dire.

— Euh... il fait beau aujourd'hui, n'est-ce pas ?

Ils étaient assis près d'une fenêtre qui offrait une vue dégagée sur le temps qui se détériorait. Des nuages gris voilaient le pâle soleil de ce début d'après-midi. Une soudaine rafale de vent secoua bruyamment les volets et Julia éclata de rire, bientôt imitée par Cooper.

— Je crois qu'on peut dire que tu n'as pas de grandes dispositions pour le bavardage, lança-t-elle.

— Non.

— Comment se fait-il que ce soit si joli ici ?

— Pardon ? s'enquit Cooper en clignant des yeux. Qu'est-ce qui est joli ?

— Cette ville. Et ce resto est très sympa. La nourriture est délicieuse. Le décor authentique. La librairie de Bob était tout aussi chouette, avec une excellente sélection et un libraire adorable. Pour venir jusqu'ici, on a parcouru deux rues pittoresques bordées de mélèzes et de géraniums. Les parterres de fleurs étaient bien entretenus et je n'ai pas aperçu le moindre nid-de-poule. Rupert est digne de figurer dans un guide, *Escapades de charme dans les petites villes de l'Ouest* ou quelque chose dans ce goût-là. Qu'est-ce qui s'est passé à Simpson ? conclut-elle en croisant les mains sous son menton.

Cooper réfléchit à la question, et Julia eut l'impression de voir les rouages tourner dans sa tête.

— Les villes sont peut-être comme les gens. Il y en a qui sont robustes et d'autres pas. Qui résistent aux difficultés et d'autres qui s'écroulent.

— Et... quand est-ce que Simpson a commencé à...

Julia s'efforça de trouver un terme qui n'évoque pas trop directement la moisissure et le pourrissement.

— ... décliner, d'après toi ? acheva-t-elle avec délicatesse.

— Je pense que le glas a sonné quand la nouvelle autoroute est passée à soixante kilomètres à l'ouest de Simpson. En 1984.

— Tu veux dire qu'il suffit qu'un géomètre décide du tracé d'une route sur une carte pour qu'une ville disparaisse, comme ça ? demanda-t-elle en claquant des doigts.

— Oui, mais la plupart des villes de l'Ouest sont apparues de cette façon-là, alors je suppose qu'on peut y voir une forme de justice poétique.

— Comment cela ?

Cooper se détendit. L'histoire de l'Ouest était un sujet qu'il connaissait bien, à en juger d'après les livres qu'elle avait aperçus dans sa bibliothèque. Il s'écarta pour permettre à la serveuse de placer devant eux leurs desserts et deux tasses de café fumant.

— La plupart des villes de la région sont nées d'un caprice ; parce qu'un mineur avait un jour planté sa tente là et qu'un autre l'avait rejoint. Leur installation était le plus souvent liée à la présence d'une source. Dans le Montana ou le Wyoming, c'était encore plus arbitraire. Les ingénieurs du chemin de fer se contentaient de prendre un crayon et marquaient des points distants de soixante-quinze kilomètres correspondant à l'autonomie en eau des trains à vapeur. C'est comme ça que sont apparues les villes ferroviaires. Certaines ont prospéré, d'autres ont disparu. Dans un premier temps, Simpson était plutôt bien loti. Les nappes d'eau souterraines y sont importantes, et on a même pu y trouver de l'or dans les années 1920. Après cela, il y a eu le bétail et la ville est restée prospère jusqu'à ce que l'autoroute modifie son parcours. À dater de ce jour, elle a entamé un lent déclin. Ce ne sera bientôt plus qu'une ville fantôme.

— C'est très triste, déclara Julia.

— Tu as grandi près d'une ville fantôme, toi aussi.

— Ah bon ? fit Julia, encore perdue dans ses pensées.

— Shanako.

— Shana quoi ?

— Shanako. Le plus gros exportateur d'ovins jusqu'à l'apparition du marché australien vers 1860. Après ça, rayé de la carte. La population est passée de quarante mille habitants à zéro en l'espace d'un an. Ne me dis pas que tu n'y es jamais allée, c'est juste à côté de Bend.

Julia sourit poliment, comme si Cooper s'était mis à parler chinois. Il fronça les sourcils.

— Chuck a bien dit que tu venais de Bend, Oregon ?

Ce nom lui disait effectivement quelque chose. Bend… Mais oui, bien sûr ! Sa couverture. Julia avait été tellement absorbée par sa conversation avec Cooper, subitement bavard, qu'elle n'était plus capable de penser à quoi que ce soit d'autre. Son esprit patina, les rouages tournant dans le vide.

— Sally ? s'enquit Cooper en la regardant bizarrement.

— Qui ? s'étonna-t-elle. Oh !

Elle se secoua.

— Non, je… ne suis jamais allée à… Shanako. On est arrivés à Bend quand j'avais… euh, quand j'étais au lycée, et après je suis allée à l'université à…

Dans quelle université les étudiants de l'Oregon étaient-ils censés aller?

— À Portland? suggéra Cooper qui l'observait attentivement, la tête penchée.

— C'est ça! s'exclama Julia, intensément soulagée. À Portland!

Le seul Portland qu'elle connaissait était situé dans le Maine. Ouf! Vivre sous une fausse identité pouvait se révéler très sportif.

— Je n'ai donc pas tellement eu l'occasion d'explorer les alentours de Bend.

Cooper posait sur elle le regard trop intense de ses yeux sombres. Des yeux qui avaient le pouvoir de lui faire perdre la tête. Il était temps de changer de conversation.

— Mais revenons à Simpson. Tu disais que l'autoroute a été déviée et je comprends que cela ait eu un impact négatif sur la ville, mais il y a peut-être eu d'autres facteurs, non?

— Oui, admit Cooper avant de finir de mâcher la bouchée de cheesecake qu'il venait d'enfourner. Je suis probablement en train de manger un autre facteur de ce déclin.

— Tu veux parler de la cuisine d'Alice? soupira Julia.

— Oui. Le problème ne vient pas spécifiquement d'Alice, mais il n'y a aucun restaurant correct à Simpson.

Julia prit une gorgée de café et découvrit sans surprise qu'il était délicieux. The Brewery était vraiment une excellente adresse. Pauvre Alice.

— Lee Kellogg ne prendra pas la suite de son père à la quincaillerie. Il veut devenir professeur d'histoire. Et Glenn pense mettre la clef sous la porte d'ici quelques années.

Cooper resta un instant bouche bée.

— Comment sais-tu cela?

— Je parle aux gens, Cooper. C'est incroyable tout ce qu'on peut apprendre quand on fait ça, ajouta-t-elle avant de faire un sort à son exquis gâteau aux carottes. Maisie, la femme de Glenn, aimerait devenir cuisinière. Mais qui l'embauchera à Simpson ?

— Pas Alice, en tout cas, répliqua-t-il en faisant signe à la serveuse d'apporter l'addition. Elle parvient tout juste à garder la tête hors de l'eau. Comme tous les commerçants de Simpson.

— La théorie du carreau cassé, fit Julia d'un ton rêveur.

— Pardon ?

— La théorie du carreau cassé. J'ai lu ça un jour dans un magazine.

Dans une autre vie, ajouta-t-elle mentalement.

— Il s'agissait d'une étude réalisée dans les cités défavorisées. Certaines sont entretenues par les habitants alors que d'autres deviennent de vrais taudis. Des chercheurs se sont penchés sur la question, et ils ont découvert qu'il suffit parfois d'un carreau cassé pour que les habitants se désintéressent complètement de leur cité. C'est perçu comme un symbole de laisser-aller général, une autorisation de dégrader les lieux.

— Oui, admit Cooper en hochant la tête. C'est sans doute ce qui s'est passé à Simpson. Petit à petit, tout le monde a baissé les bras. Cela fait dix ans que les commerces ferment les uns après les autres, et personne ne pense à les remplacer. Une ville a besoin d'autant d'attentions qu'une personne.

Une ville a besoin d'attentions. La formule résonna dans la tête de Julia. Depuis plus d'un mois qu'elle avait emménagé dans sa petite maison, elle n'avait rien fait pour la rendre plus confortable et agréable à vivre. Sa mère aurait eu honte d'elle.

— Cooper, est-ce que tu pourrais…

Julia n'osa pas aller au bout de sa pensée.

— Est-ce que je pourrais quoi, Julia ?

— Rien, éluda-t-elle en agitant la main. Fais comme si je n'avais rien dit.

— Mais si, insista-t-il. Dis-moi.

— C'était une idée idiote.

La serveuse apporta l'addition. Cooper croisa les bras et se cala confortablement dans sa chaise.

— Nous ne partirons pas d'ici tant que tu n'auras pas terminé ta phrase, décréta-t-il, à la grande surprise de Julia.

Elle se mordit la lèvre en le dévisageant et comprit qu'il ne plaisantait pas.

— D'accord, souffla-t-elle. Cooper, y a-t-il un magasin de décoration par ici ?

— Un magasin de décoration ?

— Oui, tu sais bien : peinture, papier peint, tissu d'ameublement, pochoirs…

— Ah. Oui, il y en a un.

Julia se sentait affreusement coupable. Cooper avait fait toutes sortes de réparations dans sa maison, il l'avait emmenée faire un tour à la librairie de Rupert et l'avait même invitée à déjeuner.

— Tu crois que tu aurais le temps d'y faire un saut, ou tu as d'autres choses à faire ?

— Tu n'as pas bien compris la situation, Sally, dit-il de sa belle voix grave en se penchant vers elle. Tu peux tout me demander. Je suis prêt à tout pour toi, ajouta-t-il en rivant son regard sur le sien. J'irais jusqu'à tuer s'il le fallait. Alors, s'arrêter dans un magasin…

Sur le chemin du retour, Cooper attendit patiemment que Sally se tourne vers lui en disant : « Parle-moi. » Quand elle se déciderait à le faire, il saurait quoi lui dire. Il avait déjà préparé quelques amorces qu'il peaufinait silencieusement dans sa tête. Il était prêt. Elle n'avait plus qu'à prononcer la formule magique.

Malheureusement, Sally ne desserrait pas les lèvres. Perdue dans ses pensées, elle se contentait de regarder le paysage défiler par la fenêtre.

Le silence était un compagnon familier pour Cooper, et cela ne le dérangeait pas. Mais le silence et Sally Anderson n'allaient pas ensemble, et il mourait d'envie qu'elle s'intéresse à lui. Il avait besoin de sentir son beau regard turquoise se poser sur lui. Il voulait entendre sa voix mélodieuse. Pourquoi diable s'obstinait-elle à regarder par la fenêtre ?

Cooper avait l'impression de devenir fou. Il était dans le même état qu'un gamin de douze ans prêt à marcher sur les mains pour impressionner la jolie nouvelle de l'école. Le sourire de Sally lui manquait atrocement.

Lorsqu'elle lui souriait comme s'il était l'homme le plus fascinant du monde, il sentait se défaire dans sa poitrine un nœud étroitement serré qui était là depuis très longtemps. Depuis toujours, en fait.

Sally Anderson était la femme de sa vie, et il persistait à lui faire l'amour comme s'il ne devait plus jamais la revoir. Comme si sa seule fonction consistait à le soulager sexuellement après une longue période d'abstinence.

Il ne lui avait rien donné. Ni mots doux ni caresses… même pas de préliminaires.

Quand il rentrait au Bonnet C, chaque matin à l'aube, ses corvées l'accaparaient tellement qu'il n'avait même pas le temps de lui téléphoner. En résumé, il faisait l'amour avec elle toute la nuit, et dès que le jour se levait, il disparaissait. Il existait un mot pour les hommes comme lui.

Ce déjeuner au Brewery était leur premier rendez-vous galant. Il lui avait offert une bière et un chiliburger, alors qu'elle méritait les restaurants les plus élégants.

Bon, ce n'était pas à Simpson que ça se trouvait, mais il aurait pu l'inviter à Boise. Melissa avait exigé des sorties coûteuses plusieurs fois par mois du temps de leur mariage.

Bon sang, il avait eu plus d'égards pour Melissa que pour Sally, alors que Melissa était une vraie harpie. Si on avait la chance de rencontrer la femme de sa vie, on lui faisait la cour et on lui offrait de jolies choses. Pas une serrure de sécurité ou un système d'alarme!

Sally lui inspirait un désir si ardent qu'il en perdait la tête. Dès qu'il mettait le pied dans sa petite maison, il était emporté par un tourbillon de désir et ne pensait plus qu'à la posséder.

Ça ne va pas du tout, se dit-il en s'engageant dans la rue de la jeune femme. Ce soir, les choses ne se passeraient pas de cette façon. Il serait tendre et prévenant.

Il lui faudrait partir plus tôt que d'habitude pour se rendre à l'aéroport de Boise le lendemain matin. Il changerait deux fois d'avion pour arriver le soir à Lexington, Kentucky, et assisterait à l'ouverture du congrès annuel des éleveurs de chevaux. Ce congrès était crucial pour ses affaires, et c'était un événement auquel il participait toujours avec grand plaisir.

Mais pas cette année. Il serait absent quatre à cinq jours, et il devait impérativement prévenir Sally. Lui expliquer qu'il ne disparaissait pas de sa vie et que les choses reprendraient entre eux dès son retour. Il devait lui dire qu'elle lui manquerait, même si « manquer » était un piètre mot pour évoquer la douleur qui étreignait sa poitrine chaque fois qu'il était loin d'elle. La simple idée de passer une semaine sans Sally l'emplissait d'une terrifiante sensation de vide.

Cooper prit la peine de se garer dans une rue voisine, même si désormais tout Simpson, tout Dead Horse et une bonne partie de Rupert savaient qu'ils étaient amants.

Il se tourna vers Sally et eut enfin l'explication de son silence prolongé. La tête appuyée contre la vitre, elle dormait.

— Sally, murmura-t-il.

Comme elle ne bougeait pas, il effleura délicatement sa joue du bout des doigts. Chaque fois qu'il la touchait, il était subjugué par la douceur de sa peau.

— Réveille-toi, ma belle.

Ses paupières frémirent. Cooper songea que sa fatigue était compréhensible. Il ne la laissait pas fermer l'œil de la nuit et elle travaillait toute la journée.

Il serait peut-être préférable d'adopter un comportement de gentleman, se dit-il. La raccompagner jusqu'à sa porte, et la quitter sur un baiser et la promesse de se retrouver dans une semaine.

Sally souleva les paupières. L'éclat turquoise de ses prunelles étincela dans l'obscurité de la cabine comme un ciel d'été. Elle sembla un instant perplexe, puis le reconnut et lui sourit.

Cooper sentit sa poitrine se comprimer. Non, il ne pourrait pas la quitter devant sa porte...

Il posa la main sur sa nuque et l'embrassa. Comme chaque fois, Sally lui offrit sa bouche spontanément. Il eut l'impression de plonger dans un océan de pétales de roses.

Ils s'écartèrent l'un de l'autre en même temps. Sally passa les bras autour de son cou. Cooper écarta les pans de son manteau et ses mains remontèrent sous son gilet pour envelopper ses seins.

Le galbe de sa poitrine le rendait fou. Son doigt encercla son mamelon et Sally laissa échapper un gémissement. Il le sentit durcir contre la paume de sa main. Une sensation à laquelle son sexe fit aussitôt écho.

Mais Cooper, qui voulait partager avec elle un moment différent, se recula doucement. Elle haussa les sourcils.

— Je veux faire ça bien, murmura-t-il d'une voix rauque. J'ai *besoin* de faire ça bien.

Sally scruta son regard. Cooper eut la certitude qu'elle le comprenait mieux qu'il ne se comprenait lui-même. Son expression s'adoucit.

— Oh, Cooper, souffla-t-elle en se penchant vers lui pour presser ses lèvres sur les siennes. Tu fais ça très bien. Tu fais toujours ça très bien.

Il fallait qu'ils entrent chez elle, dans sa chambre, qu'ils soient nus l'un en face de l'autre. Tout de suite. Cooper ne pouvait plus attendre. C'était comme si une ligne électrique reliait son sexe à son cœur et que quelqu'un avait actionné un interrupteur.

En un clin d'œil, il ramassa les sacs remplis d'accessoires de décoration dont les coloris défiaient l'imagination, l'aida à descendre et l'entraîna vers la maison. Une fois la porte ouverte, il laissa tomber les sacs dans l'entrée et souleva Sally dans ses bras.

Ce n'était pas un geste romantique, c'était tout simplement le moyen le plus rapide de se retrouver avec elle dans la chambre. Il s'arrêta au pied du lit et la laissa glisser le long de son corps. Sally sentit certainement son érection. Son sexe palpitait si furieusement que tout Simpson devait savoir dans quel état il était. C'était si puissant que cela devait même brouiller les ondes radiophoniques.

Il plaça une main derrière sa tête pour l'embrasser et la déshabilla de l'autre en résistant de toutes ses forces à l'envie de déchirer ses vêtements. Manteau, gilet, soutien-gorge. Enfin, il retrouvait le contact si doux de sa peau...

Cooper écarta les mains de ses seins à regret, à seule fin de dénuder l'autre moitié de son corps. Lorsqu'elle fut entièrement nue, elle se jeta dans ses bras. Il recouvrit ses fesses de ses mains et la souleva pour plaquer son corps contre son sexe, se soumettant ainsi à la plus délicieuse torture qu'il eût jamais endurée.

— Déshabille-moi, chuchota-t-il contre ses lèvres.

Sally sourit, déboutonna sa chemise, la fit glisser sur ses épaules en même temps que sa veste, et les laissa tomber par terre tout en couvrant son torse de baisers à travers son maillot de corps.

— Lève les bras.

Elle n'était pas assez grande pour le faire passer par-dessus sa tête, et Cooper dut tendre les bras devant lui. Sally jeta le maillot par-dessus son épaule et se blottit contre lui, peau contre peau. Sa bouche s'ouvrit sous celle de Cooper, leurs langues se mêlèrent.

— Attends, dit-elle quand il voulut l'entraîner sur le lit.

Cooper s'immobilisa et réprima un frisson d'impatience.

Sally déboutonna son élégant pantalon et fit lentement glisser la fermeture, effleurant de ses doigts son sexe en érection. Tout aussi lentement, elle fit glisser son caleçon et son pantalon le long de ses jambes. Puis elle s'agenouilla et lui retira chaussettes et chaussures. Maté, Cooper souleva docilement un pied après l'autre tandis qu'elle le déshabillait. Sally leva les yeux et sourit en voyant son sexe, glorieusement érigé pour elle. Elle s'en empara délicatement, de sa petite main douce et tiède.

Ses doigts n'exercèrent qu'une infime pression, mais Cooper ferma les yeux, chaviré de désir.

— Le lit, gronda-t-il en la soulevant.

Il s'allongea sur elle et ferma brièvement les yeux, bouleversé comme chaque fois de la sentir au-dessous de lui. D'autant plus bouleversé qu'il savait que le plaisir qui suivrait serait plus troublant encore.

Le seul parfum du corps de Sally aurait pu suffire à le faire jouir. Cooper pressa son visage contre son cou et inhala puissamment. La peau de son cou était incroyablement fine, imprégnée d'un parfum de rose et de cette essence magique qui n'appartenait qu'à elle. L'odorat de Cooper était remarquablement développé. Il était désormais si intimement lié à la moindre nuance de son odeur qu'il aurait pu la retrouver dans le noir, les mains liées. Il passa le bout de sa langue sur le point précis où le sang battait sous sa peau. Sally se cambra. Ses bras se refermèrent autour de lui.

Son petit corps vibrant répondait avec une merveilleuse spontanéité à la moindre caresse. Cooper mordilla le lobe de son oreille avant de le sucer, puis fit courir la pointe de sa langue sur le pourtour délicatement ourlé.

Il écarta ses cuisses et la caressa. Sa chair était si chaude et accueillante à cet endroit. Il inséra un doigt en elle en prenant soin de procéder avec la plus infinie douceur et la caressa tendrement.

Un jour, il explorerait son corps uniquement avec sa bouche et ses mains. Mais pas ce soir. Ce soir, il avait autant besoin de la pénétrer qu'il avait besoin de l'air qu'il respirait.

Il s'inséra en elle et sentit son corps lui crier l'intensité de son désir. Ses bras l'enlaçaient étroitement, ses longues jambes souples enserraient ses hanches, son sexe moite l'accueillait. Chaque cellule du corps de Cooper se sentait bienvenue quand il s'immergeait au creux de sa chair.

Glisser dans la fournaise de son sexe lui donnait à chaque fois l'impression de rentrer chez lui après un long, très long voyage dans un royaume froid et lointain.

Il la pénétra de toute la longueur de son sexe, ondula du bassin et perçut l'orgasme de Sally qui se déclenchait. Les palpitations de son sexe s'accélérèrent, s'intensifièrent, elle se tortilla contre lui en gémissant follement.

Cooper sentit un frisson traverser sa colonne vertébrale, ses testicules se contractèrent et il la rejoignit dans l'orgasme, des soubresauts le parcourant tout entier.

Sally tourna légèrement la tête et lui embrassa l'oreille.

Toute résolution de lui faire l'amour lentement et tendrement s'envola de son esprit comme une volute de fumée quand il se mit à la posséder vigoureusement. Le sexe de Cooper glissait en elle, idéalement lubrifié par leur double orgasme. Il ne doutait pas que Sally avait été uniquement conçue pour son seul plaisir.

Comme chaque fois qu'il était en elle, il perdit toute notion du temps. À un moment il s'interrompit, haletant, et écarta la tête pour essuyer son visage en sueur sur le drap. Il aurait pu le faire avec sa main, mais cela l'aurait obligé à se priver du contact de Sally.

Son regard tomba en arrêt sur le réveil. Les aiguilles phosphorescentes luisaient selon une configuration impossible. Deux heures et quart. Comment ? Abasourdi, Cooper regarda sa montre. Deux heures et quart.

Oh, non !

Il devait être au Bonnet C à trois heures au plus tard. Il n'avait pas fait sa valise et avait encore toutes sortes de papiers à réunir. En temps normal, il partait toujours pour Boise la veille, de façon à attraper tranquillement le vol de six heures du matin, mais il avait décidé d'attendre de façon à pouvoir profiter de Sally un peu plus longtemps.

Il devait impérativement partir. Il ne pouvait pas se permettre de manquer ce vol. S'il le ratait, il n'aurait aucun moyen d'arriver à temps à Lexington pour recevoir le prix du « Meilleur Éleveur de l'année ».

Cooper s'écarta de Sally qui l'enlaçait étroitement de ses bras et jambes. Son sexe l'enserrait si fortement qu'il eut du mal à se retirer.

S'il avait su comment faire, Cooper aurait sangloté lorsque le froid assaillit son sexe encore humide. Pour la première fois depuis quatre heures, un espace séparait son torse de la poitrine de Sally. Il s'était si bien accoutumé au contact de ses seins qu'il lui sembla étrange, anormal même, de percevoir l'air frais de la nuit.

— Cooper ?

Il pencha la tête pour embrasser sa joue, ses lèvres.

— Je dois partir, ma belle. Désolé. Il faut que je sois...

— Mais demain c'est dimanche, s'empressa-t-elle de lui rappeler d'une voix fragile, presque désespérée. Tu ne peux pas rester avec moi ? Rien que cette nuit ?

Reste avec moi.

Tout avait commencé par cette formule magique. L'espace d'une seconde, Cooper fut tenté de lui céder. Tant pis pour le congrès. Tant pis pour le prix. Ce n'était qu'une vulgaire plaque de métal.

Après tout, pourquoi ne pas vendre le Bonnet C et s'installer chez Sally ? Réparer sa maison le jour et l'aimer la nuit. S'il vendait le domaine, il aurait largement de quoi vivre confortablement jusqu'à la fin de ses jours. Les investissements qu'il avait réalisés lui rapportaient déjà bien plus que l'exploitation du domaine. Coop n'avait pas besoin de travailler. Il pouvait prendre sa retraite demain s'il le voulait. Pourquoi pas ?

À cause de ses responsabilités, tout bêtement. Quarante familles dépendaient du Bonnet C. C'était son domaine qui maintenait Simpson en vie, et il était d'une importance capitale à la survie de plusieurs entreprises de Rupert et de Dead Horse.

Le sens du devoir et son désir s'affrontèrent un instant, mais le sens du devoir était solidement ancré en lui.

— Je ne peux pas rester, Sally.

Pourquoi diable ne l'avait-il pas prévenue de son départ ? Parce que le désir avait une fois de plus pris possession de son esprit, voilà pourquoi.

— Je suis attendu dans le Kentucky. Je serai de retour vendredi.

Sally se redressa vivement.

— Vendredi ? demanda-t-elle avec inquiétude. Tu es... Tu es vraiment obligé de partir ?

Il enfila sa veste. Il ne pouvait pas se permettre de s'attarder.

— Oui, je suis obligé. Pour affaires, tu comprends ?

Sally hocha lentement la tête, et il l'entendit avaler sa salive.

— Oui... pour affaires. Je comprends.

Cooper s'en voulait épouvantablement de la quitter de cette façon. Il se pencha vers elle et planta un rapide baiser sur ses lèvres. Il n'avait pas envie d'ajouter la suite, mais il devait le faire.

— Je n'aurai probablement pas le temps de t'appeler. Je serai très pris.

— Tu seras pris, répéta-t-elle doucement. D'accord.

Cooper se redressa. Il détestait ce moment. Il aurait voulu pouvoir rester, lui faire encore l'amour et passer la nuit dans ses bras. Il aurait voulu passer le dimanche au lit avec elle, peut-être même aller se promener l'après-midi.

Mais toute l'activité du Bonnet C dépendait de cette seule semaine. Cooper avait réussi à donner un nouvel élan au domaine après des années de négligence. La qualité de son élevage s'était considérablement améliorée depuis qu'il avait repris les rênes. Les achats et prises de contact qu'il réalisait au cours de ce voyage annuel étaient décisifs.

Le devoir l'appelait.

Deux heures trente-cinq.

— Il faut que j'y aille, annonça-t-il en reculant.

237

— Tu vas me manquer, Cooper, murmura Sally.

Il n'y avait pas de mots pour exprimer ce que Cooper ressentait.

— Oui, dit-il en lui tournant le dos.

13

Le fichier que l'esthète avait subtilisé comportait trois noms suivis d'un nombre à trois chiffres. Deux des trois témoins avaient été transférés en Idaho. Il y avait donc de fortes chances pour que Julia Devaux l'ait été également. L'esthète se connecta à un site topographique et consulta les cartes de l'Idaho.

Le Programme de sécurité des témoins s'occupait d'environ deux mille personnes. Logiquement, cela voulait dire quarante personnes par État ; on répartissait certainement les témoins le plus largement possible. Mais les fichiers avaient sans doute été classés géographiquement, puisqu'un seul et même officier de police suivait les trois ou quatre dossiers de sa zone géographique. Abt avait été transféré à Rockville, et Davidson à Ellis. L'esthète consulta la carte et fit courir son doigt sur les différents comtés. Certaines villes étaient si petites qu'elles figuraient sur un fichier annexe. Une région désertée. L'esthète prononça à voix haute les noms de villes désuets sous son doigt. Jefferson, Clearwater, Butte. Quelque part dans ce coin-là, il y avait Julia Devaux et deux millions de dollars.

L'esthète prit son téléphone et réserva un aller simple en classe affaires pour Boise, Idaho.

Sang et cervelle, une tête explosée. Un corps pâle recroquevillé sur l'asphalte. L'odeur de cordite. L'homme grand au sourire férocement cruel souleva son arme. Sa tête pivota lentement vers elle. Mécaniquement, comme celle d'un automate.

Quelque chose attira son regard – une forme noire, qui garantissait abri et sécurité. *Cooper!* Elle voulut se relever, courir vers lui, mais il y avait du sang partout autour d'elle, épais et visqueux. Ses pieds patinèrent lamentablement.

Cooper l'observa pendant plusieurs secondes de ses yeux noirs et insondables, puis se détourna au ralenti. Il s'en allait! Ses grandes jambes l'emportaient loin d'elle, si vite qu'elle eut à peine le temps de hurler.

Cooper! Reviens! Aide-moi!

Elle hurlait à pleins poumons, mais aucun son ne franchissait ses lèvres. Cooper s'éloignait toujours et le temps qu'elle tende la main vers lui, il avait disparu. Hébétée, elle contempla l'espace vide qu'il avait occupé.

Un ricanement cruel s'éleva derrière elle et elle se retourna, le ventre noué de frayeur. Le sourire écarlate de Santana s'était démesurément agrandi, et il pointa vers elle un énorme revolver noir. Rouge et noir. Le monde entier avait revêtu les couleurs du sang et de la mort. Elle était incapable de bouger.

— Meurs, chienne, gronda-t-il en appuyant sur la détente.

Julia se redressa en sursaut, tremblante et couverte de sueur. Son cauchemar avait été différent cette fois-ci. Elle ne savait pas à quoi cela tenait, mais il comportait une urgence, comme si quelque chose se rapprochait d'elle.

Un éclair traversa le ciel et le tonnerre gronda. Julia eut l'impression qu'il grondait à un centimètre du toit et comprit que c'était cela qui l'avait tirée du sommeil. Quelque chose d'humide tomba sur sa main et elle poussa un hurlement. Elle porta une main à sa gorge et, de l'autre, tâtonna frénétiquement autour d'elle. Une arme, il lui fallait une arme. Sa main rencontra quelque chose de... *vivant* et elle se rua sur la lampe de chevet.

Assis près du lit, Fred l'observait de ses grands yeux bruns. Il émit un gémissement sans desserrer les mâchoires, et Julia se souvint qu'il avait été maltraité. Elle s'était sans doute débattue pendant qu'elle était en proie à son cauchemar et lui avait fait peur.

Elle s'était aussi fait peur à elle-même. Julia tapota le lit, et Fred grimpa aussitôt à côté d'elle pour se rouler en boule. Son poids creusa davantage la cuvette du matelas, mais heureusement, il ne sentait plus aussi mauvais.

Julia se laissa aller avec lassitude contre la tête de lit en faux cuivre, essayant de chasser le désespoir qui menaçait de la submerger. Mais le désespoir était encore préférable à ce qui rôdait derrière : la peur.

Quelqu'un – plusieurs personnes, probablement – la pourchassait pour la tuer, et chaque jour qui passait lui permettait de se rapprocher de l'endroit où elle se terrait. Davis ne se montrait guère rassurant. Il lui avait semblé nerveux les dernières fois qu'elle l'avait eu au téléphone. Ces appels la déprimaient tellement qu'elle l'appelait de moins en moins souvent.

Leur conversation était toujours la même, de toute façon.

— Des nouvelles ?

— Non.

— Vous savez ce qui va se passer ?

— Non.

— Combien de temps cela va encore durer ?

— Je ne sais pas.

Il n'y avait que très peu de variantes, et Davis devenait grincheux dès qu'elle essayait de prolonger la conversation. Julia ne l'aimait pas tellement, mais c'était la seule chose qui la séparait de l'abîme. Ou de Santana, ce qui revenait au même.

Fred posa le museau sur ses genoux et elle tapota sa tête d'une main tremblante. Ses doigts dénichèrent le petit creux derrière l'oreille qui le faisait frétiller de bonheur. Elle se demanda pourquoi les choses étaient aussi simples pour les chiens. Aucune chatouille derrière l'oreille n'aurait eu le pouvoir de chasser la peur et la solitude de son âme.

Julia rabattit la couverture sur elle. Comme à peu près tout ce qui se trouvait dans cette maison, elle était de mauvaise qualité, toute râpée et décolorée par les lavages. Rien à voir avec l'édredon en soie que sa maman lui avait expédié de Paris pour son vingt-quatrième anniversaire.

Il était arrivé après l'enterrement de ses parents.

Julia lutta pour refouler ses larmes. D'ailleurs, elle en avait déjà tellement versé qu'il ne devait plus lui en rester. Si, apparemment, se dit-elle en approchant une main de ses yeux. De grosses gouttes de pluie se mirent brusquement à crépiter contre les carreaux, et elle frissonna. La chaudière s'était peut-être arrêtée ? Elle était trop fatiguée, trop déprimée, et surtout trop effrayée pour aller vérifier.

Cooper pourrait peut-être... Julia s'interrompit. Elle ne pouvait plus se reposer sur Cooper. Il était parti.

C'était la première partie de son cauchemar. Cooper lui tournait le dos et s'éloignait. Dans la vie aussi.

C'était normal qu'il s'en aille.

Cooper était un homme d'affaires, et il avait un ranch à faire tourner. Pourquoi aurait-il été responsable d'une pauvre fille abandonnée qui avait eu le malheur de se trouver au mauvais endroit au mauvais moment ?

Certes, ils étaient amants. Mais qui connaissait les pensées et les sentiments de Cooper ? Ce que Julia représentait pour lui ? Il venait chez elle, ils faisaient l'amour pendant des heures, et il repartait.

Le scénario se répétait immuablement.

Une de ses copines de New York avait eu pour amant un homme marié qui se comportait de cette façon. Elle l'avait surnommé la chauve-souris. Cooper semblait s'intéresser à elle, mais n'en disait rien. Et il la laissait toute seule pendant une semaine.

Julia se mordit les lèvres. Une semaine sans la présence de Cooper dans son lit semblait impossible. Quand il était là, elle n'avait plus peur. Et toute cette peur que sa présence avait contenue se déversait à présent sur elle. Elle eut envie de l'appeler, de lui expliquer qu'elle avait besoin de lui.

Mais c'était de la folie. Qu'était-elle à ses yeux, à part un bon coup ?

Qui se souciait d'elle où que ce soit ?

Pour la première fois de sa vie, Julia regretta de n'appartenir à aucune communauté. Des gens vers qui se tourner en cas de besoin. Des gens qui vivent au même endroit depuis des générations, pas des expatriés comme elle.

Elle s'était fait des amies ici. Alice et Beth. Mais elles pensaient s'être liées d'amitié avec Sally Anderson, la gentille petite institutrice.

Pas avec Julia Devaux, la femme traquée.

Rien, absolument rien n'est aussi jubilatoire que de surfer dans le cyberespace. On y est invisible et omnipotent. Les gens seraient stupéfaits de savoir tout ce qu'on peut découvrir à leur sujet avec un peu de savoir-faire. On peut connaître la pointure d'un homme, ses lectures favorites, les colifichets qu'il offre à sa maîtresse et le traitement médical qu'il suit pour sa hernie, sans qu'il se doute un seul instant qu'on a fouillé dans ses affaires.

Évidemment, les fichiers du ministère de la Justice étaient plus difficilement accessibles que d'autres. Mais si quelqu'un de qualifié décidait de franchir leurs firewalls, ils devenaient aussi efficaces qu'un rempart en Lego. Or, je suis quelqu'un d'hyper qualifié, se dit l'esthète. La question n'était pas de savoir *si* le fichier de Julia Devaux était ou non accessible, mais *quand*.

Les ruminations de l'esthète furent interrompues par le présentateur du journal télévisé, annonçant que les météorologistes prédisaient un hiver particulièrement rigoureux. Des tempêtes de neige étaient à craindre pour Thanksgiving.

Je veux être à Sainte-Lucie pour Thanksgiving, songea l'esthète. Soleil et crabe, plutôt que neige et dinde.

— On en a un de mort.

Herbert Davis leva les yeux de la circulaire émanant du bureau de la direction.

— Quoi ?

— On en a un de mort, répéta Barclay en s'asseyant à califourchon sur une chaise en face de Davis.

Barclay avait une sale mine et sentait franchement mauvais. Chaque jour, il se clochardisait un peu plus. Son divorce le mettait à plat. Davis secoua la tête. Le monde tournait de moins en moins rond.

— Un type nommé Richard Abt, tu t'en souviens ? On l'avait rebaptisé Robert Littlewood.

— Le comptable appelé à témoigner dans l'affaire Ledbetter, Duncan & Terrance ? Je me souviens de lui, oui. Pff, soupira-t-il. Quand je pense au mal qu'on s'est donné. Tout ça pour que ces trois ordures soient acquittées.

Davis n'était pas personnellement chargé du suivi de ce dossier, mais la mort d'un témoin secouait le service de fond en comble. Les rares fois qu'un événement aussi grave s'était produit, des têtes étaient tombées.

— On a une idée de l'identité du meurtrier ?

— C'est justement le problème, chef, répliqua Barclay en se tortillant sur sa chaise. Ça... ça ressemble à un accident.

— Un accident ? Qui est-ce qui a avalé ça ? Le shérif de Rockville ?

— Ce n'est pas le bureau du shérif qui a bouclé le dossier, chef. C'est nous, dit Barclay en frottant ses yeux injectés de sang. Nos hommes ont conclu à l'accident. Abt s'est fait renverser par une voiture qui a pris la fuite.

— Un accident ? Un véritable accident ? bougonna Davis, dubitatif.

— Ça en a tout l'air. Quand c'est un contrat, les truands s'arrangent pour que ça se sache. Histoire de prévenir ceux que ça démangerait de parler. Une sorte d'avertissement.

C'était vrai. Pourtant… Davis secoua tristement la tête.

— Pauvre type. Il ne s'en sortait pas mal dans sa nouvelle vie, en plus. Sacré manque de bol.

— C'est la vie, ça, rétorqua Barclay en agitant sentencieusement l'index. Des fois on est le pare-brise, et des fois on est le moucheron.

Davis remarqua avec un sentiment de malaise que la main de Barclay tremblait.

L'esthète ouvrit le fichier prélevé sur le système informatique du bureau des US marshals et regarda le deuxième nom qui était apparu : Sydney Davidson. Les éléments qui suivaient lui permirent de reconstituer aisément l'affaire.

Sydney Davidson, docteur en biochimie, avait été recruté par les laboratoires pharmaceutiques Sunshine dès sa sortie de l'université. Mais les connaissances du bon docteur ne se limitaient pas à l'aspirine et aux antibiotiques.

L'esthète se souvenait bien du scandale des laboratoires Sunshine, qui avait éclaté au beau milieu d'une campagne sénatoriale chaudement disputée. Plusieurs membres du conseil d'administration de la société pharmaceutique s'étaient livrés à un commerce illégal extrêmement lucratif, en fournissant des drogues de synthèse haut de gamme au gratin mondain des côtes de Floride. Les photos du P-DG de Sunshine conduit menottes aux poignets jusqu'au tribunal avaient aidé le candidat jusqu'alors donné perdant – un jeune procureur ardent défenseur de la loi et de l'ordre – à remporter une victoire écrasante. Quand un mandat d'arrêt avait été prononcé contre tous les membres du conseil d'administration, le biochimiste Sydney Davidson avait immédiatement accepté d'être témoin à charge.

L'esthète n'avait aucun penchant pour la drogue. À chacun son poison. Le sien s'appelait Veuve Clicquot.

L'esthète consulta l'organigramme des laboratoires Sunshine. Inutile de contacter le P-DG ou l'un des membres du conseil d'administration. Le responsable de la sécurité ferait l'affaire.

L'esthète composa son message à l'intention du Norvégien :

Pour Ron Laslett, responsable de la sécurité des laboratoires pharmaceutiques Sunshine. Informations et nouvelle identité Sydney Davidson disponibles après réception d'un avis de dépôt de 100 000 $ US sur le compte n° GHQ 115 Y Banque populaire suisse bureau principal de Genève. La mort devra sembler accidentelle. Pas d'accident de voiture.

Deux heures plus tard, la mélodie électronique de sa messagerie retentit. L'esthète rouvrit les yeux et se redressa sur son fauteuil. À part dormir, il n'y avait pas grand-chose à faire en Idaho.

100 000 $ US seront déposés sur compte n° GHQ 115 Y Banque populaire suisse bureau principal de Genève sous réserve d'acceptation du mode opératoire. Électrocution baignoire OK ? Transmettez accord au plus vite.

La réponse de l'esthète fut immédiate.

Électrocution parfaite. Doit sembler accidentelle pendant au moins 56 heures. Nouveaux nom et adresse Davidson : Grant Patterson, 90 Juniper Street, Ellis, Idaho. Bonne chance.

— Et après, les Power Rangers se transforment en Megazords parce qu'ils ont la puissance! expliqua Rafael d'un ton surexcité en levant les bras en l'air, répandant des miettes de gâteau dans toute la salle. Et après, ils étaient aussi puissants que des mastodontes et des tigres dents de sabre parce qu'ils devaient se battre contre le méchant Lord Zedd, mais il était trop fort pour eux et il allait dominer le monde, alors après, les Power Rangers se sont transformés en Ninjetis! hurlat-il en donnant des coups de poing dans le vide.

Pour récompenser Rafael de son regain d'intérêt pour ses études, Julia avait décidé ce mercredi après-midi de lui offrir un chocolat chaud et un gâteau au Carly's. Qui sait, leur présence stimulerait peut-être la clientèle à venir y prendre le thé? Le garçonnet lui racontait par le menu un épisode des Power Rangers, dont l'intrigue persistait à lui échapper et que Julia avait renoncé à suivre.

— Les Power Rangers devaient aider Zordan, une créature interchocolatique…

— Intergalactique, patate, intervint Matt qui apportait une troisième part de gâteau pour Rafael.

— Galactique, répéta docilement l'enfant. Qu'estce que ça veut dire «galactique», Matt? demandat-il après un instant de réflexion.

— Galactique. Comme dans galaxie, répondit Matt d'un ton faussement supérieur tout en réprimant un sourire. Qui vient de l'espace.

— De l'espace, répéta Rafael avec sérieux.

Julia regarda autour d'elle, s'attendant à ce que Bernie vienne récupérer son fils d'un instant à l'autre. Il remplaçait Cooper dans ce rôle depuis deux jours, mais uniquement dans ce rôle. Ce n'était pas la même chose.

Jamais encore elle n'avait vu la salle du petit restaurant aussi bondée. Outre elle-même, Rafael, Matt et Alice, trois fermiers discutaient paisiblement dans un coin. Le spectacle de ces trois hommes au cuir tanné en train de siroter du thé en jean délavé, chemise à carreaux et santiags, avait de quoi surprendre.

Il y a de l'espoir, se dit Julia. Les petits ruisseaux font les grandes rivières.

— Désirez-vous autre chose, mademoiselle Anderson ? s'enquit Matt d'un ton très professionnel. Un autre thé, peut-être ?

Julia s'efforça de paraître aussi sérieuse que lui, ce qui était loin d'être facile. La façon dont Matt s'appliquait à adopter un comportement adulte et responsable prêtait à sourire. Il avait même retiré son piercing au sourcil.

— Non, merci, répliqua-t-elle en secouant la tête. Et je t'en prie, appelle-moi Sally.

Les efforts d'Alice semblaient porter leurs fruits. La salle présentait toujours le même aspect minable et poussiéreux, mais l'endroit paraissait déjà moins désolé. Le thé était excellent, et si l'appétit de Rafael était un indice, le gâteau l'était tout autant.

— Cooper ne vient pas aujourd'hui ? s'étonna Matt.

— Il est parti, répondit Julia en baissant les yeux vers le palmier en pot qu'elle venait de dessiner sur la feuille de papier quadrillé devant elle. Pour affaires, ajouta-t-elle avant d'apposer une feuille de palmier stylisée sur le mur situé derrière le pot. Jusqu'à vendredi, ajouta-t-elle encore en appuyant si fort sur son crayon que la mine se cassa.

— Ah oui, c'est vrai. Pour le congrès annuel de Lexington, acquiesça Matt. Il prépare ce voyage depuis des mois. Papa m'a raconté que Bernie lui avait dit que Coop a passé la moitié de la journée au téléphone l'autre jour pour l'annuler, mais qu'il n'a pas réussi. Je peux voir ce que vous dessinez ? enchaîna-t-il en tendant le cou.

— Il voulait faire *quoi* ? questionna Julia en redressant brusquement la tête.

— Annuler son voyage, répliqua Matt en se penchant en avant, l'anneau de son nez scintillant sous l'éclairage au néon. Je peux voir ce que vous dessinez ?

— Ce que je *quoi* ? demanda Julia sans comprendre, trop occupée à assimiler ce que Matt venait de lui apprendre.

Cooper avait voulu annuler son voyage ? Pas à cause d'elle, quand même ? Non, bien sûr que non. Il savait que les choses reprendraient entre eux comme avant dès son retour.

— Sally ?

— Qui ça ? fit Julia en sursautant, avant de retrouver ses esprits. Oh. Qu'est-ce que tu disais, Matt ?

Il la dévisagea d'un air étrange, puis attrapa la feuille quadrillée et la plaça devant ses yeux.

— Qu'est-ce que c'est, mademoiselle... Sally ?

— Oh, ce n'est rien. Disons que c'est un de mes hobbys. Je suis passionnée de décoration et je me contentais de jeter sur le papier quelques idées pour le restaurant.

— Waouh ! C'est carrément génial ! déclara Matt en contemplant les palmiers, les courbes des comptoirs d'aluminium, le juke-box aux couleurs éclatantes et les inscriptions en néons colorés.

— Tu trouves ? fit Julia, involontairement flattée. J'avoue que j'ai toujours eu un faible pour le style des années 1950.

— C'est comme ça que ça s'appelle ? Franchement, j'adore !

— Qu'est-ce que tu adores ? intervint Alice qui était venue passer un coup d'éponge sur la table. Qu'est-ce que c'est ? demanda-t-elle en jetant un coup d'œil au dessin.

— Ne fais pas attention, Alice, s'empressa de dire Julia. J'essayais simplement d'imaginer à quoi ressemblerait le restaurant si…

Elle n'osa pas achever sa phrase.

— …si quelqu'un s'était donné la peine de changer quelque chose au décor depuis les trente dernières années ? C'est ça que tu n'oses pas dire ? s'enquit Alice en souriant.

— Disons qu'une couche de peinture ne lui ferait pas de mal, répondit Julia, rassurée par ce sourire.

— Un démolisseur serait plus efficace, soupira Alice. Maman n'a jamais rien fait pour enjoliver la salle. Au début, elle n'en avait pas les moyens, et quand elle aurait pu se le permettre, elle est tombée malade. Ça fait un moment que je pense à revoir la décoration, mais… j'avoue que je suis aussi douée pour la déco que pour la cuisine, si tu vois ce que je veux dire.

— Ne dis pas ça, protesta Julia. Rafael se régale avec ton gâteau. C'est sa troisième part.

— Ce n'est pas moi qui l'ai fait, avoua Alice d'un air sombre. J'ai passé la recette à Maisie et elle l'a réussi à la perfection. Il n'en reste plus une miette. Et c'est elle aussi qui a fait le gâteau aux épices. Si je refaisais la décoration, peut-être que les gens ne se rendraient pas compte que je ne sais pas cuisiner, ajouta-t-elle en tournant un regard plein d'espoir vers Julia.

— Peut-être, répondit celle-ci. Qu'est-ce que tu penses du croquis que j'ai fait ? Je me suis dit qu'un style années 1950 serait sympa.

Le sourire d'Alice se figea, et Julia soupira.

— Qu'est-ce qui te plairait, Alice ? reprit-elle. Si tu avais une baguette magique, en quoi transformerais-tu ton restaurant ?

— En bar à fougères avec des tas de plantes vertes partout ! répliqua-t-elle sans hésiter une seconde.

— En bar à fougères ? s'étonna Julia. Tu n'as pas l'impression que c'est un peu trop daté années 1980 ?

— Tu trouves ça démodé, c'est ça ? Tu as peut-être raison, mais il n'y a jamais eu de bar à fougères à Simpson. Et à Rupert non plus, d'ailleurs.

Julia frémit à l'idée de ce qui se passerait si la vague des années 1980 atteignait finalement Simpson. Les rues seraient envahies de yuppies en pantalons à pinces et grosses bretelles chaussés d'Adidas, et de femmes en tailleurs à épaulettes... Mais quand elle vit les yeux d'Alice briller de plaisir à l'idée de son petit restaurant débordant de fougères, elle songea que n'importe quoi serait mieux que cette ambiance de goulag.

— Je t'écoute, lui dit-elle en feuilletant son carnet de croquis jusqu'à ce qu'elle trouve une page vierge. Fonce, ma belle !

— Comment ça, « fonce » ? demanda Alice, perplexe.

— Eh bien, il faut repenser l'agencement des lieux et choisir une gamme de couleurs, expliqua-t-elle d'un ton raisonnable. D'abord on en discute, et après je réalise des esquisses que je te soumets. J'ai fait ça des centaines de fois pour des amis. Où verrais-tu le bar, pour commencer ?

— Ma foi... je ne sais pas trop, bredouilla Alice en baissant les yeux.

Julia eut subitement l'impression de s'être aventurée sur un terrain miné.

— Alice, commença-t-elle prudemment, est-ce que tu as déjà mis les pieds dans un bar à fougères ?

— Au sens propre, non, avoua Alice. Enfin, on avait l'habitude de passer devant ce qu'un ami de papa appelait un bar à fougères, quand on allait voir maman à l'hôpital de Boise. C'était tellement... tellement beau, quoi. J'avais l'impression que c'était un univers magique où tout était propre, pimpant et frais. Les clients avaient tous l'air tellement heureux, et nous on était là, dehors, à les regarder avant d'aller voir maman qui supportait de moins en moins bien la chimio...

Alice haussa les épaules et détourna les yeux.

— Je vois, fit Julia.

Si Alice voulait un bar à fougères, elle ferait tout ce qui était en son pouvoir pour l'aider à réaliser son rêve.

— Alors, reprit-elle d'un ton brusque, on va commencer par lancer quelques idées, qu'est-ce que tu en penses ? On pourrait décider par exemple de mettre le comptoir à gauche de la porte d'entrée. Au fait, es-tu certaine de pouvoir obtenir la licence pour vendre de l'alcool ?

— J'ai vingt-cinq ans, répliqua Alice d'un air digne, évidemment que j'obtiendrai la licence. Et je te rappelle que mon père est shérif.

— Ça peut aider, en effet, admit Julia. Nous disions donc : le bar à gauche. On peut en construire un à peu de frais en montant un mur de brique jusqu'au tiers de la hauteur, surmonté d'une planche en bois en guise de comptoir. C'est là que les clients attendent qu'une table se libère quand c'est complet, et c'est là aussi que les yuppies se pintent au kir royal tandis que les accros de la diététique se nettoient les reins en descendant des litres de Perrier rondelle. Nous, ce sera plutôt cow-boy bière, mais ce n'est pas grave.

Tout en parlant, Julia avait réalisé un premier croquis. Elle tourna la page.

— Maintenant, l'espace central. On peut envisager d'y mettre des tables. N'importe quel genre, à condition qu'elles soient rondes. Même en plastique – il suffit de les recouvrir d'une nappe qui descend jusqu'au sol pour cacher les pieds. Pour les couleurs, je propose soit bleu pâle et ivoire, soit pêche et ivoire. Et surtout, il nous faudra de grandes jardinières, quelque chose comme ça… précisa-t-elle en les dessinant. Grandes et profondes, si on veut y mettre des fougères – ce qui me paraît indispensable dans un bar à fougères.

Une ombre tomba sur la table, et Julia leva les yeux.

— Bonjour, Bernie.

— Sally, répondit celui-ci en inclinant la tête. Alice. Salut, toi, ajouta-t-il en posant la main sur l'épaule de Rafael.

— Papa! s'exclama l'enfant en souriant de toutes ses dents, révélant ainsi un morceau de gâteau qu'il venait d'enfourner dans sa bouche. Mlle Anderson m'a offert du gâteau!

— C'est ce que je vois, répliqua Bernie en ébouriffant les cheveux de son fils. Merci beaucoup, Sally, enchaîna-t-il en se tournant vers elle. La leçon s'est bien passée?

— À merveille, acquiesça Julia en croisant les doigts sous la table – Rafael avait à peine jeté un coup d'œil à ses manuels avant de courir retrouver le chien dans le jardin. On a même eu le temps de peigner Fred.

— Tant mieux. Dis donc, fiston, tu veux bien aller m'attendre dans le pick-up? Je te rejoins dans cinq minutes.

— D'accord, papa. Au revoir, mademoiselle Anderson.

Bernie attendit que l'enfant ait quitté la salle.

— Il travaille bien en classe ? demanda-t-il en triturant le bord de son Stetson de ses gros doigts boudinés.

— Très bien, répondit Julia, sans mentir cette fois-ci.

— Vous êtes sûre que tout va bien ?

— Tout à fait sûre. Je ne suis pas pédopsychiatre, et Rafael deviendra peut-être tueur en série ou P-DG d'une grosse entreprise polluante quand il sera grand, mais pour l'instant, c'est un petit garçon de sept ans parfaitement normal.

Bernie laissa échapper un long soupir de soulagement.

— Moi aussi, j'ai repris le droit chemin. J'en ai bavé pendant un moment.

— Je m'en doute, répliqua posément Julia.

Le cow-boy dur à la tâche qui se tenait bien droit devant elle n'avait plus rien à voir avec l'épave qu'il était la première fois qu'elle l'avait vu.

— Je crois qu'il vaudrait mieux qu'on arrête de vous déranger avec ces cours particuliers, déclara-t-il.

— Oh, fit Julia en agitant la main, Rafael ne me dérange absolument pas.

Depuis le départ de Cooper, l'enfant lui tenait compagnie et lui évitait de broyer du noir. Une fois que Bernie passait le récupérer, elle se retrouvait seule avec Fred… et ses démons.

— Peut-être, mais il ne faudrait pas qu'il se la coule douce. Il a du travail en retard, au ranch. Il est temps qu'on reprenne nos habitudes, tous les deux. Mais je tenais à vous dire que je ne m'en serais pas sorti aussi bien si vous n'aviez pas été là, mademoiselle Anderson. Je ne vous remercierai jamais assez pour ce que vous avez fait. Rafael est tout pour moi, et j'ai honte de l'avoir laissé tomber comme ça. Si vous ne m'aviez pas ramassé à la petite cuiller, je ne sais pas ce qui se serait passé.

— Il ne se serait rien passé, Bernie. Vous êtes trop dur avec vous-même. Rafael est un petit garçon adorable et vous êtes un très bon père. Vous avez eu un coup dur, mais tout s'est arrangé.

— Grâce à vous, insista Bernie. Je ne peux que vous remercier, dit-il en aplatissant ses cheveux du plat de la main avant de remettre son Stetson. Si vous avez besoin de quoi que ce soit, vous n'avez qu'à demander. Merci encore et... Qu'est-ce que c'est ? s'enquit-il en tombant en arrêt devant les croquis.

— Sally a des idées de décoration merveilleuses pour le restaurant, répondit Alice en tirant sur le carnet de croquis que Julia tentait de dissimuler sous son coude, pour le placer sous le nez de Bernie. Regarde ça ! On va mettre plein de fougères partout !

— Ah bon ?

Bernie étudia attentivement les croquis de Julia, puis balaya du regard la salle du restaurant comme s'il la voyait pour la première fois.

— Je n'y connais pas grand-chose, mais j'ai l'impression que ce sera rudement joli.

— Oh, oui ! assura fièrement Alice. Le seul hic, c'est qu'on ne sait pas encore dans quoi on va planter les fougères.

Bernie réfléchit un instant.

— Coop a de vieux abreuvoirs. Suffirait de les poncer pour qu'ils soient comme neufs. On vous les apportera avec le camion quand vous en aurez besoin. Et pour les travaux, personnellement je ne vaux pas grand-chose, mais Coop sait manier le marteau. Il va bientôt rentrer. On vous donnera un coup de main.

— C'est très gentil à vous. Merci beaucoup, Bernie, dit Julia.

— Pas besoin de me remercier. Il suffirait que vous le lui demandiez pour que Coop aille vous décrocher la lune, et moi c'est pareil, déclara-t-il en soulevant légèrement son Stetson pour prendre congé.

Il s'éloigna, laissant derrière lui Julia en état d'apesanteur.

— Oh, Sally ! pépia Alice qui n'avait rien remarqué et contemplait ses croquis. C'est magnifique ! Tu as un talent fou !

— C'est juste un tour de main, modéra-t-elle en reportant son attention sur le bar à fougères.

Lorsque Bernie avait prononcé le nom de Cooper, son cœur avait fait un bond dans sa poitrine.

— Je me disais que si la cuisine est là…

Julia s'interrompit. La cuisine. L'endroit où la nourriture est élaborée avant d'être consommée. Élaborée par… Alice.

— La cuisine, lui fit écho celle-ci sans enthousiasme.

— Tu sais, Alice, dit Julia en reposant son crayon et en se penchant vers elle, je me disais que si ton restaurant, enfin ton bar à fougères, marche bien et que les gens y viennent depuis Dead Horse ou même Rupert, tu pourrais peut-être te consacrer à l'accueil plutôt qu'à la cuisine.

— L'accueil, dit Alice en souriant. Oui, ça me plairait bien.

— Tu pourrais embaucher quelqu'un… quelqu'un qui pourrait… s'occuper de la cuisine à ta place.

— Tu veux dire une cuisinière ?

— Tout à fait. Une cuisinière. Maisie Kellogg pourrait peut-être te donner un coup de main. Maintenant que ses enfants sont partis, je suis sûre qu'elle serait ravie de travailler à temps partiel.

— Maisie Kellogg? demanda Alice en clignant des yeux.

— Oui.

Alice réfléchit.

— Une chose est sûre, c'est que Maisie est un vrai cordon-bleu. Quand on était petits, on se battait pour son gâteau au chocolat, à la kermesse de la paroisse. Mais je ne sais pas, Sally, ajouta-t-elle en se tortillant sur sa chaise. Pour l'instant, le restaurant ne rapporte pas grand-chose. Je ne peux pas me permettre d'embaucher quelqu'un.

— Pourquoi ne pas en parler avec elle? proposa Julia en désignant le téléphone d'un hochement de tête. Vous pouvez peut-être trouver un arrangement... Partager les bénéfices après déduction des frais, par exemple.

— Tout de suite?

— Pourquoi reporter au lendemain ce qui peut être fait le jour même?

Alice s'avança lentement vers le téléphone et composa un numéro. Julia la regarda prendre appui contre le mur et entortiller le fil autour de son index comme l'adolescente qu'elle avait été il n'y avait pas si longtemps.

— Bonjour, Glenn, c'est Alice... Très bien, et toi?... Comment va Maisie?... Oh, je suis désolée...

Alice regarda Julia d'un air désespéré, mais celle-ci secoua la tête et articula silencieusement: « Vas-y! » Alice inspira un grand coup et se jeta à l'eau.

— Hmm, est-ce que je pourrais lui parler une minute, malgré tout?... D'affaires, surtout. Dis-lui que… Oh. D'accord, j'attends… Bonjour Maisie, c'est Alice. Dis-moi, je suis avec Sally Anderson et on envisage de refaire la décoration du restaurant… Hin-hin… Je me disais que j'aurais besoin de quelqu'un en cuisine, mais je ne peux pas me permettre d… Oh. Bon… Bien sûr. À tout de suite, alors.

Alice raccrocha, stupéfaite.

— Elle a dit qu'elle arrivait tout de suite.

— Alors, tu vois que ce n'était pas si compliqué ! Bon, revenons à nos moutons avant que Maisie n'arrive. Vous n'aurez pas besoin que je sois dans vos pattes pour parler affaires.

Julia acheva son croquis de la salle et y ajouta des abreuvoirs remplis de fougères.

— Tu crois que Cooper acceptera de nous aider ? demanda-t-elle d'un ton détaché en s'appliquant à dessiner les feuilles des fougères.

— Oh, oui. Si tu es ici, Cooper y sera aussi, cela ne fait aucun doute. Mais dis-moi, Sally, où va-t-on trouver toutes ces plantes ? Le fleuriste le plus proche est à Dead Horse, et les fougères ne sont pas données.

— J'ai l'impression qu'il n'y a rien d'autre que des fougères et des arbres entre Simpson et Rupert, rétorqua Julia en tenant son croquis à bout de bras pour mieux l'admirer.

— Tu veux dire qu'on devrait en voler ?

— Je préfère penser que nous nous contenterons de les transplanter. Ce ne sont pas quelques fougères de plus ou de moins qui modifieront le paysage de la région.

— Les voler, souffla Alice d'un ton admiratif. Je n'y aurais jamais pensé. Tu as vraiment une imagination débordante. Comment fais-tu ?

— C'est là toute l'astuce, soupira Julia.

14

La chambre d'hôtel était la meilleure de l'établissement, mais le confort qu'elle offrait était succinct. Au fil des ans, l'esthète avait développé des goûts de plus en plus raffinés, et ce retour en arrière affectait son humeur. Le chauffage se déclencha sans grande conviction et un gargouillis de canalisations lui fit écho. L'époque où l'esthète célébrait l'exécution d'un contrat dans la suite royale du Coronado de San Diego en sablant un délicieux champagne était bien loin.

Il pleuvait, et la chambre était froide et humide. L'esthète trépignait d'impatience. Sa fuite avait été soigneusement planifiée sous trois identités différentes. Un premier vol de Seattle à Hawaï. Puis d'Hawaï à Mexico avec un deuxième passeport, et de Mexico à Kingston avec un troisième. Une fois dans les Caraïbes, disparaître serait un jeu d'enfant. Les Caraïbes fourmillaient de personnes disparues. « Tirer le 876 » signifiait dans le jargon de son milieu se fondre dans le décor des petites îles ensoleillées, 876 étant l'indicatif téléphonique de Kingston...

L'esthète se redressa soudain. Dossier 248.

Non. Ça ne pouvait quand même pas être aussi simple.

Fiévreusement, l'esthète alla chercher l'annuaire téléphonique sur la tablette en plastique recouverte d'une fine pellicule de pin qui tenait lieu de bureau. Juste à côté, il y avait une coupelle contenant des cacahuètes périmées depuis septembre.

Un rapide coup d'œil à la liste des comtés accompagnés de leur indicatif téléphonique lui fournit la réponse.

Il existait bel et bien un indicatif 248 en Idaho, et il couvrait approximativement le comté de Cork. Soit une zone de six kilomètres carrés.

L'esthète consulta sur son ordinateur portable la puissante base de données cartographiques piratée. Dans cette zone, on trouvait trois villes de taille moyenne, quatre petites villes et une poignée de hameaux. Julia Devaux avait sans doute été placée dans une des petites villes. Si on excluait Rockville et Ellis, il restait une zone triangulaire entre Dead Horse, Rupert et Simpson.

Bien, bien, bien.

L'esthète plissa les yeux. Je sais où tu es, Julia Devaux. Il ne me reste plus qu'à découvrir sous quel nom tu te caches.

— Qu'est-ce que tu en penses, Sally ? demanda Alice en tendant vers elle des échantillons de couleurs.

Elle l'avait suppliée de l'accompagner à Rupert. Julia avait accepté à contrecœur et avait eu la surprise de prendre réellement plaisir à l'expédition. Le bavardage d'Alice l'avait beaucoup amusée pendant le trajet et pour la toute première fois, elle était tombée sous le charme du paysage. Au lieu de se sentir oppressée et effrayée, Julia l'avait trouvé imposant et majestueux.

Quand elles étaient entrées dans le magasin de Harlan Schwab, celui-ci leur avait réservé un accueil chaleureux, déplorant néanmoins l'absence de Cooper. Dès sa deuxième phrase, Harlan s'était enquis, à la grande stupéfaction de Julia, de son statut marital. Une loi en vigueur à l'Ouest imposait-elle d'être marié pour acheter des articles de décoration ? Mais elle n'avait pas tardé à comprendre que Schwab, comme tous les habitants de la région, aimait à jouer les entremetteurs. On ne recevait que trois chaînes de télévision et il n'y avait pas le câble dans la région. Jouer les entremetteurs était sans doute ce que faisaient les gens au lieu de regarder la télé.

Julia recula de quelques pas pour évaluer les couleurs, pêche, bleu ciel et taupe, que lui soumettait Alice. Elle posa un doigt sur sa joue et observa la jeune femme. Alice vibrait d'excitation, ses yeux bleu pâle brillaient de joie. On ne lui aurait pas donné plus de douze ans, et elle avait l'air aussi heureux qu'il est humainement possible de l'être. Julia réprima un sourire et fit mine de considérer sérieusement la question. Ce qui n'était absolument pas nécessaire. Le bleu ciel s'accordait parfaitement au bleu Simpson des yeux d'Alice.

— Je choisirais le bleu ciel, rehaussé d'ivoire tamponné à l'éponge pour créer un effet marbré. Qu'est-ce que vous en dites, Harlan ?

— J'en dis que c'est un excellent choix, répliqua-t-il avec un grand sourire. Eh bien, mesdames, je crois que tout y est : peinture, tissu, pochoirs de fougères, service à thé et service à café. Vous voilà parées. Mon fils va vous porter tout ça à la voiture.

— Ce n'est pas la peine, Harlan, voulut objecter Alice.

Mais Schwab avait déjà fait signe à son fils de s'occuper des paquets.

— Vous plaisantez, Alice. Coop ne me pardonnerait jamais de laisser sa dame porter ses paquets jusqu'à la voiture.

Sa *dame*? Julia se demanda si on n'avait pas tatoué le nom de Cooper sur son front à son insu.

— Ça ne t'embête pas de faire un saut à la librairie? lança Alice lorsqu'elles regagnèrent la voiture. J'aimerais jeter un coup d'œil aux livres de décoration pour trouver des idées, et Bob a peut-être reçu le dernier Mary Higgins Clark.

— Pas du tout, répondit Julia. J'adore les librairies.

Ses activités se limiteraient ce soir-là à teindre ses racines en brun chocolat. Elle détestait cette couleur et cela faisait déjà plusieurs jours qu'elle reportait cette corvée, mais il était grand temps d'intervenir.

À peine le seuil de la librairie franchi, Alice se rua sur le rayon des livres de décoration. Julia, elle, prit le temps de humer le parfum des livres neufs. Elle y était déjà venue le samedi précédent, mais elle entretenait avec les librairies le même rapport que celui que les enfants gourmands entretiennent avec le bocal à biscuits, à cette différence près qu'au lieu d'y plonger seulement la main, elle s'y immergeait tout entière.

Elle s'engouffra entre les rayonnages en fredonnant doucement.

Une demi-heure plus tard, elle émergeait de sa transe les bras chargés d'une pile de livres. La sélection de Bob était vraiment excellente. Maintenant que le trajet jusqu'à Rupert ne la terrifiait plus, Julia avait acquis la certitude que son séjour à Simpson, quelle que fût sa durée, serait supportable.

Elle chercha Alice et l'aperçut devant le rayon des magazines, en train de bavarder avec une jeune femme blonde. Alice surprit son regard et lui fit signe d'approcher en souriant de toutes ses dents.

— Sally, dit-elle en posant la pile de magazines qu'elle avait sélectionnés pour libérer ses mains, je te présente Mary Ferguson. C'est une nouvelle venue, elle aussi. Elle vit à Dead Horse. Mary, je te présente Sally Anderson, institutrice remplaçante à Simpson. C'est à trente kilomètres d'ici.

— Bonjour, Mary, fit Julia en lui serrant la main. Ravie de te rencontrer.

Mary Ferguson devait avoir le même âge qu'Alice, à un ou deux ans près, et partageait avec elle une allure de jeune fille blonde et saine.

— Bonjour Sally, répondit-elle en souriant. J'avoue que c'est agréable de voir une nouvelle venue. J'ai l'impression que peu de gens choisissent de s'installer par ici. Alors comme ça, tu vis à Simpson ? Tu t'y plais ?

— C'est calme, répliqua Julia.

— Oh, fit Mary, visiblement déçue. Ce n'est pas bon, ça. Pas de procès, pas de divorces en perspective ?

— Pas que je sache, dit Julia en réprimant un sourire. Pourquoi cette question ?

— Si tu as besoin d'un conseil juridique, répondit Mary en plaçant une carte de visite dans sa main, pense à moi.

Julia remarqua qu'Alice tenait la même carte. Imprimés sur un bristol de mauvaise qualité figuraient les mots *Mary Ferguson – avocate* suivis d'un numéro de téléphone.

— Il n'y a pas d'adresse ? s'étonna-t-elle.

— J'ouvrirai un cabinet quand j'aurai déniché un ou deux clients. Pour l'instant, je suis dans un meublé. J'ai été reçue à l'examen l'été dernier et je ne voulais pas débuter dans le cabinet de mon père. Il est établi à Boise et il s'attendait à ce que je travaille pour lui, mais si je faisais ça, je ne saurais jamais ce que je vaux vraiment. Le problème, c'est qu'il y a eu tellement d'étudiants de ma promotion qui ont été reçus à l'examen que Boise est complètement saturé. J'ai donc décidé de procéder scientifiquement : j'ai étudié le taux d'avocats par habitant de tout l'État, et il s'est avéré que c'est par ici qu'il est le plus faible. Je commence à comprendre pourquoi, conclut-elle d'un ton dépité.

— Ma foi, c'est une approche originale, commenta Julia qui ne savait trop quoi dire.

— C'est exactement ce qu'a dit mon père. Sauf qu'il a remplacé « originale » par « stupide ».

— Moi aussi, je me lance dans les affaires, déclara Alice. Mais je n'ai pas de cartes de visite. Pas encore, ajouta-t-elle après avoir échangé un regard avec Julia.

— Vraiment ? fit Mary en se tournant vers Alice. Quel genre d'affaires ?

— Un bar à fougères. L'inauguration aura bientôt lieu. Pour la prochaine réunion du Comité des femmes de Rupert, peut-être.

— Il existe un Comité des femmes de Rupert ? s'exclama Mary en sortant un énorme agenda de son sac à main. Il faut que j'y adhère au plus vite. Qui sait ? Une épouse malheureuse aura peut-être envie de demander le divorce. Quand doit se tenir la prochaine réunion ?

— Dans une dizaine de jours, répliqua évasivement Alice.

— Parfait. Je serai disponible, assura Mary en feuilletant les pages de son agenda. Qui dois-je contacter ?

— Karen Lindberger. Son numéro de téléphone figure dans l'annuaire de Rupert.

Mary nota scrupuleusement le nom de Karen, puis leva les yeux vers Alice.

— Et ton bar à fougères, comment s'appelle-t-il ?

— Carly's… Non.

Alice se mordit la lèvre et tourna un regard désespéré vers Julia :

— Je ne veux pas garder ce nom-là. Comment pourrait-on l'appeler ?

— Je crois que cela tombe sous le sens, répliqua Julia avant de fredonner les premières mesures d'*Alice's Restaurant*.

Alice et Mary la regardèrent sans comprendre.

— *You can get anything you want at Alice's restaurant,* chanta-t-elle du mieux qu'elle put en désespoir de cause.

Elle soupira en voyant le sourire d'Alice et de Mary se figer. Elles la considéraient d'un air aussi ahuri que des bébés chiens. Julia ne pouvait exiger qu'elles partagent son goût pour les films des années 1970.

— C'est pas grave, soupira-t-elle. Qu'est-ce que tu dirais de… voyons voir… Out to Lunch ?

— Out to Lunch, répéta Alice, les yeux brillants. C'est génial ! s'écria-t-elle en croisant les mains sur son cœur. Oh, Sally ! Tu as toujours des idées géniales. Comment fais-tu ?

— Question d'habitude, rétorqua Julia.

Le revolver n'était pas important. Le plus important, c'était l'appareil photo.

Pas besoin du 44 Magnum de l'inspecteur Harry pour supprimer Julia Devaux. Un flingue quelconque ferait l'affaire. De fait, l'esthète s'était procuré le plus légalement du monde un Smith & Wesson 357 Magnum deux heures après son arrivée à l'aéroport de Boise. Trapu, avec un canon de 54 mm de long et un barillet à cinq coups. Deux balles suffiraient.

Il avait été acheté sous une fausse identité élaborée avec un soin particulier. Les douilles se retrouveraient dans un laboratoire de balistique, le revolver serait identifié, et on rechercherait la personne qui l'avait acheté. L'esthète avait créé cette identité fictive à l'aide de données authentiques appartenant à trois personnes distinctes. Cela allait des indices de solvabilité bancaire à un cursus universitaire époustouflant, en passant par des récompenses pour services rendus à la nation attribuées par la chambre de commerce et d'industrie de deux États différents.

Les flics seraient verts.

Et quand un assistant de laboratoire sous-payé s'aviserait d'analyser les balles, l'esthète lui porterait un toast avec une margarita frappée sur la terrasse de sa villa au soleil.

Non, le plus important, c'était l'appareil photo. L'esthète avait finalement porté son choix sur un Hasselblad 35 mm avec impression automatique de la date et de l'heure sur le négatif. Ce point était essentiel.

Santana était une bête féroce. Quand il disait vouloir la tête de Julia Devaux, il ne plaisantait pas. L'esthète l'imaginait aisément en train de se repaître du spectacle de cette tête tranchée dès sa sortie de prison. Mais impossible de traverser le pays avec une tête humaine dans son bagage à main. Il lui fallait donc un moyen infaillible de prouver à Santana que le contrat avait été exécuté.

L'esthète avait tout planifié jusque dans les moindres détails. Une balle dans l'épaule pour l'immobiliser, un cliché daté, mise en marche du déclencheur automatique et deuxième cliché au moment où l'esthète appuierait sur la détente. Enfin, le troisième et dernier cliché.

Celui-là ferait pâlir d'envie la Reine rouge d'*Alice au pays des merveilles*.

Quand il arriva enfin au Carly's Diner, le dimanche en fin d'après-midi, Cooper était irrité au possible. La semaine avait été éprouvante.

Certes, il avait accompli beaucoup de choses et il avait acheté quinze poulains très prometteurs, mais il n'avait pas eu une minute à lui. Levé avant l'aube tous les matins pour assister aux séances d'entraînement, occupé toute la journée par le congrès et accaparé tous les soirs par des dîners d'affaires à rallonge, il n'aurait pu appeler Sally qu'aux aurores, c'est-à-dire aux alentours de trois heures du matin à Simpson, du fait du décalage horaire.

Comme si cela ne suffisait pas, une épouvantable tempête avait retardé son vol de retour jusqu'au dimanche matin.

Sally lui avait effroyablement manqué. Les nuits, surtout, avaient été particulièrement pénibles. Il les avait passées dans un état d'érection avancée à ne penser qu'à elle, souhaitant de toutes les cellules de son être se retrouver au lit avec elle.

Bernie l'avait tenu informé par e-mail de ce qui se passait à Simpson. Il lui avait appris que Sally aidait Alice à refaire la décoration de son restaurant et que Sally, Alice, Chuck, Matt, Glenn et Maisie allaient y travailler tout le week-end. Cooper avait répondu, donnant l'ordre à Bernie ainsi qu'à tous les hommes disponibles de leur prêter main-forte. Il avait également exigé que tous les vieux abreuvoirs soient passés au Karcher, poncés et livrés au restaurant.

Mais il n'avait pas pu s'empêcher de pester toute la semaine, frustré de ne pas être sur place pour aider. Frustré d'être loin de Sally.

Quand il était enfin arrivé au ranch, vers cinq heures de l'après-midi, il avait pris une douche rapide et s'était changé. Après quoi, il s'était rendu à Simpson en dépassant la vitesse autorisée, sachant pertinemment que personne ne s'aviserait de l'arrêter puisque Chuck était au restaurant.

À six heures passées, il franchit enfin le seuil du Carly's.

Sally était là.

Le regard de Cooper fut immédiatement attiré par un escabeau dans l'un des coins de la salle. Sally était perchée dans un équilibre précaire sur le barreau supérieur, bras tendus pour atteindre le plafond. Elle faisait quelque chose de compliqué avec un pinceau. Cooper n'aurait su dire quoi précisément, mais le spectacle qu'elle offrait dans cette position lui plut énormément. Les murs avaient cet aspect marbré bleu ciel et blanc des œufs de rouge-gorge. Tout autour de la salle, le haut des murs était rehaussé de fougères au pochoir vert pâle. L'effet était superbe.

Sally avait hanté ses rêves et ses pensées pendant son séjour au Kentucky, mais ce n'était pas seulement une obsession sexuelle. Il ne savait pas ce que c'était, mais il venait d'avoir la preuve que cette étrange obsession était bien réelle : il lui avait suffi de poser les yeux sur elle pour sentir son cœur s'emballer. Sa tenue de travail, jean délavé et vieille chemise, ne parvenait pas à dissimuler les courbes souples de son corps. Il la désirait avec une intensité féroce, mais il y avait autre chose.

Cooper était éleveur de chevaux et il savait tout de l'attraction sexuelle que les femelles exercent sur les mâles, fussent-ils humains ou animaux. Il n'avait pas ressenti une telle attraction depuis plus de deux ans. Il s'agissait donc bel et bien de sexe, cela ne faisait aucun doute, mais il y avait quelque chose de plus fort encore. De beaucoup plus fort.

Il avait envie de la sentir près de lui, en permanence. Il avait envie de lui raconter la semaine qu'il venait de passer loin d'elle. Il avait envie qu'elle redécore sa maison – bon sang, il avait envie qu'elle redécore sa *vie*.

Il y avait déjà quelque chose de changé dans l'atmosphère du restaurant d'Alice. Le côté triste et désespéré avait disparu. C'était un miracle. Le vieux restaurant poussiéreux qu'il connaissait depuis toujours n'existait plus.

Alice virevoltait de droite et de gauche, gaie comme un pinson. Chuck fixait des tasseaux sous l'œil vigilant de Matt. Loren et Beth essuyaient tranquillement des assiettes. Cooper constata avec satisfaction que Bernie et ses hommes s'affairaient activement. Rafael et Fred gambadaient joyeusement à travers la salle, gênant les allées et venues des adultes qui avaient d'autres chats à fouetter.

Glenn et Maisie étaient là aussi. Maisie avait enfilé la blouse qu'elle mettait pour faire le ménage et noué un bandana rouge sur ses cheveux. Tous paraissaient transformés, bouillonnant d'énergie.

Et tout cela grâce à Sally.

Cooper l'observa, juchée sur son escabeau, ému jusqu'au tréfonds de l'âme. Sally l'avait transformé, lui aussi. De la même façon qu'elle avait fait du restaurant d'Alice un endroit chaleureux, elle avait fait de lui un homme plus convivial et heureux.

Il demeura un instant immobile, s'efforçant de retrouver pied parmi le flot d'émotions qui le submergeait. Des émotions pures, puissantes et entièrement nouvelles. Cooper était devenu un autre homme.

Sally avait changé son carreau cassé.

15

Quand Julia était fatiguée de peindre, il lui suffisait de penser à Cooper pour retrouver de l'énergie. Au lieu d'étaler la peinture sur le mur, elle s'imaginait en train de l'étaler sur Cooper.

Il lui manquait avec une cruauté choquante.

Les nuits, surtout, étaient éprouvantes. Elle avait découvert un manque dont elle ignorait tout jusqu'alors : le manque sexuel. Julia ne s'était jamais considérée comme une femme particulièrement sensuelle, mais les nuits qu'elle avait passées dans les bras de Cooper lui avaient apporté la preuve qu'on s'habitue très vite aux bonnes choses.

Pourtant, il n'était pas le genre d'homme à s'attarder en préliminaires. Non, il allait droit au but. Mais Julia ne trouvait rien à redire à cela. Dès qu'il était en elle, les prémices de l'orgasme la submergeaient. Santana, le danger qu'elle courait, tous ses problèmes s'envolaient dans une explosion de jouissance.

Lorsqu'elle était avec Cooper, elle ne pouvait plus penser à rien d'autre qu'au plaisir sauvage qu'il lui donnait.

Ces nuits sans lui avaient été terrifiantes. Elle avait passé les soirées à tourner en rond dans sa petite maison, incapable de se concentrer sur quoi que ce soit, redoutant l'instant de se coucher. Dès qu'elle se mettait au lit, l'horreur commençait.

Chaque nuit, elle avait fait un cauchemar. Vers trois heures du matin, elle se réveillait en sursaut, le cœur battant, désorientée, la bouche sèche. Ses cauchemars étaient tellement épouvantables qu'elle en était arrivée à avoir peur de s'endormir. Des formes obscures la guettaient, tapies dans les sombres recoins de son esprit…

Dans ces moments-là, Cooper lui manquait avec une intensité presque aussi terrifiante que ses cauchemars.

Je rentrerai vendredi, avait-il dit. Tu parles ! pensa-t-elle en étirant vigoureusement la peinture avec son rouleau. Elle modéra son mouvement quand elle s'aperçut qu'elle projetait des gouttelettes partout.

Elle avait commencé d'attendre son retour avec impatience dès le vendredi après-midi, alors qu'elle était en train de récapituler les différentes phases de la transformation du restaurant avec Alice. Chaque fois que la porte s'ouvrait, elle relevait la tête, s'attendant à le voir apparaître, et chaque fois elle était déçue.

Toute la journée du samedi, pendant qu'elle travaillait au restaurant, elle avait été dans un état de tension extrême et s'était ingéniée à trouver des excuses à Cooper.

Son avion avait été retardé. Quelqu'un le retenait en otage. Il avait été enlevé par des extraterrestres.

Cent fois, elle s'était tournée vers Bernie, la question brûlant ses lèvres : *Où est-il ?* Mais elle n'avait pas osé la poser, et de toute façon, elle n'avait pas envie d'entendre la réponse.

La réponse était peut-être : Cooper est rentré, mais il est trop occupé pour venir en ville.

Qu'est-ce que cet homme avait de si spécial, de toute façon ? Pourquoi se souciait-elle de lui ? Il ne desserrerait jamais les dents et ses manières étaient à la limite de la grossièreté. Il...

— Cooper ? murmura-t-elle.

Elle étirait son bras pour atteindre le coin du pochoir quand elle l'avait aperçu, au pied de l'escabeau.

Il avait l'air aussi sévère que d'habitude. Avec sa peau cuivrée, ses pommettes hautes et ses cheveux d'un noir de nuit, il évoquait une sorte de dieu inca. Elle l'observa un moment, scrutant ses traits impassibles.

La peinture coulait sur le mur, menaçant de gâcher le travail de tout un après-midi. Elle tendit le bras pour rattraper la coulure vert pâle et perdit l'équilibre. L'escabeau bascula, elle sentit qu'elle plongeait en avant.

— Cooper ! hurla-t-elle.

— Je suis là.

Sa voix était basse, profonde et calme. Il la saisit par la taille. La prise de ses mains était à la fois douce et ferme. Julia lâcha son pinceau et prit appui sur ses larges épaules. Il la souleva de l'échelle aussi aisément que s'il avait attrapé un paquet de café sur une étagère et la fit lentement glisser le long de son corps.

Julia sentit sa force imprégner tout son être. C'était comme si le monde s'était subitement immobilisé, et qu'elle et Cooper étaient les seuls êtres vivants de la planète. Au-dessus d'elle, son visage occupait tout son champ de vision. Julia écarta à regret les mains de ses épaules lorsque ses pieds touchèrent le sol et posa les bras sur les siens. Ses mains se refermèrent sur ses biceps durs comme la pierre afin de conserver son équilibre.

Cooper était impénétrable, impassible et silencieux, et cela faisait huit jours qu'elle attendait impatiemment son retour. Dans un sursaut presque douloureux, Julia réalisa qu'elle était en train de tomber amoureuse.

— Tu es rentré, murmura-t-elle, regrettant aussitôt de proférer une telle évidence.

— Oui.

Elle essaya de déchiffrer son expression, mais n'y parvint pas. Elle vit seulement qu'il était en proie à une vive émotion, mais fut incapable de la déceler assez pour envisager de la nommer. Il avait les yeux brillants, et la peau de ses joues était tendue à craquer.

— Depuis quand ?

— À peu près une heure.

— Je croyais… Tu avais dit que tu rentrerais vendredi.

Julia savait qu'elle aurait dû lâcher les biceps de Cooper et s'écarter de lui, mais elle en était incapable.

— L'avion a été retardé. J'ai eu du mal à rentrer.

— Je suis contente que tu sois de retour.

— Moi aussi.

— On refait toute la décoration ici.

— Bernie m'a dit. Par mail.

Julia retrouva le sourire. Elle avait presque oublié ses répliques laconiques.

— On dirait que tu as laissé tous les pronoms que tu connaissais au Kentucky, dit-elle.

— Possible.

La moitié de la bouche de Cooper se releva sur un sourire. Julia n'avait jamais remarqué à quel point sa bouche était belle. Il la dévisagea un long moment, son regard parcourant son visage avant de s'arrêter sur ses lèvres. Alors, il se pencha vers elle.

Julia sentit la chaleur de son corps l'envelopper, sentit ses bras sous ses mains, ses cuisses le long des siennes. Ses paupières s'abaissèrent lentement et elle se hissa sur la pointe des pieds.

— Oups !

Julia fut déportée en arrière quand Fred se jeta sur Cooper, mais garda l'équilibre grâce à ses réflexes rapides. Fred se tortillait de bonheur, aboyait et cherchait à leur donner des coups de langue à tous les deux.

Les autres s'étaient attroupés autour d'eux et contemplaient la scène avec intérêt. Cooper les fusilla du regard. Chuck toussa dans son poing, et ce fut comme un signal. Tout ce petit monde se dispersa, tels des spectateurs à la fin d'une représentation.

— Tu devrais la marquer au fer rouge, Coop, lança Bernie. Comme ça, on saurait à quoi s'en tenir. Je plaisante, chef, ajouta-t-il en levant les mains.

— Venez par là, ma belle, dit Maisie à Julia, hébétée. Ce qu'il vous faut, c'est un bon café et une part de mon brownie aux deux chocolats.

Elle l'entraîna dans la cuisine et Julia la suivit, les jambes flageolantes. Une injection massive de sucre permettrait peut-être à son sang d'irriguer à nouveau son cerveau.

Sydney Davidson trempa un doigt dans l'eau tiède de la vieille baignoire tachée de rouille et leva les yeux au ciel avec un grognement. Un frisson le parcourut. Il faisait un de ces froids en

Idaho ! Il repensa avec nostalgie à sa maison de Virginie et à son Jacuzzi tout neuf.

C'est sûr, quand on est mort, on n'a pas besoin de Jacuzzi, se rappela-t-il.

Ce n'était pas la première fois que Sydney Davidson avait des regrets. Il regrettait de s'être laissé tenter par l'appât du gain. Il regrettait d'avoir mis son savoir au service d'une mauvaise cause. Il regrettait d'avoir gâché sa vie.

Il n'en revenait toujours pas de la rapidité avec laquelle il s'était laissé glisser en bas de la pente. Il lui avait suffi de rendre quelques services insignifiants – un peu de pharmacologie récréative au cours d'une fête ou deux, en échange de l'usage d'un appartement de luxe à Vail quelques semaines par an, par exemple – auxquels étaient venus s'ajouter d'autres services – plus substantiels, cette fois, mais en échange d'une Lexus flambant neuve… Et il s'était finalement retrouvé à consacrer bien plus de temps à ses activités extraprofessionnelles qu'à son travail proprement dit. Puis la machine s'était emballée, il avait perdu le contrôle et il devait désormais se cacher sous une fausse identité.

L'un dans l'autre, une vieille baignoire était quand même préférable à un cercueil neuf.

On lui accordait une seconde chance et cette fois, il ne la gâcherait pas.

Dès qu'il aurait tiré un trait sur cette histoire, il consacrerait sa vie à faire le bien.

Il ouvrit davantage le robinet d'eau chaude.

Tandis que Davidson réfléchissait au moyen de faire le bien, un minuscule capteur, épais d'à peine quelques angströms et uniquement décelable grâce à un microscope électronique, transforma un semi-conducteur en conducteur au lieu de le transformer en isolateur. Un fil électrique, si méticuleusement dénudé qu'un microscope ne serait pas parvenu à montrer qu'il l'avait été délibérément, entra en contact avec l'eau.

Lorsque Sydney Davidson plongea dans l'eau qui commençait à se réchauffer, une décharge électrique provoqua un arrêt cardiaque, fit bouillir le sang dans ses veines et carbonisa un des plus brillants cerveaux pharmacologiques du siècle.

— Ça a quand même une tout autre allure, déclara Beth une heure plus tard en calant ses poings sur ses hanches.

Elle balaya d'un œil satisfait tous les changements qu'on avait apportés au Carly's Diner au cours des quarante-huit dernières heures. L'endroit méritait désormais de s'appeler le Out to Lunch.

Julia regarda également autour d'elle, bien que son esprit fût accaparé par Cooper. Chaque fois qu'elle se retournait, il apparaissait comme par magie pour lui tendre un pinceau ou proposer de mélanger la peinture à sa place, et le simple fait de poser les yeux sur lui la rendait folle de désir. Il s'arrangeait pour prendre sa main, toucher sa nuque ou effleurer son dos. Julia avait l'impression d'être magnétisée par sa seule présence.

Elle hocha la tête pour approuver la déclaration de Beth. Cooper était derrière elle, si près qu'elle percevait la chaleur de son corps. Elle s'efforçait d'adopter une attitude détachée, mais l'effort qu'elle devait déployer pour éviter de se laisser aller contre lui la fit trembler.

Beth lui donna un léger coup de coude.

— Qu'est-ce que vous en pensez, Sally ?

— Qui ça ? répondit-elle en ayant l'impression que son esprit s'était englué dans un pot de mélasse. De quoi ?

— Le bar à fougères, explicita Beth. Qu'est-ce que vous en pensez ?

Julia regarda autour d'elle. Le plus gros était fait. Les murs étaient peints, le comptoir poncé et les fougères plantées. Tout avait l'air pimpant et neuf, et les quelques imperfections de peinture ou les tables bancales passaient pratiquement inaperçues. Alice avait peut-être un peu exagéré dans le foisonnement des fougères, et Julia se dit que les clients feraient bien de venir équipés d'une machette.

L'un dans l'autre, une sorte de charme vulgaire se dégageait de l'ensemble.

— C'est parfait, décréta-t-elle.

— Joli, gronda la voix de Cooper dans son dos.

Julia sentit des vibrations se déclencher dans son ventre. Elle inspira à fond dans l'espoir de se calmer.

— Vous croyez que vous pourriez faire quelque chose pour notre épicerie ? demanda Beth.

— Pour… votre épicerie ? répéta Julia.

— Oui. Vous savez, la rendre plus moderne, plus… Je ne sais pas comment dire. Aussi bien que le restaurant, quoi.

Julia décela dans le regard de Beth le même éclat de bonheur qu'elle avait vu dans le regard d'Alice.

— Eh bien…

— Hein ? insista Beth impatiemment. Qu'est-ce que vous en dites ?

— Je ne sais pas si vous auriez intérêt à la moderniser. Vous pourriez peut-être faire de votre épicerie un de ces adorables bazars qu'on voyait autrefois. Comme l'épicerie des Olson dans *La*

Petite Maison dans la prairie, vous voyez ? Il faudrait repeindre le grand comptoir et l'équiper de vitres sur le devant pour exposer les marchandises. Disposer les produits dans des boîtes et des tonneaux. Ce qui serait bien aussi…

— Votre attention, s'il vous plaît, mesdames et messieurs ! tonitrua Chuck en frappant dans ses mains. Tous les petits nains posent leurs pioches et leurs piolets. C'est l'heure de quitter la mine. Maisie nous a préparé un festin de rêve !

Chacun se précipita vers les tables à tréteaux dressées contre le mur, et ce fut une joyeuse bousculade pour arriver le premier. Julia se retrouva coincée contre une table, et Glenn plaça une assiette dans ses mains. Elle porta un pilon de poulet à sa bouche.

— Oh, mon Dieu ! dit-elle en fermant les yeux.

Elle n'avait jamais rien goûté d'aussi délicieux.

— C'est bon, hein ? déclara Glenn fièrement.

— C'est divin, répondit-elle avant de croquer derechef dans la chair délicatement épicée. Si c'est représentatif des talents de cuisinière de Maisie, le bar à fougères sera un succès.

— C'en est déjà un, en ce qui me concerne, répliqua Glenn en souriant. Maisie est sortie de son lit et s'intéresse enfin à quelque chose. Si le Out to Lunch n'a pas un seul client, je commanderai quarante plats par jour rien que pour lui donner de l'ouvrage. Vous ne pouvez pas savoir ce que ça représente pour moi de la voir sourire à nouveau.

Julia observa Maisie, occupée à remplir son assiette, rosissant sous les compliments des autres convives.

— Je tiens à vous remercier pour ce que vous avez fait, dit tranquillement Glenn.

— Mais je n'ai rien fait, s'insurgea Julia. C'est Maisie qui…

— Ce n'est pas de ça que je parle, l'interrompit-il impatiemment. C'est vous qui avez incité Alice à refaire la décoration et à appeler Maisie. On vous doit une fière chandelle, Chuck et moi. Si vous avez besoin de quoi que ce soit, vous pouvez compter sur nous.

— Oh, mais ce n'est rien, assura Julia en rougissant. Je n'ai pas fait grand-chose…

Elle laissa sa phrase en suspens. Cooper se tenait sur le seuil. Un de ses hommes, un solide gaillard surnommé Sandy, l'avait appelé dehors. L'accrochage de l'enseigne posait des problèmes et Cooper lui avait prêté main-forte. Tout en retirant ses gants de travail, il scanna la salle du regard jusqu'à ce qu'il l'ait repérée. Leurs regards se nouèrent. Julia sentit un picotement d'excitation s'emparer d'elle.

Cooper entreprit de traverser la salle, et Glenn rattrapa *in extremis* le verre qui échappa de la main molle de Julia. Aussi expressif qu'un joueur de poker professionnel, il le reposa sur la table.

— Je… euh, je dois aller parler à quelqu'un, dit-il. À propos d'un truc. Je vous laisse.

— De quoi ? fit Julia en se tournant vers lui sans le voir. Oh, d'accord. Bien sûr, allez-y.

Il est merveilleux, songea-t-elle en regardant Cooper se rapprocher lentement, la salle disparaissant derrière ses larges épaules. Des gouttelettes de pluie miroitaient dans sa chevelure d'un noir d'encre, et Julia frissonna à l'idée de plonger les doigts dans cette toison épaisse. Son expression était aussi sévère qu'à l'accoutumée. Elle eut envie de toucher son visage pour faire disparaître les plis qui barraient son front.

Cooper s'arrêta si près qu'elle dut renverser la tête en arrière. Il baissa les yeux vers elle.

— Viens, dit-il simplement.

— Oui, murmura-t-elle en reposant son pilon sur la nappe, ratant l'assiette d'une bonne dizaine de centimètres.

Cooper la prit par la main et l'entraîna dehors jusqu'à un pick-up noir.

— Où va-t-on ? demanda Julia.

Cooper la souleva par la taille pour la faire asseoir dans la cabine, s'installa au volant et démarra dans un crissement de pneus.

— Chez toi, répondit-il d'une voix tendue. Cette fois, on va faire les choses bien. On va faire l'amour.

16

— Et de deux! annonça Aaron Barclay à son supérieur en raccrochant le téléphone.

— Deux quoi?

Herbert Davis croqua à belles dents dans sa part de pizza refroidie. La cantine était fermée le dimanche et de toute façon, il était plus de onze heures du soir. Les réductions de personnel allaient bon train. Lui et Barclay cumulaient un nombre d'heures supplémentaires hallucinant.

— Témoins morts. En Idaho.

— Putain, souffla Davis.

— En deux jours, précisa Barclay.

— Qui était-ce?

— Je ne sais pas. Attendez voir… dit-il en pianotant sur le clavier de son ordinateur. Voilà. Sydney Davidson alias Grant Patterson transféré à Ellis, Idaho.

— Les labos Sunshine, acquiesça Davis. Contrat?

— Accident.

Davis ricana.

— Je sais… grimaça Barclay. C'est bien le problème. Nos hommes de Boise ont procédé à une contre-enquête. Ils n'étaient franchement pas convaincus par la thèse de l'accident à laquelle avait conclu la police locale. Mais apparemment, il s'agit bel et bien d'un accident. Installation électrique défectueuse. Un court-circuit a envoyé le courant directement dans la baignoire du type. Mort sur le coup. La police locale et les fédéraux ont tout passé au peigne fin, mais ils n'ont rien trouvé de suspect. Nos hommes non plus.

— Demande à nos gars de recommencer. Deux témoins en deux jours, ce n'est pas normal, gronda Davis en frottant une tache de graisse sur sa cravate avec une serviette en papier. Dis donc, enchaîna-t-il en relevant les yeux, à quelle distance se trouve Ellis par rapport à la planque de Julia Devaux?

Devaux était leur témoin le plus précieux.

— Pas loin.

— Même numéro de zone?

— Ouais, lâcha Barclay d'un ton résigné.

Davis et lui s'étaient vainement insurgés contre la décision de classer les fichiers d'après les indicatifs téléphoniques.

Davis sentit les poils de ses avant-bras se dresser.

— Il faut la tirer de là, dit-il posément. Il faut la tirer de là immédiatement.

— Mais… chef, objecta Barclay en se tortillant gauchement sur sa chaise, vous savez bien ce que dit le nouveau règlement. « Pas de dépenses superflues. » L'installation d'un témoin coûte plus de cinquante mille dollars et il faudra le justifier. Si des hommes à nous assurent que Devaux ne court aucun danger et qu'on la déplace quand même, on sera dans le caca jusque-là.

— Bon sang! s'emporta Davis en donnant un coup de poing sur la brochure du nouveau règlement. Quelqu'un a eu accès au fichier! Ce n'est pas possible autrement. Tu te souviens de ce qui s'est passé quand on a mis tous les fichiers sur

CD-ROM, il y a quinze jours ? Il y a eu un bug. Je mettrais ma main à couper qu'on s'est fait hacker. Quelqu'un élimine l'un après l'autre ceux qui se trouvaient dans ce fichier. Il faut tirer Devaux de ce guêpier en vitesse !

— Permettez-moi de me faire l'avocat du diable sur ce coup-là, chef. Vous savez aussi bien que moi qu'*elle* ne se privera pas de le faire, ajouta-t-il en levant les yeux au plafond, faisant allusion à la nouvelle directrice du trente et unième étage. Et d'un, commença-t-il en levant son pouce crasseux à l'ongle rongé jusqu'à la chair, si improbable que cela puisse paraître, la police locale, les fédéraux et les marshals ont tous conclu dans les deux cas à une mort accidentelle.

— Je t'en prie... soupira Davis.

— Attendez. Et de deux, il y a deux millions de dollars de récompense pour la tête de Julia Devaux. Une nouvelle de cette envergure a déjà traversé le pays trois ou quatre fois. Imaginez combien d'apprentis tueurs et de professionnels chevronnés sont sur sa piste en ce moment. Est-ce que vous pensez sincèrement qu'un type assez malin pour craquer notre système informatique s'amuserait à zigouiller les témoins par ordre alphabétique alors qu'il sait où trouver Julia Devaux ?

Présenté de cette façon, ça semblait effectivement absurde.

— De toute façon, reprit Barclay, tous nos fichiers ont été recryptés.

Davis pinça les lèvres et réfléchit. En général, il faisait confiance à l'intuition de Barclay. Mais son collègue avait vraiment mauvaise mine, ces derniers temps. Les valises sous ses yeux étaient si énormes qu'il aurait pu les faire enregistrer en soute au comptoir d'un aéroport. Davis regarda les doigts de Barclay pianoter nerveusement sur la brochure du nouveau règlement. Ses mains tremblaient, et l'odeur qui se dégageait de lui indiquait qu'il ne s'était pas lavé depuis plusieurs jours.

— C'est à vous de voir, chef, dit Barclay.

— Absolument.

Davis soupira et renonça mentalement aux vacances qu'il comptait prendre pour Thanksgiving. Il allait se faire descendre en flammes sur ce coup-là. Il décrocha le téléphone.

— Je prends tout sur moi. Je déplace Devaux.

Elle tremblait. Cooper sentait presque l'air vibrer autour d'elle de l'autre côté de la cabine. Bon sang, il se comportait comme un animal.

Il quittait Sally pendant une semaine sans même lui passer un coup de téléphone, puis il réapparaissait, l'enlevait et la traînait au lit.

Il avait intérêt à se montrer prudent. Les belles femmes avaient la fâcheuse réputation de plaquer les Cooper pour moins que ça. Sa seule présence à Simpson tenait déjà du miracle. Quelle que soit la violence de son désir, il devait se comporter en homme civilisé.

Cooper se pencha vers elle et l'embrassa en s'accrochant fermement au volant pour ne pas être tenté de la toucher. Un baiser doux, léger. Le genre de baiser que ferait un garçon de seize ans la première fois qu'il embrasse sa petite amie. Les lèvres de Sally s'incurvèrent sous les siennes, et sa petite main se posa sur sa joue.

— Entrons à l'intérieur, murmura-t-il.

— D'accord, soupira-t-elle.

Il n'avait pas encore insinué sa langue entre ses lèvres, se contentant de les effleurer doucement, mais il avait senti l'arôme du brownie que Maisie avait fait manger à Sally. Un arôme envoûtant.

Il l'aida à descendre du camion. Elle n'avait qu'une fine chemise sur le dos et il gelait. Il l'avait entraînée si précipitamment qu'elle n'avait pas eu le temps d'attraper son manteau. Il baissa la fermeture de sa grosse parka et la mit sur ses épaules.

Elle leva les yeux et lui sourit comme s'il venait de la couvrir de diamants.

— Merci.

Doux Jésus. Elle le remerciait au lieu de se plaindre de son comportement ignoble. Il s'éclaircit la gorge et passa un bras autour de ses épaules.

— Il n'y a pas de quoi. Rentrons vite à l'intérieur.

De légers flocons de neige avaient recouvert le paysage d'un manteau blanc qui étouffait les sons.

Sally ouvrit la porte de sa maison, alluma la lumière et leva les yeux vers lui.

— Ça te plaît ? s'enquit-elle en secouant la neige de sa parka.

Cooper ne comprit pas tout de suite le sens de sa question, mais il suivit son regard et écarquilla les yeux.

La petite maison miteuse était complètement transformée. Sally avait peint les murs en crème, accroché de jolis rideaux rose et crème aux fenêtres, et disposé une nappe faite du même tissu sur la table. Les affreuses roses choux du canapé et des fauteuils avaient été dissimulées sous des housses jaune pâle artistiquement nouées sur les côtés. Un aquarium rond rempli de galets de quartz trônait sur le rebord de la fenêtre. Cooper reconnut certains des articles qu'elle avait achetés chez Schwab à Rupert, mais il n'aurait jamais imaginé qu'ils suffiraient à opérer une transformation aussi radicale de son salon.

— C'est superbe, dit-il. Tu es une magicienne.

— Non. J'aime simplement tirer le meilleur parti des choses.

Quand il la regardait sous cet angle, Cooper pouvait voir ses longs cils, la courbure délicate de sa pommette, sa peau d'un blanc laiteux. Sa beauté lui coupait le souffle. Ce n'était pas une magicienne, c'était une fée qui lui avait jeté un puissant sortilège.

La semaine qu'il venait de passer loin d'elle lui apparut soudain comme l'exploit le plus prodigieux qu'il eût jamais accompli.

— Il faut qu'on aille dans la chambre, dit-il d'une voix pâteuse. Tout de suite.

— Tout de suite ? répéta-t-elle en souriant.

Il hocha la tête.

— Je sens que ça va être explosif, murmura-t-elle.

Explosif, oui. Cooper allait lui arracher ses vêtements et la pénétrer aussi rapidement qu'il était possible de le faire.

— Oui.

Elle sourit et passa les bras autour de son cou. Il se pencha pour s'emparer de sa bouche. Elle était aussi tiède et douce que dans son souvenir. Elle plaqua son petit corps contre lui, et ce contact plut tellement à Cooper qu'il la serra dans ses bras, souleva légèrement ses pieds du sol et la transporta dans la chambre dans cette position. Il lui fit reposer les pieds par terre à côté du lit et, sans cesser de presser ses lèvres contre les siennes, écarta la parka de ses épaules.

Elle tomba par terre avec un bruit mat. Il aurait voulu l'embrasser éternellement, et ce fut à regret qu'il s'écarta d'elle pour la déshabiller.

Ses mains s'activèrent prestement. Chemise, soutien-gorge, jean, culotte, chaussures, chaussettes... Voilà. Enfin, elle était nue. Elle ressemblait à un ange pâle et étincelant. Tout en la dévisageant attentivement, Cooper plaça une main entre ses cuisses. Elle n'était pas encore moite. Il inséra un doigt en elle et caressa la douce chaleur de sa chair. Un flot humide jaillit en elle, comme une source miraculeuse. Mais ce ne serait pas suffisant. Le sexe de Cooper présentait une érection aussi prodigieuse que celle de ses étalons en rut. Il fallait qu'il la prépare à le recevoir.

Il se pencha vers elle et l'embrassa fougueusement. Sally planta les doigts dans ses épaules et son souffle devint haletant sous ses caresses.

— Cooper, chuchota-t-elle quand son pouce encercla son clitoris.

Elle trembla, et Cooper trembla aussi.

Jamais encore il n'avait vu une femme aussi réactive. Sally pouvait atteindre l'orgasme en une fraction de seconde.

Il serra les dents. Elle avait beau se détendre, cela ne suffisait toujours pas. Une fois qu'il l'aurait pénétrée, il serait incapable de se maîtriser et il était impératif qu'elle soit prête à le recevoir.

— Sur le lit, murmura-t-il.

Les lèvres de Sally s'incurvèrent dans un sourire sous les siennes. Elle connaissait la signification du ton qu'il venait d'employer. Il était tout près de perdre le contrôle.

Cooper la fit s'allonger de son bras libre et s'étendit auprès d'elle. Son doigt était toujours en elle, remuant doucement. Il fit pivoter la paume de sa main et elle écarta docilement les jambes. Ses jambes étaient magnifiques, longues et souples. La main de Cooper parcourut l'intérieur de ses cuisses, aussi douces que du velours.

Il l'observa un moment. La chambre était plongée dans la pénombre, mais la lueur du réverbère de la rue donnait à son corps un aspect nacré. Malgré son envie dévorante de la pénétrer, Cooper prit le temps de savourer cette vision en détail. Le relief délicat de sa clavicule, ses petits seins fermes aux aréoles rose pâle, son ventre lisse, le triangle soyeux de sa toison rousse. Tout en elle était parfaitement élégant.

Ses jambes s'agitaient impatiemment sur la couverture tandis que son doigt imitait les mouvements de son sexe. À la différence près que son sexe n'avait jamais eu cette tendresse. Cooper n'avait pas encore réussi à la posséder autrement que furieusement.

Dans le silence absolu de la chambre, seuls s'élevaient le halètement de sa respiration et le bruit mouillé de son doigt, allant et venant en elle.

Il regarda sa main remuer entre ses cuisses. Son doigt glissait aisément maintenant. Lorsque son pouce encercla à nouveau son clitoris, il sentit ses muscles internes se contracter autour de son doigt.

— Tu aimes ça ? demanda-t-il en relevant les yeux vers son visage.

Sally l'avait regardé la regarder. Sa main caressa son bras.

— J'aime tout ce que tu me fais, Cooper, répondit-elle simplement.

Il ferma les yeux comme sous l'effet d'une douleur. Si impossible que cela puisse paraître, son sexe s'allongea et grossit encore, frottant contre la toile rugueuse de son jean comme s'il frappait à la porte.

Il commença à déboutonner sa chemise, puis s'interrompit, stupéfait.

Sa main tremblait.

Sa main n'avait jamais tremblé. Cooper était un excellent tireur et, comme il le lui avait dit, il était encore meilleur au couteau. On ne peut pas espérer atteindre sa cible avec un couteau si on a les mains qui tremblent.

Sa main n'avait tremblé qu'une seule autre fois dans sa vie: la première fois qu'il avait fait l'amour avec elle.

Sally Anderson le démontait entièrement, pièce par pièce. Puis le remontait, modifié de fond en comble, métamorphosé en un homme meilleur.

Il finit de déboutonner sa chemise d'une seule main. Pour l'enlever, il serait obligé d'abandonner la douce chaleur du corps de Sally, et l'espace d'un instant, il fut tenté de la garder.

Mais il adorait le contact de sa peau contre la sienne. Quand ils faisaient l'amour, elle se frottait contre lui comme un chaton.

Cooper écarta sa main à regret pour ôter sa chemise et son T-shirt. Il défit les lacets de ses bottes de travail et retira ses chaussettes. Il n'avait plus sur lui que son jean et son caleçon.

Il s'allongea près d'elle en faisant courir les mains sur son buste, déposa un baiser dans son cou et mordilla le lobe de son oreille. Sally frissonna, les bras autour de son cou.

— Tu m'as manqué, gronda-t-il près de son oreille.

— Oh, Cooper, toi aussi, tu m'as manqué, répondit-elle en glissant les mains dans ses cheveux. Tu m'as tellement manqué. Tu ne peux pas savoir à quel point.

— J'ai pensé à toi toutes les nuits, souffla-t-il.

Il fit courir la pointe de sa langue le long de son cou.

— Tu comptes garder ton jean toute la nuit ?

— Si je l'enlève, la seconde d'après je serai en toi, grommela-t-il.

Il la sentit sourire dans son cou.

— C'est une sorte de jean de chasteté, si je comprends bien.

Il avait deux doigts en elle, maintenant. Heureusement, parce qu'il commençait à perdre le contrôle. Deux doigts n'étaient pas aussi gros que son sexe, mais elle se détendait. Il les fit aller et venir tout en léchant l'aréole de ses seins. Sally enfonçait ses ongles dans son dos en émettant ces petits bruits de gorge qu'il adorait. Ceux qui surgissaient juste avant l'orgasme.

Il mordilla délicatement la pointe érigée d'un sein et Sally s'immobilisa, retenant son souffle. Un long tremblement parcourut son corps, et son sexe enserra étroitement ses doigts lorsqu'elle atteignit le point culminant de l'orgasme.

Cooper baissa la fermeture de son jean, entraînant son caleçon dans le même mouvement. Une seconde plus tard, il était entièrement nu et s'allongeait au-dessus d'elle.

Sally jouissait encore et de doux halètements s'échappaient de ses lèvres. Il écarta ses cuisses, inséra l'extrémité de son sexe dans sa petite fente moite et sentit son vagin palpiter autour de lui, l'attirant au plus secret de sa chair. Cette sensation lui fit perdre la tête.

Il grogna contre sa bouche, lui souleva les hanches et progressa en elle par poussées courtes et vigoureuses. Il commençait à bien connaître son corps. Ses coups de reins le rapprochèrent de son clitoris, et il se frotta contre elle pour prolonger son orgasme.

Ces délicieuses contractions eurent raison de lui. Il rugit et lâcha sa semence à longs traits brûlants, parcouru d'irrépressibles tremblements, sans jamais cesser d'aller et venir furieusement en elle. Ses sens, habituellement si aiguisés, s'atrophièrent. Il n'entendit ni les grincements du lit ni les cris d'extase de Sally, et ses yeux mi-clos ne distinguèrent rien d'autre que les quelques centimètres de peau qui se trouvaient devant eux. Son corps tout entier était la proie d'un tourbillon qui se concentrait dans son sexe en une explosion de joie.

Un violent soubresaut le secoua et il retomba sur Sally, le visage tourné vers elle sur l'oreiller, haletant et tremblant sous le contrecoup de la jouissance.

Son sexe était toujours aussi dur. Cooper venait seulement d'émousser très légèrement son désir. Dès qu'il aurait retrouvé son souffle, il recommencerait, et ce serait encore mieux. Sally serait plus moite encore, maintenant qu'ils avaient joui. Certaines nuits, il avait joui en elle à quatre ou cinq reprises et à la fin, son sexe glissait comme dans un rêve.

L'orgasme qu'il venait de connaître avait cependant été plus violent que d'habitude. Il n'avait pas envie de recommencer tout de suite. Ils avaient toute la nuit devant eux. Cela avait été si intense que sa tête sonnait.

Cooper reprit lentement ses esprits et réalisa que ce n'était pas sa tête qui sonnait, mais le téléphone.

— Ne réponds pas, chuchota-t-il, le nez contre son cou suavement parfumé à la rose.

— À quoi ? répliqua-t-elle d'une voix rêveuse, frémissant sous son baiser.

— Au téléphone.

— Oh, soupira-t-elle. Je croyais que c'était ma tête qui sonnait.

Cooper sourit dans l'obscurité. Ce satané téléphone persistait à sonner, mais il avait décidé de faire comme s'il ne l'entendait pas.

Sally se raidit soudain.

— Le téléphone. Le téléphone... mon Dieu, *le téléphone* ! s'écria-t-elle d'une voix aiguë comme si elle émergeait brusquement d'un profond sommeil. Il faut que je réponde, déclara-t-elle en poussant son épaule.

Il leva la tête, surpris.

— Je t'en prie, Cooper, laisse-moi me lever. Il faut vraiment que je réponde.

Il fronça les sourcils et l'observa. Elle tremblait de tous ses membres et son visage habituellement pâle était livide.

— Cooper, je t'en supplie, reprit-elle en poussant à nouveau son épaule.

Il faisait facilement cinquante kilos de plus qu'elle. S'il refusait de la laisser se lever, elle n'arriverait jamais à le faire. Et Dieu savait qu'il n'avait pas du tout envie qu'elle se lève. Il était bien comme ça, son sexe niché en elle, son petit corps contre le sien.

— Cooper, par pitié, c'est vraiment important.

Sa voix tremblait.

Plissant le front, il se retira et roula sur le côté. Sally se dégagea et, pâle silhouette dans la chambre enténébrée, se précipita dans le salon.

Cooper repensa à l'expression qu'il venait de distinguer sur son visage et sentit un frisson parcourir sa colonne vertébrale.

C'était une expression qu'il connaissait pour ne l'avoir que trop souvent vue sur le visage de ses hommes confrontés à l'ennemi.

La frayeur.

Quelque chose l'avait mortellement effrayée. Cooper se leva et la suivit. Tant qu'il serait en vie, rien ni personne n'effraierait jamais sa femme.

Julia regarda sa montre et grimaça. Dix heures du soir. Ce n'était donc pas un habitant de Simpson qui téléphonait. Ici, tout le monde était au lit dès neuf heures. Cela ne pouvait être qu'une seule personne.

Herbert Davis. S'il l'appelait à une heure aussi tardive, c'était très mauvais signe.

Elle attrapa son peignoir sur le dossier d'une chaise et se démena pour l'enfiler tout en se ruant sur le téléphone.

— Allô?

Sa voix était encore enrouée après cette délicieuse étreinte, et elle toussa pour l'éclaircir.

— Allô? répéta-t-elle plus distinctement.

— Julia? Julia Devaux?

En entendant ce nom, le cœur de Julia se mit à cogner dans sa poitrine.

— Monsieur Davis? souffla-t-elle.

Apparemment, les règles avaient changé. Il l'appelait par son vrai nom et ne bondissait pas de l'entendre prononcer le sien. C'était très, *très* mauvais signe.

— Oui, Herbert Davis. Julia, je veux que vous écoutiez attentivement ce que je vais vous dire. Nous pensons que votre identité est compromise. Nous n'en sommes pas absolument certains, mais nous allons éviter tout risque inutile. À partir de maintenant, vous ne devez sortir de chez vous sous aucun prétexte. Ne parlez à personne, ne contactez personne. Absolument personne, vous m'avez compris? Vous ne pouvez faire confiance à personne. Vous êtes peut-être en danger et nous allons venir vous chercher. Maintenant, écoutez bien ce que je vais vous demander de faire…

Le combiné glissa de la main inerte de Julia et tomba lourdement sur la table. Herbert Davis s'égosilla dans le récepteur, mais sa voix n'était plus pour elle qu'un lointain écho.

— Julia ? Julia ! Répondez-moi ! Bon sang, qu'est-ce qui se passe ?

— Qui est-ce ? s'enquit une voix grave et profonde.

Julia déglutit et se retourna. Cooper se tenait sur le pas de la porte, un bras replié contre l'encadrement. *Ne parlez à personne. Vous ne pouvez faire confiance à personne.*

Cooper ne parlait pas beaucoup, mais coucher avec lui faisait certainement partie de la liste des choses que Davis ne voulait pas qu'elle fasse.

— Personne, répliqua-t-elle, la voix nouée.

Sans regarder ce qu'elle faisait, elle tendit la main et reposa le combiné, d'où s'élevait toujours le pépiement alarmé de Davis. Il retomba sur son socle.

— Personne. C'était… une erreur.

Les pans de son peignoir bâillaient, laissant apparaître son corps nu. Alors qu'elle venait de faire l'amour avec Cooper, Julia le resserra absurdement autour d'elle. Il s'avança, et elle recula instinctivement.

— Sally ? demanda-t-il en fronçant les sourcils. Qu'est-ce qui ne va pas ?

Il marcha droit sur elle et elle recula jusqu'à ce que son dos rencontre le mur. Julia agrippa le mur derrière elle comme s'il pouvait la protéger. Comme si quoi que ce soit pouvait la protéger de Cooper.

Il était tellement puissant qu'il l'effrayait. Elle ne l'avait pas souvent vu nu en pleine lumière. Il était vraiment impressionnant. Les muscles de ses bras et de ses épaules étaient massifs. Chercher à se débattre serait inutile, s'il décidait de l'attaquer. Cooper pouvait la maîtriser en une seconde et lui tordre le cou la seconde suivante.

Julia se souvint d'avoir lu quelque part que les guerriers de Sparte se battaient nus pour terrifier leurs ennemis.

C'était très efficace. Julia était complètement terrifiée.

Cooper s'immobilisa devant elle et plaça les mains sur le mur, de part et d'autre de son visage. Elle était prise au piège.

Elle contempla la sombre toison de son torse, juste devant elle, le creux de ses pectoraux, puis remonta lentement les yeux vers lui. Son visage était tendu, dépourvu d'expression. Le visage d'un inconnu. Le visage de son amant.

Ne faites confiance à personne.

Elle leva une main tremblante pour la poser sur sa joue. Sentit les muscles de sa mâchoire jouer sous sa paume. Sa peau était tiède et les poils drus de sa barbe picotèrent le bout de ses doigts.

Ne faites confiance à personne.

— Cooper, murmura-t-elle.

Une larme roula sur sa joue. Elle secoua lentement la tête, les yeux rivés sur les siens.

— Dieu me vienne en aide, si je ne peux pas te faire confiance… je préfère mourir.

Cooper ne répondit pas. Il écarta les bras et Julia s'y réfugia aussitôt. Il la serra contre lui un moment, puis la souleva et la porta jusqu'au canapé où il s'assit avec elle. Julia noua les bras à son cou, en larmes. C'était irrépressible. Étroitement blottie contre lui, elle pleurait de colère, de désespoir et de frayeur. Cooper ne dit pas un mot, attendant qu'elle se calme.

Julia songea soudain que c'était peut-être la dernière fois qu'elle le voyait. Jamais encore elle n'avait éprouvé des sentiments aussi puissants pour un homme. Elle venait à peine de réaliser qu'elle l'aimait, et elle risquait déjà de le perdre.

Dans une heure ou deux, les US marshals viendraient la chercher pour l'emmener loin de Simpson. Ils la feraient disparaître au beau milieu de la nuit.

Cooper et elle n'étaient amants que depuis deux semaines, et il s'était absenté la moitié du temps. Ils n'avaient jamais vraiment parlé, consacrant leur temps à faire l'amour. Leur relation n'était peut-être que purement sexuelle, après tout.

Quelle que soit la nature de leur relation, Julia n'oublierait jamais les moments qu'ils avaient vécus. Cooper lui avait permis de conserver sa santé mentale. Il avait veillé sur ses nuits, repoussé ses démons. Elle eut soudain un flash de ce qu'allait être sa nouvelle vie. Une petite ville anonyme, quelque part, où elle serait complètement seule...

Elle sentait son sexe en érection contre ses cuisses, mais il demeurait immobile. Julia avait enfoui le visage dans son cou et le menton de Cooper reposait sur sa tête. Elle embrassa son cou. Il était puissant et tiède, humide de ses larmes.

— J'ai des choses à te dire, déclara-t-elle posément.

— Je t'écoute.

— Je ne suis pas... Je ne suis pas celle que tu crois.

Une fois qu'elle lui aurait avoué la vérité, elle ferait ses valises et disparaîtrait de sa vie. Peut-être pour toujours. Julia ferma un instant les yeux.

Son cœur cognait douloureusement dans sa poitrine. C'était tellement dur.

Une fois qu'elle lui aurait avoué la vérité, elle ne serait plus jamais Sally Anderson. La «dame» de Cooper. La maîtresse de Fred. Cooper s'occuperait peut-être de lui après son départ.

Pas sûr.

Il serait tellement dégoûté par tous les mensonges qu'elle avait été obligée de faire qu'il se contenterait de l'écarter de ses genoux, de franchir la porte et de disparaître à tout jamais de sa vie.

— Je ne m'appelle pas Sally Anderson, commença-t-elle d'une voix tremblante. Je ne viens pas de Bend. Je ne suis pas institutrice.

Cooper la serra plus fort contre lui.

— En réalité, poursuivit-elle, je m'appelle Julia Devaux et je vis, ou plutôt je vivais, à Boston. Je suis éditrice. Enfin, je l'étais. Je ne sais plus ce que je suis, en fait.

Restait la partie la plus délicate.

— J'ai... J'ai été témoin de quelque chose d'affreux. C'était au mois de septembre. Comme je suivais des cours de photo, je suis allée me promener sur les docks de Boston sous prétexte de réaliser un reportage. Je suis tombée sur un entrepôt abandonné qui n'avait plus de porte et je suis entrée à l'intérieur. J'avais un de ces appareils photo automatiques comme ceux des photographes de mode, et je me suis avancée à l'intérieur après avoir déclenché le mode rafale. Finalement, j'ai débouché sur une cour intérieure et...

Julia se mordit la lèvre et s'efforça de maîtriser le tremblement nerveux qui s'était emparé d'elle. Elle avait conservé de cette scène un souvenir extrêmement précis. Ce paysage industriel, sinistre et gris, le petit homme terrifié, le revolver noir pressé contre sa tempe, la silhouette colossale du tueur et le rictus cruel qui déformait son visage. Le coup de feu mortel.

— J'ai été témoin d'un meurtre et j'ai tout photographié, dit-elle sobrement.

Elle sentit Cooper retenir son souffle. Tous les muscles de son corps se contractèrent.

— Il s'agissait d'un règlement de comptes. J'ai pu identifier le tueur parmi une rangée de suspects. Il s'appelle Dominic Santana. Un gros caïd de la mafia, d'après ce que j'ai compris, que la police cherchait à coincer depuis des années. Je suis censée témoigner dans le cadre de son procès et il paraît qu'il a lancé un contrat sur moi. Un très gros contrat. Un million de dollars. En attendant l'ouverture du procès, je fais partie du Programme de sécurité des témoins. Mais une défaillance de sécurité vient de se produire...

— Bande d'incapables !

Cooper l'écarta de ses genoux et bondit sur ses pieds. Julia leva les yeux vers lui et découvrit que son visage avait perdu toute impassibilité. Cooper était dans une rage folle. Elle sentit quelque chose palpiter sous son sternum. Ce n'était pas de la peur, évidemment. Elle n'avait pas peur de Cooper, mais...

Elle devina qu'il allait se passer quelque chose, et que la situation lui avait désormais complètement échappé. D'une certaine façon, elle avait toujours eu inconsciemment envie de se décharger de ses problèmes sur Cooper, et c'était ce qu'elle venait de faire. Littéralement. Mais son soulagement se teinta d'inquiétude. Cooper paraissait plus immense que jamais. Une force de la nature incontrôlable.

Un guerrier.

— Cooper ?

Il ne l'écoutait plus. Il avait foncé sur le téléphone et composait le code permettant de rappeler le dernier correspondant.

Quand il entendit une voix répondre « Herbert Davis » à l'autre bout de la ligne, sa bouche se tordit sur un rictus de mépris.

— Vous êtes qui, Davis ?

— Qui est à l'appareil ? rétorqua son interlocuteur d'un ton prudent.

Cooper raffermit la prise de sa main sur le combiné.

— Je suis Sam Cooper. Je vous appelle de Simpson, Idaho, depuis le téléphone de…

Il jeta un coup d'œil à Sally – non, Julia – blottie sur le canapé. Livide, elle le dévisageait de ses grands yeux turquoise. Elle semblait aussi petite et vulnérable qu'un enfant. L'idée qu'on puisse lui faire du mal le rendait fou.

— Je vous parle depuis le téléphone de Julia Devaux. Je vais répéter ma question et ce sera la dernière fois : vous êtes qui, exactement ?

— Je ne suis pas autorisé à dévoiler cette information, répondit l'autre d'une voix froide, impersonnelle.

La main de Cooper faillit broyer le combiné.

— Écoutez-moi bien, fils de pute. Si vous faites partie des US marshals, laissez-moi vous dire que votre service de protection des témoins n'est que de la foutaise. On m'avait dit que vous étiez en train de vous casser la gueule, mais vous êtes carrément au-delà de l'incompétence. Comment osez-vous envoyer une femme innocente qui a des tueurs à ses trousses ici, sans même assigner un seul agent à sa protection ?

— Ah, euh… Il y a eu des restrictions budgétaires et notre équipe de Boise est…

— Je m'en tape de vos restrictions budgétaires ! rugit Cooper. Non mais, vous êtes malades ou quoi ? Vous ne pouvez pas balancer un témoin dans la nature comme ça et prier pour qu'il ne lui arrive rien ! Il y a un contrat sur sa tête. Elle a besoin d'une protection que vous ne lui garantissez pas.

— Ce ne sont pas vos affaires. Nous avons eu une faille de sécurité et nous la transférons ailleurs.

— Vous pouvez toujours courir, répliqua Cooper d'un ton lourd de menaces. Essayez seulement…

— Cooper ? intervint Julia à voix basse en lui effleurant le coude. Qu'est-ce qu'il dit ?

— Il dit qu'il veut te transférer ailleurs, grommela-t-il.

— Oui, je sais. Quand arrivent-ils ?

Il posa une main sur le récepteur téléphonique.

— Tu ne bougeras pas d'ici, gronda-t-il.

— Quoi ? Je ne comprends pas…

— Tu n'iras nulle part. Tu restes ici. Avec moi, expliqua-t-il en se haïssant de lui parler sur un ton aussi autoritaire.

— Mais ils vont venir me chercher, Cooper. C'est fini, je dois faire mes valises…

— Non, ce n'est pas fini ! Ce n'est pas du tout fini, ma belle. Tu ne comprends pas ? Ils vont te donner une nouvelle identité et te mettre ailleurs. Mais leur système de sécurité est compromis et si c'est arrivé une fois, ça peut très bien se reproduire. Ne t'inquiète pas, je m'occupe de tout.

Il écarta la main du récepteur.

— J'écoute, lança-t-il.

— Bien, monsieur, euh… Cooper, commença Davis.

— Premier maître Cooper, s'il vous plaît.

— Oh. Marine ? s'enquit Davis après un silence.

— SEAL.

Cooper n'essayait jamais d'impressionner qui que ce soit avec ses états de service, mais il avait besoin de l'attention de Davis.

— Que ce soit bien clair, vous n'emmènerez Julia Devaux nulle part. Elle restera ici. Sous la protection du shérif Pedersen. Et la mienne.

— Quoi ? Mais c'est hors de question ! Je n'ai jamais rien entendu d'aussi scandaleux de toute ma…

— Je ne vous laisserai pas l'emmener, l'interrompit Cooper. Pas avec la protection que vous garantissez. Laissez le shérif et moi-même nous en occuper.

— Je crains que cela soit imposs…

— Si vous ne faites pas ce que je vous dis, je préviens immédiatement le ministère de la Justice. Après avoir contacté mon excellent ami Rob Manson du *Washington Post*. C'est lui qui a écrit cette série d'articles expliquant dans le détail comment les marshals s'y sont pris pour saboter l'affaire Warren. Je suis certain qu'il appréciera. Un témoin fédéral sans protection qui sert d'appât… Je vois d'ici les gros titres.

— Je, euh… À votre place, je ne ferais pas ça, monsieur…

— Cooper. J'ai le numéro de téléphone de Manson sous les yeux.

Il avait dit cela d'un ton si convaincant que Julia regarda sa main comme si elle s'attendait à ce que l'annuaire y ait miraculeusement surgi.

Mais Cooper n'avait pas besoin d'annuaire pour avoir le numéro de Rob.

— Manson travaille toujours très tard le dimanche. Je suis certain de le trouver à son bureau à l'heure qu'il est. Vous allez appeler le shérif Pedersen, et nous nous entendrons tous les trois sur la façon d'assurer la protection de Julia Devaux jusqu'au procès de Santana, sinon j'appelle Rob et le ministère. Séance tenante. Rob aura juste le temps de refaire la une avant le bouclage de l'édition de demain matin.

— Écoutez, monsieur Cooper, vous devez bien comprendre que je ne peux absolument pas vous faire confiance. Je ne vous ai jamais vu, je ne sais même pas qui vous êtes ! Vous vous plaignez de ce que nous n'assurons pas la protection de Julia Devaux convenablement, mais faire confiance à une voix au téléphone serait de ma part de l'inconscience pure et simple !

Davis avait raison. Cooper réfléchit un instant.

— D'accord, dit-il finalement. Voilà ce que vous allez faire : vous allez appeler le numéro que je vais vous donner. C'est celui du portable personnel de Josh Creason. Demandez-lui qui je suis. Dites-lui que Mac Boyce et Harry Sanderson sont avec moi et qu'ils n'ont rien perdu de leur mordant. Je resterai en ligne pendant ce temps-là.

— Joshua Creason ? répéta Davis. Vous voulez dire le général Joshua Creason ?

— Non, le chanteur d'opéra. Évidemment que je parle du général, espèce de…

Cooper se mordit la langue. Il avait besoin de la coopération de Davis.

— Ne perdons pas plus de temps. Vérifiez qui je suis auprès de Josh. Profitez-en pour lui rappeler qu'il me doit toujours dix dollars et qu'il a intérêt à s'améliorer au poker.

Davis mit Cooper en attente. Julia le dévisagea. Elle était toujours aussi pâle. Ils n'échangèrent pas un mot, mais Cooper l'attira contre lui et posa la joue contre sa tête.

— Monsieur Cooper ? s'enquit Davis un quart d'heure plus tard.

— Oui ?

Cooper se redressa et Julia leva vers lui un regard anxieux.

— Ceci est tout à fait... tout à fait inhabituel, souffla Davis.

Cooper aurait mis sa main à couper que Davis suait à grosses gouttes. Son incompétence avait failli coûter la vie d'un témoin. Il n'avait pas l'intention de lui faciliter la tâche. Il attendit tranquillement.

— Je... viens de m'entretenir avec le général Creason qui m'a donné de nombreuses garanties sur vous-même, Sanderson et Boyce. Nous nous sommes également renseignés en ce qui concerne le shérif Pedersen.

Cooper persista à observer le silence.

— Après, euh... consultation avec mes collègues, nous avons décidé que si vous êtes en mesure de mettre en place un dispositif de sécurité fiable, nous maintiendrons Mlle Devaux sur les lieux. Vous agirez conjointement avec nos officiers de Boise.

— *Roger*.

— Vous me transmettrez régulièrement un rapport de situation.

— Oui. Et j'exige un rapport détaillé de l'affaire immédiatement.

Cooper sentit ses cheveux se dresser sur sa nuque lorsque Davis lui expliqua, d'un ton aussi neutre que celui d'un comptable énonçant un nouveau code d'impôts, comment ils en étaient venus à suspecter une faille de sécurité. Et que la tête de Julia valait désormais non plus un, mais deux millions de dollars.

— Je place donc Mlle Devaux entre les mains de votre shérif et les vôtres. Sa sécurité est directement sous votre responsabilité. Cela vous convient-il ?

— Absolument.

— Parfait. Appelez-moi demain après-midi pour régler les détails.

— Sans faute. Je vous appellerai à treize heures avec un plan de sécurité détaillé. De votre côté, colmatez vos fuites, OK ?

Cooper entendit Davis pousser un léger soupir avant de raccrocher. Quand Julia tapota timidement son épaule, il se retourna et la serra très fort dans ses bras.

— C'est réglé. Tu restes ici, dit-il finalement. Celui qui voudra t'approcher devra d'abord me passer sur le corps.

Julia émit un gros soupir de soulagement.

— Dans ce cas, Cooper, déclara-t-elle en levant vers lui un regard brillant, tu ferais peut-être mieux de t'habiller.

17

À Stanford, le professeur Jerzy Stanislaus avait mis au point un modèle d'ordinateur qu'il avait baptisé le Matrix Architecture Topography, surnommé le MAT – c'est-à-dire « paillasson » – par les étudiants. L'idée première consistait à exploiter le fait que la meilleure façon de naviguer dans la base de données d'un ordinateur est tridimensionnelle. Pour illustrer ce concept, Stanislaus expliquait qu'un ordinateur est comparable à une maison ; comme toutes les maisons, il est doté d'une porte qui s'ouvre avec une clef. Il démontrait ensuite que la tridimensionnalité elle-même était une des clefs permettant d'ouvrir la porte. L'esthète avait adoré cette logique symbolique.

Tous les étudiants de Stanford s'étaient un jour ou l'autre amusés à pirater les ordinateurs de leurs petits camarades, et tous ceux qui avaient assisté à la présentation du MAT avaient immédiatement compris que son principal intérêt tenait au fait qu'il était une clef permettant d'accéder à des pièces fermées.

Dans ses explorations du cyberespace, l'esthète décelait parfois les traces d'un internaute qui s'était servi du MAT pour franchir un firewall.

La configuration de la clef lui permettait d'identifier son prédécesseur comme un ancien élève de Stanislaus. En pareil cas, l'esthète se contentait de refermer la porte à clef en guise de révérence silencieuse, puis s'éclipsait.

L'esthète allait utiliser le MAT pour accéder aux fichiers du ministère de la Justice et localiser Julia Devaux.

L'encodage des fichiers du ministère comportait désormais trois niveaux à 240 bits. Rien à voir avec une serrure Yale et des fenêtres à battant de pacotille. Leurs ordinateurs étaient équipés de portes en béton armé et de fenêtres à l'épreuve des balles. Le genre de porte qui ne se fracture pas avec une épingle à cheveux. Mais une porte, quelle qu'elle soit, reste toujours une porte, autrement dit : une ouverture.

L'esthète avait discrètement asservi une puissante batterie d'ordinateurs appartenant à une société du Wisconsin, qui avait la bêtise de les laisser branchés toute la nuit alors que personne ne les utilisait. Cette machine avait un fabuleux potentiel de décryptage – la mère de toutes les cartes mères, se dit l'esthète avec un sourire en lançant la recherche de la clef.

Julia Devaux, tu peux faire ta prière.

Pendant que son portable de l'Idaho se connectait à la puissante batterie d'ordinateurs du Wisconsin, l'esthète se contenta d'un dîner épouvantable à base de biscuits salés et de Coca sans sucre. Il n'y avait ni caviar ni champagne dans ce bled. Dieu merci, cette affaire serait bientôt terminée.

L'esthète regarda l'heure. Afin d'éviter de se faire repérer par les ingénieurs informatiques de la société, il fallait veiller à n'utiliser ces ordinateurs que sur de courtes périodes n'excédant pas une demi-heure. Vingt minutes s'étaient écoulées.

Il était temps de se déconnecter.

L'esthète soupira et entama le long et périlleux processus de retrait. Craquer les codes du ministère lui prendrait encore deux nuits, trois au maximum. Oui, mais que faire de la clef partiellement décodée d'ici demain soir ? Le fichier était trop lourd pour son portable. Où la ranger ?

Un sourire retroussa ses lèvres.

Où ranger la clef ? La réponse allait de soi. Sous le paillasson, évidemment.

— Non, Cooper, murmura Julia, choquée. Non, ajouta-t-elle plus fort.

Tendue, elle se leva et se mit à faire les cent pas dans le salon. Cooper l'observa, aussi impassible qu'à l'accoutumée, mais Chuck eut l'air soucieux, puis carrément peiné, et se tortilla gauchement sur les ressorts cassés du canapé.

Cooper avait appelé Chuck tout de suite après avoir raccroché. Celui-ci s'était présenté chez Julia en moins de dix minutes, suant et haletant. Elle avait juste eu le temps d'enfiler un jean et un pull, mais l'avait fait entrer à l'instant précis où Cooper sortait de la chambre en reboutonnant sa chemise.

En dépit des graves circonstances, Julia avait rougi d'embarras. Chuck n'allait pas manquer de tirer les conclusions qui s'imposaient.

Il l'avait tranquillement écoutée résumer ce qui s'était passé depuis le meurtre dont elle avait été témoin en septembre jusqu'à la faille de sécurité du ministère, après quoi Chuck et elle avaient écouté Cooper indiquer les grandes lignes de son plan de sécurité.

Mais tandis qu'elle l'écoutait, Julia s'était sentie de plus en plus inquiète. Le plan proposé par Cooper consistait à l'enfermer dans une pièce avec un homme armé devant la porte jusqu'au procès de Santana. À cette idée, Julia avait senti sa gorge se nouer.

— Ce n'est pas un plan, c'est une sentence, déclara-t-elle en croisant les bras au niveau de sa taille, frémissant d'indignation. Tu vas devoir trouver autre chose, Cooper. Tu ne peux pas m'enfermer comme une prisonnière. Je deviendrais folle.

— Tu ne seras pas prisonnière, répondit-il tranquillement. Tu seras en sécurité.

— Je n'appelle pas ça de la sécurité, Cooper. J'appelle ça une sentence de mort.

Julia se connaissait assez pour savoir que si Cooper mettait son plan à exécution, elle adopterait un comportement aussi absurde et suicidaire que celui d'un papillon qui se cogne contre les carreaux jusqu'à ce qu'il meure.

— Tu ne peux pas me faire ça, dit-elle en joignant les mains. Je préfère encore mourir.

Les yeux noirs de Cooper scrutèrent attentivement son visage.

— Qu'est-ce que tu proposes d'autre ? demanda-t-il en se pinçant l'arête du nez, visiblement frustré par sa réaction. Circuler avec une cible collée sur le front ? Faire paraître une annonce dans *Le Pionnier de Rupert* ? Avec un plan et une croix indiquant l'emplacement de ta maison, tant que tu y es. « Avis aux tueurs à gages : Julia Devaux est là. »

Julia se mordit la lèvre et lutta contre une violente envie de pleurer.

— Je veux être en sécurité, Cooper. Je n'ai pas l'intention de prendre des risques inutiles. Mais je refuse d'être enterrée vive. Que t'a dit Davis, exactement ? Est-il absolument certain que Santana sait où je suis ?

— Non, admit-il à contrecœur. Mais il le craint fortement.

— Pourquoi ? s'enquit Chuck.

— La nouvelle identité et l'adresse de Julia se trouvaient dans un fichier contenant des informations concernant deux autres témoins localisés dans la même zone géographique. Ces deux témoins sont morts, conclut-il d'une voix lugubre en serrant les poings.

L'expression de Chuck se fit pensive, et Julia sentit la panique s'élever à nouveau en elle.

— Morts... comment ? demanda-t-elle finalement.

— Accidentellement. Tous les deux. Enfin, c'est la conclusion officielle de l'enquête.

— Qui a procédé à l'enquête ? questionna Chuck.

— La police locale et le FBI.

— Et ils ont unanimement conclu à l'accident dans les deux cas ? s'étonna-t-il.

Cooper hocha lentement la tête.

— Je ne sais pas, Coop, dit Chuck en se frottant le menton. Ces gars-là ne sont pas des abrutis, tu sais. S'ils ont conclu à des accidents, ils ne l'ont pas fait à la légère.

— De toute façon, intervint Julia, s'il s'agit de meurtres opérés grâce aux informations du fichier, celui qui a tué ces deux témoins sait aussi où me trouver, et logiquement, c'est moi qu'il aurait dû exécuter. D'après Davis, celui qui me tranchera la tête touchera un million de dollars de récompense.

— Deux millions, l'informa Cooper. La récompense a été doublée.

Julia ferma les yeux et frissonna. Santana était prêt à verser deux millions pour la voir morte. Jamais encore elle n'avait fait l'objet d'une telle haine. Elle réfléchit à toute vitesse, cherchant désespérément une issue à sa situation.

— Il n'existe aucune preuve tangible que ma couverture a été découverte, si j'ai bien compris.

— Non, répliqua Cooper. Mais il n'y a aucune garantie du contraire.

Julia s'approcha de la fenêtre et regarda dehors. La température avait chuté et le sol était gelé. La fine couche de neige semblait grise et terne à la lumière du réverbère. Le monde paraissait froid, sans vie. Julia s'imagina regardant par cette fenêtre pendant des heures, jour après jour, terrorisée, seule, traquée, et sentit son cœur devenir aussi froid que le sol à cette idée.

Cooper vint se placer derrière elle. Julia distingua son reflet sur la vitre. Leurs regards se rencontrèrent.

— Je ne peux pas, Cooper, dit-elle doucement. Je ne supporterais pas d'être enfermée. Ne me fais pas ça, je t'en supplie.

Il plaça les mains sur ses épaules.

— Promets-moi que tu n'iras nulle part sans m'en avoir averti au préalable.

Julia se retourna et leva vers lui un regard brillant d'espoir.

— Je te le promets.

— Quelqu'un t'accompagnera dans tous tes déplacements. Chuck, Bernie, Sandy, Mac ou moi.

— Oui, Cooper.

— Tu auras un revolver sur toi et Chuck montera la garde devant l'école.

— Un revolver ? s'étonna-t-elle en battant des cils. Mais je ne sais pas comment on s'en sert !

— Je te montrerai. Ça n'a rien de sorcier.

— D'accord, concéda-t-elle. Mais je veux aussi que tu m'enseignes des rudiments d'autodéfense.

— Bonne idée. L'aïkido.

— La quoi ?

— L'aïkido, répéta Cooper. C'est un art martial qui n'exige pas la corpulence et la force requises par le judo ou le karaté. Chuck, tu préviendras tout le monde en ville que Julia ne doit jamais circuler seule. Inutile de leur expliquer pourquoi. Julia ne doit jamais être seule, pas même une seconde.

Chuck hocha la tête.

— Tu ne réponds pas au téléphone. Jamais. Tu me laisses répondre.

— Oui, Coop... commença-t-elle. Mais comment feras-tu ? Tu ne pourras pas être ici tout le temps.

— J'emménage chez toi.

— Mais, Cooper, objecta Julia qui sentit soudain la tête lui tourner, si tu emménages ici... que vont dire les gens ? Ce n'est pas très...

— Tout va bien, ma jolie, déclara Chuck en lui tapotant l'épaule. Ne vous souciez pas de ce que diront les gens. Tout le monde vous aime, à Simpson. Et puis, il faut dire ce qui est : on est tous contents que Cooper ait enfin trouvé quelqu'un.

Julia poussa la porte des toilettes de l'école et empêcha le gardien de la suivre en posant la main sur son torse.

— Non, Jim. Quand même pas jusque dans les toilettes ! s'exclama-t-elle, exaspérée.

— Mais, mademoiselle Anderson, protesta Jim en écarquillant ses yeux bleu Simpson perpétuellement humides, Chuck a dit que je ne devais jamais vous perdre de vue.

— Il ne vous a pas dit de me suivre au petit coin. Ne vous inquiétez pas, je ne risque rien du tout.

Sans attendre sa réponse, elle se faufila dans les toilettes et referma aussitôt la porte. À double tour. Prenant appui sur le rebord du lavabo, elle inspecta son reflet dans la glace.

Dire qu'elle avait pensé avoir perdu tout contrôle sur sa vie à son arrivée à Simpson. La protection de Sam Cooper la privait du peu de liberté dont elle avait joui jusqu'alors. Elle regarda autour d'elle. C'était la première fois en trois jours qu'elle se retrouvait seule. Cooper et Chuck avaient passé le dimanche soir et le lundi matin à élaborer des plans auxquels elle n'avait pas tout compris, employant un jargon étrange à base de «lignes de communication dégagées», «zones de feu» et «signal convenu». Julia s'était endormie sur le canapé.

Elle vivait désormais dans une maison blindée. Toutes les ouvertures étaient équipées d'alarmes. Les deux portes avaient été consolidées par d'épaisses plaques d'acier. Cooper avait envoyé deux de ses hommes à Boise et le lundi soir, des détecteurs de mouvement avaient été installés. Son téléphone était raccordé à un magnétophone. Il y avait un extincteur dans toutes les pièces.

À partir du moment où elle se réveillait jusqu'à l'instant où elle rentrait chez elle, des hommes se relayaient auprès d'elle, formant une chaîne ininterrompue qui l'escortait absolument partout.

Une fois le petit déjeuner avalé, Cooper attendait que Chuck vienne le relever pour regagner le ranch. Chuck l'escortait à l'école, où il la remettait entre les mains de Jerry Johnson qui l'accompagnait dans sa salle de classe. À la fin de la journée, Chuck l'attendait devant l'école.

Elle n'avait pas la moindre idée de ce que Chuck avait raconté aux habitants de Simpson, mais le résultat était palpable. La veille, pendant qu'elle discutait des transformations à venir avec Beth dans leur boutique, Loren, droit comme un I derrière son comptoir, scannait la grand-rue de son œil de lynx.

Et quand un malheureux voyageur de commerce était entré pour demander son chemin, Loren avait sorti un walkie-talkie de dessous le comptoir pour transmettre un message sans même prendre la peine de lui répondre.

Chuck et Bernie s'étaient immédiatement matérialisés. La main droite de Chuck semblait prête à dégainer son pistolet de son holster flambant neuf, et Bernie tenait un fusil. Le regard du voyageur de commerce était passé d'un visage hostile à l'autre, il avait acheté un sac de pommes, demandé d'une voix blanche le chemin pour Rupert, puis avait filé. Chuck, Loren et Bernie l'avaient regardé sur le pas de la porte partir au volant de sa voiture.

La fréquentation touristique de Simpson ne risquait pas de s'améliorer, dans ces conditions.

Julia avait hâte de retrouver Cooper en tête à tête ce soir-là. Il avait branché un lecteur de DVD sur sa télé et apporté un énorme stock de films. Cooper était un vrai cinéphile. Ils avaient des goûts assez semblables, même si les préférences de Julia allaient aux comédies romantiques alors que celles de Cooper se situaient plutôt du côté des westerns et d'Hitchcock. Ce soir, ils avaient décidé de regarder *Casablanca*.

Cooper lui avait remis un revolver. Petit, mais puissant : un Beretta Tomcat calibre 32. Cooper lui avait dit qu'il ne voulait pas qu'elle ait un revolver « de fille ». Le Tomcat était compact, mais Julia avait été impressionnée par son recul et les dommages qu'il avait causés aux troncs d'arbres sur lesquels elle s'était exercée.

Elle avait un cal entre le pouce et l'index, et elle avait dû choisir une tenue spéciale pour s'entraîner à tirer, car elle avait découvert que ses vêtements empestaient la cordite après une séance de tir. La poudre qui se nichait sous ses ongles était également très difficile à faire partir.

Cooper était un excellent instructeur, patient et encourageant. Dans un premier temps, il l'avait tellement abrutie de théorie que les expressions « angle de tir », « cran de sécurité » et « presser la détente » avaient tourné dans sa tête pendant des heures. Alors seulement, il l'avait autorisée à commencer l'entraînement proprement dit.

Elle n'était pas sûre d'avoir un jour le courage de tirer sur un être humain, mais elle goûtait la puissante sensation de sécurité que procure le fait d'avoir une arme à portée de main.

Un léger grattement contre la porte la fit sursauter.

— Tout va bien, mademoiselle Anderson ? s'enquit Jim d'un ton anxieux.

— Tout va bien, Jim, soupira-t-elle. Je sors dans deux minutes.

Ça y était !

L'esthète tendit avidement le cou vers l'écran quand son ordinateur bipa.

Ce n'était pas trop tôt. Cet hôtel crasseux lui pesait de plus en plus. Quelle angoisse. Le matelas formait une cuvette, il faisait un temps épouvantable et la nourriture était infecte.

Temps de décodage restant 40 %... 20 %... 10 %...

Vas-y, bébé. On peut encore être à Sainte-Lucie pour Thanksgiving.

Décodage terminé.

Bingo !

Les lettres défilèrent à l'écran.

Dossier 248

Témoin placé sous contrôle du Programme de sécurité des témoins : Julia Devaux.

Née à Londres, Angleterre, 06/03/77.

Dernier domicile : 4677 Larchmont Street, Boston, Massachusetts.

Affaire : homicide, Joey Capruzzo, 30/09/04. Dernier domicile connu : Sitwell Hotel, Boston, MA. Cause probable du décès : hémorragie massive provoquée par une blessure par balle de calibre 38 au lobe antérieur gauche du cerveau.

Accusé : Dominic Santana. Adresse actuelle : établissement pénitentiaire de Furrows Island.

Allez, plus vite, s'impatienta l'esthète. Je sais déjà tout ça. Dis-moi ce que je ne sais pas.

Placée sous la protection du Programme de sécurité des témoins le 03/10/04.

Aire 248. Code 7gb608hx4y.

Aire 248. Nous savons désormais ce que cela signifie. Le reste, maintenant. C'était du gâteau. L'information était déjà dans le fichier ; la seule difficulté, c'était de l'extraire. Simple question de temps et de patience.

Dommage qu'il n'y ait rien à faire ici pour tuer le temps. Rien, à part contempler le papier peint vert et poussiéreux orné de flamants roses ou chasser les cafards. L'ordinateur vrombit doucement.

Aire 248. Code 7gb608hx4y... Le curseur clignotait depuis un quart d'heure. Le portable bipa au moment précis où l'esthète compta la dernière fissure du plafond.

Ah, l'excitation de la chasse ! Il n'y a que ça de vrai.

Les lettres commencèrent à défiler.

Julia Devaux transférée sous le nom de : Sally Anderson.

Adresse : 150 East Valley Road, Simpson, Idaho.

Bien, bien, bien, se dit l'esthète en se rasseyant. Sally Anderson.

C'était fini. Bientôt l'esthète s'envolerait pour Seattle, plus riche de deux millions.

Le lundi après-midi suivant, Julia, debout sur le seuil de l'épicerie Jensen, tendait envieusement l'oreille en direction des éclats de rire féminins qui fusaient du Out to Lunch.

Derrière elle, elle entendit Loren ronchonner dans sa barbe depuis l'arrière-boutique et sourit. L'épicier n'était guère familiarisé avec les outils et la peinture. Les projets de transformation du magasin le dépassaient. C'était uniquement pour faire plaisir à Beth qu'il avait accepté de les réaliser. Julia n'avait pas besoin de se retourner pour savoir qu'il secouait la tête en déballant le matériel que sa femme lui avait fait acheter.

Elle jeta une fois de plus un coup d'œil des deux côtés de la grand-rue. Il était quatre heures et demie. Cooper avait dit qu'il serait là avant cinq heures.

Seize heures trente-trois. Julia parcourut une fois de plus la rue déserte du regard.

Pourquoi pas ? Quel risque courait-elle ? Elle pouvait très bien faire un saut au Out to Lunch, prendre une tasse de thé, grignoter quelques pâtisseries de Maisie, échanger quelques phrases avec Alice et revenir à l'épicerie avant même que

Loren et Cooper se soient aperçus de son absence. Rien qu'un quart d'heure.

Animée d'une audace subite, elle jeta un dernier coup d'œil derrière elle, puis fila dans la rue comme une flèche. Quand elle poussa les portes du restaurant, un envoûtant fumet de nourriture et le brouhaha familier d'une fête entre filles firent naître un grand sourire sur ses lèvres.

— Sally! s'exclama Alice en s'approchant, vêtue d'une adorable petite robe noire toute simple qui mettait sa silhouette en valeur. Ça me fait plaisir de te voir. Je croyais que Cooper avait dit...

Une grosse dame endimanchée posa la main sur l'avant-bras d'Alice, l'empêchant de finir sa phrase. Elle voulait savoir où se trouvaient les toilettes, et Alice proposa de lui montrer le chemin.

Julia lui fit signe qu'elle l'attendait, puis promena son regard autour d'elle et se dit que si l'inauguration était un indice, le Out to Lunch était promis à un bel avenir. Maintenant que la salle était bondée, le bar à fougères faisait un peu moins ringard. De fait, la table à tréteaux recouverte d'une nappe bleu ciel surchargée d'appétissantes pâtisseries préparées par Maisie lui conférait même une touche... élégante.

Une trentaine de femmes se pressaient autour de la table et, à en juger d'après leurs mines – et la quantité de décibels qu'elles émettaient –, passaient un excellent moment. Elles faisaient disparaître les pâtisseries avec l'efficacité d'une nuée de sauterelles.

Julia jaugea la rangée compacte que formaient leurs dos et se dit qu'approcher du buffet tiendrait de la discipline olympique. Elle n'avait pas beaucoup de temps devant elle et tenait à goûter à tout. Elle fonça sur le rempart humain, bien décidée à livrer bataille.

— Salut !

Une jeune femme blonde lui barrait la route, une assiette garnie d'un copieux assortiment de friandises à la main.

— Comment ça va ? poursuivit-elle. Ouf ! Je suis contente de croiser enfin une tête connue. Tu as goûté ces petits machins au chocolat ? C'est un vrai régal.

Julia regarda la jeune femme. Son visage lui était familier...

— Mary, dit-elle en se souvenant subitement de son nom. Mary...

— Ferguson.

— C'est ça. On s'est croisées à la librairie de Rupert, fit poliment Julia en lorgnant vers la table.

Il ne restait plus que trois ramequins de mousse au chocolat.

— Oui, répondit Mary en portant un beignet à sa bouche. Mmm... Comment s'appellent ces trucs ?

— Des beignets, répondit Julia.

Une main émergea de la foule et s'empara d'un ramequin. Il ne restait plus que deux mousses au chocolat.

— Si tu veux bien m'excuser, ajouta-t-elle en faisant mine de s'éloigner.

Mary posa sa main libre sur son bras.

— Tu avais raison, tu sais.

— À propos de quoi ?

Un autre ramequin disparut, et Julia réprima un soupir.

— Je me suis trompée, déclara Mary en faisant la moue.

Julia se souvint des étranges calculs auxquels s'était livrée la jeune avocate avant d'ouvrir un cabinet à Dead Horse.

— Tu n'as pas trouvé de clients ?

Le gâteau aux pommes n'était plus qu'un souvenir, et le bavarois au chocolat n'allait pas tarder à suivre.

— Si, quelques-uns, mais…

Julia salivait tellement qu'elle avait du mal à se concentrer sur la conversation. Elle regarda avec envie Mary faire un sort au dernier beignet qui se trouvait sur son assiette. Pour la première fois de sa vie, elle regretta les bonnes manières que sa mère lui avait inculquées.

— Mais… ?

— Je ne sais pas, soupira Mary. J'ai déniché un divorce et une affaire de dommages corporels. Le divorce est affreux – l'homme et la femme racontent des horreurs à leurs enfants qui se retrouvent pris en otages. Quant à l'autre affaire… mon client simule, chuchota-t-elle en se penchant vers Julia. Il essaye d'extorquer de l'argent à la compagnie d'assurances.

— Non ! dit Julia en faisant de son mieux pour paraître choquée.

— Je ne m'attendais pas à ça. Je croyais que ce serait comme dans *La Loi de Los Angeles* ou *Murder One*. Que je me battrais pour faire triompher la justice et que je ferais acquitter mes clients injustement accusés.

— Dans quelle branche ton père est-il spécialisé ? demanda Julia.

— Droit immobilier. Je trouvais ça ennuyeux, mais maintenant…

— Tu devrais peut-être reconsidérer ta position. Le cabinet de ton père n'est peut-être pas si mal, finalement.

— C'est ce que je me dis. Je m'étais donné jusqu'à Noël, mais finalement, je crois que je vais rentrer chez moi après Thanksgiving.

— Mmm, acquiesça Julia.

Le dernier ramequin de mousse au chocolat lui faisait de l'œil. Si elle ne se jetait pas dessus immédiatement, quelqu'un d'autre le ferait à sa place.

— Eh bien, j'espère qu'on se reverra d'ici là, conclut-elle, fermement décidée à prendre congé.

Une femme tendait la main vers la mousse et Julia se précipita pour la rafler avant elle. Une poigne aussi dure que l'acier se referma sur son épaule et la força à se retourner.

— Tu peux m'expliquer ce que tu fabriques ? retentit une voix grave et chargée de colère au-dessus d'elle.

Oh, oh, se dit Julia.

18

— Tu peux m'expliquer ce qui t'a pris ? demanda Cooper pour la centième fois.

Il l'avait fait sortir du restaurant par la peau du cou et l'avait ramenée à la maison *manu militari*.

Depuis une demi-heure, il arpentait la moquette élimée du salon au risque de la trouer et lui passait un savon maison.

— Je croyais pourtant t'avoir dit…

— … de ne pas quitter l'épicerie, acheva Julia d'un ton las. Oui, tu me l'avais dit.

— Tu savais que tu n'étais pas censée aller à l'inauguration du restaurant d'Alice. Oui ou non ?

— Oui, Cooper.

— Tu savais que c'était dangereux.

— Oui, Cooper.

Julia, d'ordinaire si vive, semblait complètement amorphe et éteinte. Elle avait les yeux rivés sur le sol, comme si elle luttait pour se maîtriser.

— Je suis désolée, lâcha-t-elle avant d'exhaler un long soupir et de relever enfin les yeux. Tu essayes seulement de me protéger et je me suis comportée comme une gamine. Je te présente mes excuses, Cooper.

La colère fulgurante qui s'était emparée de lui quand il avait surpris Julia en train de bavarder avec cette fille blonde s'estompa légèrement. Le plus éprouvant n'avait pas été la colère, mais la peur qui l'avait précédée.

Lorsque Cooper était arrivé à l'épicerie, la boutique était déserte. Une peur panique l'avait submergé. Loren Jensen avait surgi de l'arrière-boutique en s'essuyant les mains sur son tablier.

— Excuse-moi, Cooper, j'étais débordé. Où est…

Loren avait alors regardé autour de lui, blême, les yeux remplis d'effroi.

Julia avait disparu. Cooper avait eu l'impression que son cœur cessait de battre.

— Nom de Dieu, avait murmuré Loren. Elle n'est pas là. Ô Seigneur, qu'est-ce que j'ai…

Mais Loren s'était lamenté dans le vide parce que Cooper était déjà dans la rue. Il avait filé comme une flèche vers le seul endroit où elle pouvait être. Si elle n'était pas morte.

L'inauguration du restaurant d'Alice.

Peu importait qu'ils se soient longuement chamaillés au sujet de la participation de Julia à cet événement, ainsi qu'au repas de Thanksgiving de Maisie. Peu importait qu'elle ait reçu l'ordre exprès de ne jamais aller nulle part sans escorte. Julia avait beau savoir qu'elle était traquée, elle ne comprenait pas ce que cela signifiait.

Cooper, lui, le savait parfaitement. Il avait plus d'une fois pourchassé des fugitifs et connaissait le puissant attrait de la chasse.

Il avait exigé que Herbert Davis lui transmette le dossier complet de Santana, et la lecture de ce dossier avait eu pour effet de démultiplier ses craintes. Santana n'était pas une quelconque petite frappe. C'était un vrai caïd de la mafia, qui avait commencé en bas de l'échelle et avait à de nombreuses reprises manifesté une cruauté sans bornes. Cooper savait aussi ce que signifiait un contrat de deux millions de dollars, justement parce que aucun contrat n'avait jamais atteint une somme aussi faramineuse. Tous les malfrats du pays, du plus petit au plus gros, étaient sur la piste de Julia.

— Je suis désolée, Cooper, répéta-t-elle. Je n'aurais pas dû partir.

La colère et la peur de Cooper s'atténuaient lentement. Il enfouit les mains dans ses poches.

— Non, tu n'aurais pas dû.

— Je n'aurais pas dû te désobéir.

— Non.

— Tu t'es inquiété.

Doux euphémisme. Il avait plutôt été terrifié.

— Oui.

— Mais tu avoueras que c'est quand même difficile d'imaginer qu'un des membres du Comité des femmes de Rupert soit en cheville avec Santana, ne put-elle s'empêcher d'ajouter.

— Tu n'y connais rien, rétorqua-t-il.

À la grimace de Julia, Cooper se rendit compte qu'il s'était exprimé d'un ton extrêmement cassant.

— Le danger peut arriver de n'importe où, à n'importe quel moment, et si tu ne t'y attends pas, il suffira d'une seconde pour que tu cesses d'exister.

Il vit ses beaux yeux s'agrandir de frayeur et maudit le sort qui avait fait d'une femme aussi douce et belle une femme traquée.

— Je ne laisserai pas Santana toucher à un seul de tes cheveux. Tu peux en être certaine.

— Il l'a déjà fait, répondit-elle.

— Qu'est-ce que tu racontes ?

Il avait demandé cela d'un ton dur, mais Julia ne s'en formalisa pas.

— Santana a déjà gagné, Cooper. Il m'a pris ma vie. J'ai perdu mon travail et je n'ai pas remis les pieds chez moi depuis deux mois. Qui sait quand je le ferai ? Toutes mes plantes seront mortes. Mon chat aussi.

Elle laissa échapper un rire amer, luttant bravement contre les larmes.

— Il s'appelle Federico Fellini. C'est pour ça que j'ai appelé Fred comme ça.

En entendant son nom, Fred décolla le museau de ses pattes et balaya le sol d'un mouvement de queue interrogateur.

— Pourtant, il ne lui ressemble absolument pas. Ne le prends pas mal, Fred.

Comme s'il comprenait, Fred reposa le museau sur ses pattes en gémissant.

— Tout ce que j'avais, tout ce que j'étais a disparu. Je n'ai plus de vie. Santana a déjà pris ma vie, conclut-elle d'une voix atone.

C'était vrai. Cette vivacité qui n'appartenait qu'à elle avait disparu. Comme si on avait éteint les lumières à l'intérieur de son corps.

Julia était parvenue à redonner vie à Simpson. Une ville qui agonisait depuis des années. Grâce à elle, Simpson semblait sur le point de renaître de ses cendres.

Cooper savait que peu de gens auraient été capables d'encaisser la perte de leur maison et de leur travail, doublée d'un parachutage dans une ville inconnue, et de trouver malgré tout l'énergie de se faire de nouveaux amis. Lui-même en aurait certainement été incapable.

— Cooper ? demanda-t-elle d'une voix inquiète. Tu es toujours en colère après moi ?

— Non.

Il laissa échapper un soupir et tendit les bras vers elle pour la serrer contre lui.

— Je n'étais pas en colère. J'ai eu affreusement peur.

— Moi aussi, murmura-t-elle en se blottissant contre lui.

— Mais alors, pourquoi… commença-t-il avant de s'interrompre.

Il savait pourquoi. La transformation du Carly's Diner était son idée et elle y avait activement participé. Être présente à l'inauguration était parfaitement naturel.

— Tu comptes énormément pour moi, avoua-t-il d'une voix nouée par l'émotion.

— Je sais, Cooper, répondit-elle doucement avant de s'écarter de lui.

Ses beaux yeux étaient tristes et fatigués, alors qu'ils auraient dû étinceler de joie.

— Tu t'es inquiété à cause de mon égoïsme. Je suis désolée. Tu veux bien me pardonner ?

Elle aurait ému une pierre.

— Oui, je te pardonne. C'était de ma faute, de toute façon. Je n'aurais pas dû arriver en retard.

— Tu n'as rien à te reprocher, Cooper, dit-elle en lui caressant la joue. Je suis la seule responsable. C'est plus fort que moi. Je ne peux pas vivre comme tu voudrais que je vive. Je voulais voir comment Alice s'en sortait.

Un demi-sourire apparut sur les lèvres de Cooper.

— Dis plutôt que tu mourais d'envie de goûter la mousse au chocolat de Maisie.

— C'est vrai aussi, admit-elle en souriant. Mais je n'ai même pas pu y goûter. Ce n'est pas grave, elle m'en apportera à l'épicerie demain si je le lui demande. Tu sais quoi, Cooper ?

— Hmm ?

— On vient d'avoir notre première dispute.

— Oui, soupira-t-il.

— Et on y a survécu.

— Oui.

— Pourtant, tu étais sacrément obstiné.

— Et toi, sacrément imprudente.

— Mais tu m'as pardonné, dit-elle en lui souriant de toutes ses dents.

— Oui, répondit Cooper en l'attirant contre lui.

Julia lui offrit ses lèvres.

— Je crois que ce baiser signifie que je compte énormément pour toi, murmura-t-elle lorsque leurs lèvres se descellèrent.

— Je crois qu'on peut dire ça comme ça, acquiesça Cooper avec un sourire contrit.

— Ouf!

Deux jours plus tard, Cooper roula sur l'épaule gauche et se félicita d'avoir insisté pour que Julia installe un matelas par terre dans le salon pour sa séance d'aïkido quotidienne. Sans lui laisser le temps de souffler, elle s'assit à califourchon sur son torse.

— J'ai réussi! pavoisa-t-elle en donnant des coups de poing dans le vide. J'ai réussi! Je t'ai mis à terre!

Elle se redressa pour improviser une petite danse de guerre.

— Tu n'y es pas allée de main morte, commenta Cooper en se relevant, un grand sourire aux lèvres.

Il aimait la voir ainsi, heureuse et triomphante. Il aimait voir ses joues d'un blanc crayeux prendre cette pulpeuse teinte abricot. Il adorait voir ses lèvres s'incurver selon le pli qui leur était naturel, celui du sourire.

Se faire mettre au tapis n'avait rien d'agréable, mais voir Julia reprendre confiance en elle était un spectacle si délicieux que cela en valait le coup.

Il lui avait enseigné les prises de base, et elle commençait à les maîtriser suffisamment pour se défendre contre un adversaire non entraîné. Non entraîné et exceptionnellement faible. Le but de cet entraînement était de lui faire sentir la jubilation qu'il y a à mettre un adversaire à terre.

Ce qui expliquait que Cooper se soit retrouvé allongé sur le matelas.

Julia fredonnait à présent le thème de *Rocky*, martelant l'air de ses poings comme un champion poids lourd. Elle fit mine de lui donner un crochet au menton.

— Tu n'es pas si costaud que ça, patapouf, déclara-t-elle avant d'éclater de rire.

— Je suis profondément humilié, rétorqua-t-il en souriant.

— J'exige une récompense pour ma victoire ! claironna-t-elle en sautillant autour de lui. Sinon, je te casse la figure !

— Je suis mort de peur, répondit-il, incapable de lui résister quand elle était de cette humeur. Je t'écoute. Tu peux me demander tout ce que tu veux.

Julia s'immobilisa.

— Sérieux ?

— Qu'est-ce qui te ferait plaisir ? Un cheval ? proposa-t-il. J'ai un alezan clair superbe à la bouche très délicate. Tu l'adorerais.

Julia secoua la tête.

— Des bijoux ?

Elle secoua la tête.

— Un manteau de fourrure ?

Nouvelle torsion du cou.

— Qu'est-ce que tu veux, alors ?

— Je veux aller au repas de Thanksgiving de Maisie.

Le sourire de Cooper disparut instantanément.

— Non, dit-il. C'est hors de question.

Le sourire de Julia s'envola tout aussi instantanément.

— Tu as dit que je pouvais demander ce que je voulais. Je veux être là quand Alice et Maisie feront salle comble pour la première fois.

— Non, gronda Cooper. Tout ce que tu veux, sauf ça. Tu peux avoir des diamants, des perles, le plus beaux de mes étalons, mais tu ne participeras pas à un repas de Thanksgiving au milieu d'une foule de gens. Point final.

L'atmosphère se tendit. Julia avait cessé de faire le clown. Elle était raide comme un piquet.

— Si je ne peux pas avoir d'amis, si je n'ai pas le droit d'assister au triomphe de mes amis, si je ne peux faire aucun projet, je préfère disparaître, Cooper. Je préfère mourir. Je te le demande comme un service. Je veux partager ce moment avec Alice. Rien qu'un moment, insista-t-elle en cherchant son regard. S'il te plaît, Cooper.

— Bon sang !

Cooper eut envie de cogner quelque chose. C'était de la folie, de la témérité pure et simple. Mais il savait ce que cela représentait pour elle, pour Alice et pour Maisie. La priver de ce plaisir était injuste.

Cooper demeura un instant immobile, des idées contradictoires se livrant un combat sans merci dans sa tête. La témérité d'un tel risque. Le droit légitime de Julia.

Je ne veux pas faire ça, pensa-t-il. Je ne veux pas dire ça.

Mais il le dit quand même.

— D'accord.

— Oh, Cooper !

Le visage de Julia rayonna d'un tel bonheur qu'il en oublia presque la douloureuse sensation qu'il venait de ressentir à l'idée de commettre l'erreur de sa vie.

— Merci, Cooper. Merci mille fois ! s'écria-t-elle en le serrant dans ses bras avant de l'entraîner dans une valse. J'ai tellement envie d'y aller. Maisie a conçu un menu délirant, elle a travaillé comme une folle et ça va être...

Elle s'interrompit subitement et lui jeta un coup d'œil craintif.

— Tu avais dit que tu ne voulais pas que je me trouve en présence d'inconnus.

— Je sais ce que j'ai dit.

— Tu te méfiais même des membres du Comité des femmes de Rupert. Tu viens de faire une énorme concession.

— Oui.

— C'était notre deuxième dispute.

— Oui.

— Et tu as cédé.

— Euh...

— Ce sera juste un après-midi, Cooper, lui assura-t-elle d'une voix câline. Rien que quelques heures. Et puis tu pourras venir, si tu veux.

— Évidemment que je serai là, répliqua-t-il, éberlué.

Comment pouvait-elle imaginer qu'il en serait autrement ? Il serait là, et armé. Tout comme Bernie, Sandy, Mac et Chuck.

— Je suis contente que tu aies changé d'avis, dit-elle en lui souriant.

Cooper l'attira contre lui. Julia lui offrit ses lèvres.

— C'est bon de savoir que tu n'es pas aussi obstiné que cela, finalement, murmura-t-elle lorsque leurs lèvres se séparèrent.

— Merci, marmonna-t-il.

Les tueurs à gages excellaient à passer inaperçus.

De stature et corpulence moyennes, l'esthète s'immisçait partout pour récolter des informations, mais après son passage, personne n'aurait pu décrire son visage avec précision. Cela faisait partie du métier, pour ainsi dire.

Dénicher un plan de Simpson s'était avéré impossible, mais le 150 East Valley Road avait été facile à trouver. La ville devait se composer de six rues en tout et pour tout.

C'était un petit cottage de plain-pied à la peinture délavée, avec un minuscule jardin absolument sinistre sur le devant. Un des piliers du porche présentait une fissure d'au moins trois centimètres de large.

Tu t'es réveillée en bas de l'échelle, Julia Devaux, s'était dit l'esthète en observant la façade.

Il semblait néanmoins qu'elle n'avait pas perdu son temps depuis son arrivée à Simpson. Elle fréquentait apparemment une espèce de cow-boy appelé Sam Cooper. Et, surtout, elle était entourée en permanence. Dès qu'elle mettait le pied dehors, elle était accompagnée. Et le cow-boy passait toutes les nuits chez elle. Les hommes qui l'accompagnaient à tour de rôle s'appelaient Sandy, Mac, Bernie et Chuck, le shérif.

Il y avait bien eu une brève opportunité au cours d'un incroyable goûter de rombières au restaurant local, mais l'apparition du cow-boy avait tout flanqué par terre.

En temps normal, l'esthète aurait contourné ces difficultés d'un simple tir de sniper depuis un toit au moment où Julia Devaux traverserait une rue. Mais pour ce contrat, Santana exigeait de savoir *qui* l'avait exécuté. Tuer Julia Devaux ne suffisait pas à empocher les deux millions, il fallait aussi prouver qu'on l'avait fait.

Tout était minutieusement préparé. Le Smith & Wesson à canon court, l'appareil photo à dateur automatique… C'était vraiment dommage que la situation lui échappe ainsi. L'esthète avait prévu de prendre possession de sa villa le dimanche 30, et ces difficultés inattendues risquaient de bouleverser son planning.

Maudit Sam Cooper.

L'esthète décida de consulter le profil de Cooper. Les informations le concernant s'affichèrent à l'écran. En apercevant l'icône symbolisant une distinction militaire, l'esthète se redressa sur sa chaise.

Un ancien soldat. Mauvaise nouvelle.

L'esthète s'introduisit alors illégalement dans la banque de données du ministère de la Défense.

Très mauvaise nouvelle.

Sam Cooper n'avait rien d'un cow-boy ordinaire. C'était un ancien SEAL. Ceinture noire de judo et de karaté, spécialiste des arts martiaux. L'esthète parcourut son dossier militaire. Non seulement ancien commando, mais également stratège de haut niveau. Plusieurs hommes ayant servi sous ses ordres l'avaient suivi dans son ranch, dont deux snipers hautement décorés qui s'appelaient Harry Sanderson et Mackenzie Boyce. Sandy et Mac.

Très, très mauvaise nouvelle.

Apparemment, pas de Bernie parmi les hommes de Cooper, mais l'esthète aurait parié que ce Bernie-là savait manier le fusil.

Ce n'était pas un hasard si Julia Devaux n'était jamais seule.

L'esthète sentit son sang bouillonner. Cette partie de son plan était censée être la plus facile. Propre, net et précis. Sans douleur – une intervention chirurgicale.

Thanksgiving. Pour Thanksgiving, sa chance tournerait, les gens auraient la tête ailleurs. Tout le monde ferait la fête, ripaillerait et chasserait ses soucis en buvant plus que d'habitude. Ce qu'il fallait, c'était une stratégie solide. Pas le moindre faux pas. Rien d'improvisé.

L'esthète avait une sainte horreur de la violence.

— Parle-moi, Cooper, chuchota Julia dans son cou.

Elle affermit la prise de ses bras autour de ses épaules et ses jambes enserrèrent plus étroitement sa taille. Ils venaient de faire l'amour pendant des heures.

Cooper ne l'aimait plus de la même façon depuis qu'il connaissait sa véritable identité. Il consacrait à présent tellement de temps aux préliminaires que Julia, pantelante, devait le supplier de la pénétrer.

— Parle-moi, répéta-t-elle.

Cooper rouvrit brusquement les paupières. Il s'était endormi.

— Tu dois trouver que j'exagère, murmura-t-elle en caressant doucement ses cheveux.

Ses émotions passaient en permanence d'un extrême à l'autre. Elle était parfois en proie à une

336

frayeur si grande qu'elle ne pouvait plus bouger.
Pour se calmer, elle s'abrutissait de plaisir dans
les bras de Cooper, enchaînant les orgasmes les
uns après les autres. Anxiété. Satisfaction. Joie.
Tristesse. Elle laissa échapper un long soupir.

— Parfois, je ne peux pas m'arrêter de penser.
Les idées tournent dans ma tête à toute allure et
je ne sais pas comment…

— Je t'aime.

La voix tranquille de Cooper avait lâché cette
petite bombe dans le silence de la nuit. Le cœur
de Julia palpita follement.

Son esprit était incapable de trouver une
réponse, alors que son corps réagissait spontanément à la pression de ses grandes mains sur ses
hanches et à son sexe qui reprenait vie en elle.

— Je crois que je n'ai pas de réponse à cela.

— Ce n'est pas grave, répliqua-t-il calmement.
C'est même normal. Tu es bouleversée par tout ce
qui t'arrive et je n'aurais pas dû te dire ça maintenant, mais je voulais que tu le saches, au cas où…

— Cooper, je…

L'index qu'il plaça sur ses lèvres l'empêcha de
poursuivre.

— Non, tu n'as pas besoin de me répondre. Les
choses sont trop embrouillées pour l'instant pour
que tu sois certaine de tes sentiments. Les miens
suffisent.

Bouleversée, Julia déposa un baiser sur son
menton.

— Depuis quand es-tu devenu si sage ?

Cooper leva la tête et lui sourit. Ses hanches
entamèrent un lent mouvement de rotation.

— Je ne suis peut-être pas l'homme le plus sensible du monde, mais je ne suis pas de pierre.

— Non. À l'exception d'une partie de ton corps
que je sens justement en moi.

Elle effleura de ses lèvres le tendon de son cou et posa la main sur l'arrondi de son épaule. Elle aimait le contact de sa peau, sa force, son assurance.

Ses jambes encerclèrent son dos et elle éperonna le rythme de ses poussées avec ses talons. Ses mouvements furent d'abord lents, presque languides. Julia ferma les yeux et se concentra sur la spirale de plaisir électrique qui tournoyait entre ses cuisses. Cooper intensifia ses poussées jusqu'à l'amener, frémissante, au bord de l'extase.

Il suffit alors de quelques assauts brefs et vigoureux pour la faire basculer. Julia laissa échapper un grand cri et ses contractions eurent raison de Cooper. Son sexe enfla en elle et il éjacula à longs traits.

Julia se pressa contre lui lorsque les violents frissons de l'orgasme traversèrent le corps de Cooper, jusqu'à ce qu'il s'immobilise et se laisse aller contre elle.

Tout lui plaisait dans sa façon de lui faire l'amour, mais cet instant était unique. Quand ils atteignaient le sommet ensemble et s'apaisaient ensuite, intimement connectés à tous les niveaux. Sexe, cœur, esprit.

Elle plaqua son corps contre le sien. Cooper. Son Cooper. Il avait beau être d'une force phénoménale, il n'en demeurait pas moins un être de chair et de sang. Ce n'était pas un super héros. Julia l'avait déjà vu fatigué, inquiet, anxieux. Des rides étaient apparues sur son visage et elle savait qu'elle en était responsable. Pourtant, pas une fois il n'avait laissé entendre qu'il lui en voulait de son intrusion dans sa vie.

C'était une nuit sans étoiles. Elles étaient voilées par des nuages, gros de la tempête de neige qu'annonçait la météo. Il n'y avait pas un bruit dehors. Cooper lui avait dit que les animaux se blottissaient dans leurs terriers quand ils sentaient la tempête approcher. C'était comme si elle et Cooper étaient seuls au monde.

Tout était si radicalement différent de Boston. Chez elle, Larchmont Street était noire de monde à onze heures du soir. C'était l'heure de la sortie des théâtres et des cinémas. La vie ne s'arrêtait jamais au cœur de Boston. Lorsqu'ils rentraient chez eux, les noctambules croisaient les camions des éboueurs et les employés de bureau qui faisaient leur jogging avant d'aller travailler.

À Simpson, la campagne s'étendait à perte de vue derrière sa maison.

Drôle d'endroit pour rencontrer l'amour.

L'amour. Cooper avait dit qu'il l'aimait. Elle l'aimait, elle aussi. Ce qu'elle ressentait ressemblait beaucoup à l'amour, en tout cas. Mais l'amour avait sans doute besoin de la possibilité d'un avenir à deux pour s'épanouir complètement, et Julia était incapable d'envisager son avenir. Chaque fois qu'elle essayait de prendre sa vie en main, de faire des projets, un rideau noir tombait sur sa tête.

Elle ressentit subitement l'envie de faire savoir à Cooper à quel point il comptait pour elle. Elle tourna la tête vers lui pour le lui dire, mais il pressa un doigt sur ses lèvres.

— Dors, ma belle, chuchota-t-il. Demain, c'est Thanksgiving.

19

— Eh, Davis ! Le FBI t'envoie des étrennes, lui lança le stagiaire à travers les bureaux déserts.

— C'est Thanksgiving, abruti, bougonna Davis avant de mordre dans son sandwich à la dinde. Les étrennes, c'est au Nouvel An.

Il était neuf heures du soir et il faisait des heures supplémentaires. Une fois de plus. Un jour férié.

— Ouais, c'est pareil, répondit le stagiaire d'un ton guilleret en déposant un paquet sur son bureau. Dans un cas comme dans l'autre, on fait la fête.

L'haleine chargée du stagiaire atteignit les narines de Davis, qui roula des yeux exaspérés. De son temps, il suffisait qu'on vous suspecte de boire pendant le service pour se faire virer.

Il ramassa le paquet scellé sous vide comportant la mention *URGENT*. Il le palpa. Une cassette audio. Il l'ouvrit, puis aperçut le tampon de la date.

— Eh ! lança-t-il au stagiaire qui s'éloignait déjà. Il y a écrit « 28 novembre, 17 heures ». Ça fait plus de vingt-quatre heures et c'est marqué urgent. Qu'est-ce que vous...

Le stagiaire se retourna et agita joyeusement la main.

— Fonctionnaires, dit-il. Jour férié. Désolé, faut que je me sauve.

Davis soupira et sortit la feuille de papier de l'enveloppe scellée. Il était fatigué, de mauvaise humeur. Aaron lui avait peut-être refilé la crève. Cela faisait deux jours qu'Aaron gardait le lit et Davis sentait la maladie le guetter.

Il déplia le message émanant du FBI. Il mit un moment à en comprendre le sens. Le FBI avait mis la ligne privée de S. T. Akers sur écoute dans le cadre d'une affaire de drogue qui ne le concernait pas, et l'agent chargé de l'écoute lui faisait parvenir une cassette dont le contenu était susceptible de l'intéresser.

Davis traversa un long couloir désert jusqu'à la salle du matériel audiovisuel et inséra la cassette dans un lecteur. La curiosité avait dissipé sa fatigue.

Il enfonça la touche *Play*.

Le son crachotait, et il lui fallut une bonne minute avant de comprendre ce qui se disait et qui parlait. Quand un clic retentit, il sentit ses cheveux se dresser sur sa nuque. Il interrompit le défilement de la bande et rembobina.

Son doigt hésita un instant au-dessus de la touche *Play*. Une fois qu'il aurait écouté cet enregistrement, il ne verrait plus jamais son travail de la même façon. Il enfonça la touche.

On entendait d'abord une sonnerie de téléphone. Une voix d'homme impatiente répondait.

— Oui ? Akers à l'appareil.

— Maître Akers ?

— Oui. Qui est à l'appareil ?

— Un ami d'ami, maître. Ou plutôt, un ami de Dominic Santana.

— Je vous écoute.

— Je sais où trouver Julia Devaux.

— Attendez une minute. Vous savez que je ne suis pas autorisé à recevoir ce genre d'information. Je commettrais une infraction vis-à-vis de la loi si je vous écoutais.

— Mais comment…

— Imaginons une situation hypothétique. Imaginons que je raccroche et que je mette mon répondeur automatique en marche. Je sortirais de la pièce pendant que vous délivreriez votre message de façon à ne pas entendre ce que vous diriez. Imaginons ensuite – tout cela relève de la pure hypothèse, vous comprenez bien – que j'emporte la cassette du répondeur avec moi quand j'irai voir mon client en prison. Imaginons enfin que je la lui ai apportée parce que je dois lui faire entendre un autre message qui se trouve justement sur cette cassette. Je n'ai pas pris connaissance de votre message jusqu'à ce que je l'écoute en présence de mon client, et alors, il est impossible de revenir en arrière. Vous comprenez ce que je vous dis ?

— Parfaitement.

— Bien. Après avoir raccroché, je quitterai mon bureau pendant un quart d'heure. Cela sera-t-il suffisant ?

— Largement. C'est juste une adresse. Mais je veux de l'argent. Je veux la moitié de la récompense. Je veux…

— Je ne sais pas de quoi vous parlez. Si vous avez des exigences, laissez-les sur le répondeur.

Le déclic du téléphone qu'on raccrochait retentit, et Davis éteignit le lecteur. Il n'avait pas besoin d'en entendre davantage. Il s'assit, baissa la tête et se laissa submerger par la tristesse. Il y avait un million de choses à faire, mais il s'autorisa une minute de deuil.

L'homme qui avait vendu les informations sur Julia Devaux passerait en justice. Il perdrait son emploi, son droit à la retraite, ses amis et sa liberté. Il écoperait de vingt-cinq ans de prison. Cet homme-là ne perdrait pas sa famille, parce qu'il l'avait déjà perdue.

Herbert Davis venait d'entendre un homme se suicider. Pas n'importe quel homme. Son meilleur ami depuis plus de vingt ans.

L'homme qui venait de vendre Julia Devaux à un tueur s'appelait Aaron Barclay.

— Joyeux Thanksgiving ! dit Alice d'un ton guilleret en voyant apparaître Cooper et Julia.

Les premiers flocons de la tempête de neige qui avait menacé toute la journée commençaient à tomber en cette fin d'après-midi. Cooper posa la main au creux des reins de Julia et franchit le seuil du Out to Lunch.

Il avait un mauvais pressentiment. Très mauvais, même.

— Viens par là, fit Alice en prenant Julia par la main. Il faut absolument que tu voies comment on a présenté les plats de légumes, tu vas adorer. Maisie a préparé une vinaigrette au vinaigre de Xérès tout simplement mortelle !

Mortelle ? J'espère bien que non, songea Cooper en lâchant Julia à contrecœur. Il lui déplaisait de la voir s'éloigner, même si c'était pour suivre Alice à la cuisine. Il adressa un hochement de tête à Bernie, qui franchit les portes battantes à la suite des deux femmes. Sandy resta à sa place près de la fenêtre, son regard balayant alternativement la salle et la grand-rue.

Cooper regarda autour de lui. Pour la première fois de la journée, il bénit la tempête. Les gens n'avaient pas osé s'aventurer trop loin, et il connaissait pratiquement toutes les personnes présentes. Glenn, un grand sourire aux lèvres, était attablé avec Matt près de la cuisine. Trois familles de Simpson, les Roger, les Lee et les Munro, faisaient table commune au centre de la salle. Il y avait aussi deux couples de Rupert que Cooper connaissait de vue. Les seuls clients qui lui étaient inconnus étaient ce couple âgé occupé à se goinfrer d'un large choix de pâtisseries et cet homme seul, assis près de la porte.

Le couple âgé était vraiment *très* âgé. L'homme seul, en revanche, lui déplaisait furieusement. Il avait l'allure d'un représentant de commerce. Cooper le dévisagea ouvertement. Au bout d'un moment, l'homme, visiblement mal à l'aise, regarda autour de lui et croisa le regard franchement hostile de Sandy. Il se tortilla un moment sur sa chaise, puis reposa sa fourchette, se leva et chercha de l'argent dans ses poches. Quelques minutes plus tard, le couple âgé franchit la porte du restaurant derrière lui.

Un éclat de voix en provenance de la cuisine lui fit tourner la tête, et il approcha instinctivement la main de son holster, avant de réaliser que c'était simplement Roy Munro qui était allé féliciter Alice et Maisie en cuisine. Cooper poussa un soupir de soulagement.

Il avait imposé à Julia de venir le plus tard possible, au moment du départ des derniers clients. Il était à peu près certain qu'aucun nouveau client ne se présenterait désormais.

Cooper s'assit à la table qu'Alice leur avait réservée et attendit que Julia consente à émerger de la cuisine. Il passa un doigt dans l'encolure de sa chemise. Il faisait trop chaud dans la salle, et il maudit le holster qui l'obligeait à garder sa veste.

Pour la centième fois de la journée, il regretta amèrement sa décision impulsive d'autoriser Julia à fêter Thanksgiving dans ce restaurant.

Tant que le procès de Santana n'aurait pas eu lieu, il lui interdirait désormais de se montrer dans un lieu public. Cooper réalisa que Noël approchait et grogna intérieurement. Il ne pourrait pas empêcher Julia de fêter Noël avec ses amis. Quelque chose lui disait qu'elle devait considérer le fait de ne pas fêter Noël comme un affront à la Constitution.

Cooper, lui, n'y attachait aucune importance. Les chevaux ne connaissent ni dimanches ni jours fériés. Ils ont besoin d'être nourris et de courir tous les jours, sans exception. Assurer la protection de Julia commençait d'ailleurs à poser de sérieux problèmes d'organisation. Si seulement il avait pu la convaincre de s'installer chez lui…

Il sourit. Tous les problèmes seraient résolus, si elle emménageait au Bonnet C. La présence de Julia apporterait un peu de vie et de chaleur dans cette grande baraque sinistre. Cooper parviendrait peut-être à la convaincre de revoir la décoration des lieux. De transformer sa maison hantée en un nid douillet où il fait bon vivre. Peut-être parviendrait-il à la persuader de rester là définitivement. Il faudrait procéder en douceur, avec doigté, mais c'était envisageable…

— Ça fait plaisir de te voir sourire, dit Julia en s'asseyant face à lui. Je commençais à penser que les plis de ton front étaient des tatouages.

Alice plaça devant eux deux assiettes gigantesques.

— J'ai mis un petit peu de chaque plat, les informa-t-elle. Bon appétit.

Cooper ne reconnut pratiquement rien de ce qui se trouvait dans son assiette. Pour Thanksgiving on mange de la dinde aux canneberges, des patates douces et du gâteau à la citrouille. Un point, c'est tout. Julia, cependant, semblait s'y reconnaître.

— Mmm, soupira-t-elle en fermant les yeux pour humer le fumet de son assiette. Soufflé aux patates douces. Pudding de maïs. Dinde au coulis de framboises. Maisie s'est surpassée.

Alice se trémoussa de joie.

— Oui, elle est géniale, hein ? Attends de goûter la sauce aux framboises. Le coulis, je veux dire. Le directeur du *Pionnier de Rupert* est venu et il a été conquis. Il a dit qu'il nous consacrerait un article !

Malgré son manque d'appétit, Cooper planta sa fourchette dans son assiette. Il mâcha lentement la première bouchée, puis avec plus d'intérêt. En effet, c'était bon. Il eut le temps d'apprécier deux bouchées avant que son plaisir soit brutalement interrompu.

La sonnerie de son téléphone portable retentit. Il consulta le numéro d'appel et se figea. C'était Davis.

Son mauvais pressentiment se confirmait.

Julia regardait Cooper manger, secrètement amusée. Il appréciait visiblement les bons plats, et n'avait tout aussi visiblement pas souvent eu l'occasion d'en goûter dans sa vie. Elle prit une bouchée de la farce cuisinée par Maisie et ferma les yeux de délice.

Elle avait bien fait d'insister pour venir. Elle avait besoin de sortir. Et Cooper aussi.

Il n'en avait pas soufflé mot, mais Julia savait qu'il négligeait son travail. Il se ruinait la santé à faire tourner le ranch tout en assurant sa protection.

Elle pourrait peut-être lui proposer de s'installer au ranch avec lui.

Il y avait peu de temps de cela, cette idée l'aurait horrifiée, mais elle lui trouvait à présent un certain charme. Elle reverrait de fond en comble la décoration de sa maison de la famille Adams, gambaderait dans sa cuisine de trente mètres carrés, et se repaîtrait du spectacle de ses somptueux chevaux.

Surtout, elle pourrait passer plus de temps avec lui. Elle les imaginait déjà, tendrement enlacés devant un feu de cheminée. Il devait y avoir des centaines de cheminées dans cette maison, et ils pourraient faire l'amour devant chacune d'elles.

Un étrange vrombissement interrompit cette délicieuse rêverie.

— Qu'est-ce que c'est ? demanda-t-elle.

Cooper reposa sa fourchette et plongea la main dans sa poche pour attraper son téléphone portable. Les pans de sa veste s'écartèrent, et Julia aperçut un objet métallique sous son aisselle. Cooper ouvrit son portable et fronça les sourcils.

— Allô ?

Il écouta. Son regard devint dur.

— Cooper ? l'appela-t-elle doucement.

Il leva les yeux vers elle, mais son regard la transperça sans la voir. Julia percevait la voix de son correspondant mais ne comprenait pas ce qu'il disait. Cooper fit passer son portable dans sa main gauche et sortit son arme de la droite.

— Cooper ? murmura-t-elle, terrifiée.

Il coupa la communication avec une expression tendue.

— Sandy ? lança-t-il à voix basse.

— Oui, répondit aussitôt l'intéressé.

— Va chercher Chuck.

— Tout de suite, chef.

Sandy disparut dans un tourbillon de neige. Bernie et Mac s'approchèrent de leur table.

— Bernie, dit Cooper sans lever les yeux tandis qu'il vérifiait le chargeur de son arme, va chercher le Springfield et le 38 dans le pick-up. Rapporte aussi un stock de munitions.

— Cooper, fit Julia en agrippant le revers de sa veste d'une main tremblante. Dis-moi ce qui se passe, pour l'amour de Dieu ! Qui t'a appelé ?

— Herbert Davis, répondit-il d'une voix plate. Santana sait où tu es depuis vingt-quatre heures. Ses hommes de main sont probablement déjà ici.

À partir de cet instant, les événements se précipitèrent.

Chuck fit irruption, secouant la neige de son blouson en mouton retourné, les bras chargés d'un véritable arsenal. Bernie et Mac entrèrent à sa suite, la mine sombre, portant chacun une arme.

Cooper était au milieu de la salle, en train de parler avec Glenn. Les autres formèrent un cercle autour d'eux.

Maisie sortit de la cuisine en s'essuyant les mains sur son tablier.

— Que se passe-t-il ? demanda-t-elle.

— Sally ? s'enquit Alice en apparaissant à son tour.

Julia s'approcha d'elle et lui tapota l'épaule.

— Ne t'inquiète pas, tout va bien.

— Non, tout va très mal.

La voix grave de Cooper la fit sursauter.

— Alice, des tueurs à gages sont en route pour Simpson. Ils viennent pour tuer...

Il hésita un instant.

— Julia, acheva-t-elle à sa place. Alice, je ne m'appelle pas Sally Anderson. Je m'appelle Julia. Julia Devaux. Et ces tueurs veulent m'abattre.

— Vraiment? répliqua calmement Alice. Eh bien, ils peuvent toujours courir. Cooper, ajouta-t-elle en se tournant vers lui, quels sont les ordres?

Cooper regarda attentivement autour de lui. Ses traits étaient tirés, mais quand il s'exprima, ce fut d'une voix aussi posée que celle d'Alice.

Les gens de l'Ouest sont peut-être dépourvus du gène de la panique, songea Julia.

— Bien, commença-t-il. Voici ce que j'attends de vous: verrouillez toutes les portes et réduisez l'éclairage au maximum. Rassemblez-vous au centre de la pièce, le plus loin possible des fenêtres. Dégagez tous les objets qui risquent de devenir coupants en se brisant: verre, céramique, poteries. Bernie, Sandy et Mac resteront avec vous.

— Moi aussi, intervint Glenn. Tu peux compter sur moi, Coop. Je sais manier une arme. On est tous avec toi, dans cette histoire.

— Absolument, fit écho Loren.

Cooper hocha la tête.

— D'accord. Chuck vous donnera une arme. Glenn et Loren, vous vous posterez à la porte du fond, Bernie à la porte d'entrée. Sandy et Mac surveilleront les fenêtres. Normalement, les tueurs devraient d'abord aller chercher Julia chez elle, mais on ne sait jamais.

Julia regarda Chuck distribuer des armes à la ronde, puis Glenn, Loren, Bernie, Sandy et Mac se placèrent chacun à leur poste. Cooper mit dans une sacoche en cuir des objets que Julia ne parvint pas à identifier, ainsi que deux torchons qu'il avait pris dans la cuisine.

Apparemment, il semblait entendu que Chuck l'escorterait. Chuck n'était plus de première jeunesse et souffrait d'embonpoint, mais Julia s'abstint de discuter la décision de Cooper. Elle comprit qu'il avait délibérément choisi de laisser ses meilleurs hommes avec elle.

Il affronterait les tueurs pratiquement seul.

Julia sentit sa gorge se serrer et regarda autour d'elle. Les femmes s'affairaient à débarrasser la pièce et à déplacer les tables. Les hommes vérifiaient leurs armes. Personne n'avait émis la moindre réflexion.

C'était son problème. Ils auraient dû se soucier de sauver leur peau et la laisser se tirer d'affaire toute seule. Cooper l'aurait défendue. C'était assez normal puisqu'ils étaient ensemble. Mais Glenn, Loren, Bernie, Sandy, Mac, Beth, Alice, Maisie… ce n'était pas leur histoire.

Julia sentit des larmes picoter ses yeux. Les habitants de Simpson n'hésitaient pas une seconde à risquer leur vie pour la défendre. Elle sentit quelqu'un lui toucher l'épaule, se retourna et se retrouva entre les bras de Cooper.

Elle le serra dans ses bras, inhala son odeur – sapin, cuir et homme – et se plaqua contre lui comme si elle voulait l'imprimer sur sa peau. Une grosse boule de larmes et de frayeur s'installa dans sa poitrine.

— Sois prudent, Cooper, murmura-t-elle.

Il se détacha d'elle et la tint à bout de bras devant lui.

— Tout se passera bien. Comment te sens-tu ?

Julia invoqua mentalement toutes les courageuses héroïnes de cinéma qu'elle connaissait et lui décocha un sourire façon Vivien Leigh.

— Ça va aller, parvint-elle à articuler.

— Prends ton arme.

— Oh.

Julia l'avait complètement oubliée. Elle sortit le petit revolver de son sac et le soupesa en se demandant si elle aurait le courage de s'en servir.

— Tu te souviens de ce que je t'ai dit au sujet du cran de sécurité ?

— Oui, Cooper, répondit-elle en luttant pour refouler ses larmes.

Cooper planta un rapide baiser sur ses lèvres et se dirigea vers la porte avec Chuck.

— Papa ? lança Matt depuis le seuil de la cuisine.

Chuck s'arrêta devant la porte et se retourna.

— Qu'est-ce qu'il y a, fiston ?

— Il me faut une arme, à moi aussi.

Julia lut sur le visage de Chuck les émotions qui luttèrent fugitivement en lui. Surprise. Crainte. Fierté.

La fierté l'emporta.

Chuck s'approcha de la table où Bernie avait entassé les armes, s'empara d'un fusil et le tendit à son fils.

C'en fut trop pour Julia.

— Non, Chuck, s'interposa-t-elle. C'est mon histoire. Il est hors de question qu'un enfant se fasse tuer à cause…

— Tu fais partie de notre communauté, Julia, l'interrompit-il. Et nous défendons les nôtres. Matt a commencé à apprendre à tirer quand il avait six ans. J'y ai personnellement veillé. Je ne m'en étais pas rendu compte, mais je crois que c'est un homme à présent.

Il remit solennellement le fusil à son fils, qui s'en empara tout aussi solennellement.

— Veille sur les femmes, fiston, lui dit-il d'une voix grave.

Julia se demanda si elle avait envie de rire ou de pleurer. Le visage de Matt paraissait subitement si adulte, comme si sa coiffure, ses boucles d'oreilles et ses piercings n'étaient qu'un déguisement plaqué sur des traits forgés par des générations de pionniers. Les petits garçons devenaient très tôt des hommes, dans la région.

— Compte sur moi, papa, répliqua Matt.

Chuck hocha la tête et rejoignit Cooper dehors.

Dès qu'il eut disparu, un immense sourire fendit le visage de Matt.

— Trop fort ! s'exclama-t-il en se positionnant près de la fenêtre.

D'une main, il approcha l'arme de son oreille, comme les justiciers des séries télé.

— À partir de maintenant, il faudra compter avec moi !

La neige qui tombait en rafales avait déjà recouvert le sol de plusieurs centimètres. Tandis qu'il remontait silencieusement la grand-rue en compagnie de Chuck, Cooper réfléchissait. Davis s'était apparemment senti monstrueusement coupable de la trahison de son assistant et avait mené une enquête serrée avant de le contacter.

S. T. Akers avait rendu visite à Santana à Furrows Island en dehors des horaires de visite en invoquant une urgence médicale. Le lendemain matin, dès sept heures, Santana avait appelé son lieutenant de Boston. Davis avait vérifié tous les vols. Les tueurs n'avaient pas pu embarquer pour Boise avant deux heures de l'après-midi. La tempête avait retardé de quatre heures tous les vols au-delà de Logan. Par beau temps, il y avait trois heures de route entre l'aéroport de Boise et Simpson. Pour des étrangers et avec la tempête qui faisait rage, il fallait compter au moins quatre heures.

Coop regarda sa montre à la lumière d'un réverbère. Dix-sept heures trente. Il disposait d'une demi-heure pour préparer le terrain.

Il sursauta lorsque la sonnerie de son portable retentit. Il s'empressa de l'ouvrir et plaça sa main en coupe devant sa bouche.

— Cooper, répondit-il en scrutant la grand-rue.

— Davis. On a du nouveau.

Cooper ferma les yeux et récita une prière silencieuse.

— Dites-moi que la chasse est annulée et qu'on a rappelé les chiens.

— Désolé, soupira Davis. J'aimerais sincèrement pouvoir le faire. Comment ça se présente, de votre côté ?

— Julia est en sécurité. Le shérif et moi nous dirigeons vers la maison pour préparer le comité d'accueil.

— Eh bien, je vous souhaite bonne chance. Vous direz à ces ordures qu'ils n'ont rien à regretter parce qu'ils n'auraient jamais touché la récompense, de toute façon.

— Comment ça ?

— Santana est mort.

— Quoi ? s'exclama Cooper en fronçant les sourcils.

— Santana est mort d'une crise cardiaque foudroyante, annonça Davis d'un ton satisfait. On l'a déclaré officiellement mort à treize heures quinze, heure locale. Je viens tout juste de l'apprendre.

— Aucun risque qu'il simule ?

— Il faudrait qu'il ait passé un accord spécial avec Dieu lui-même. Ses tripes sont étalées sur une table d'autopsie à l'heure qu'il est. Le légiste a déclaré que son foie était dans un état lamentable. Si vous attrapez ces tueurs, cette histoire sera complètement terminée.

— Mettez de côté un morceau de la peau de Santana pour moi, gronda Cooper. Je le clouerai au mur de ma maison.

Il coupa la communication et relégua Davis dans un coin de sa tête. Il devait concentrer toute son attention sur la mission qui l'attendait.

Il désigna la maison de Julia et fit tourner son poignet. «On va entrer par-derrière.» Chuck hocha la tête. Ils contournèrent silencieusement la maison. Cooper ouvrit la porte avec sa clef. Ils entrèrent et Cooper referma la porte derrière Chuck. Il prit une torche électrique dans sa poche, l'alluma et sortit une grenade lumineuse et du fil de déclenchement de sa sacoche, après quoi il tendit les torchons de cuisine à Chuck.

— Essuie les traces derrière moi, murmura-t-il.

Chuck acquiesça et essuya les traces derrière Cooper, une fois qu'il eut fixé les grenades lumineuses aux poignées des deux portes de la maison. L'opération lui avait pris quarante-cinq secondes.

Cooper gagna prestement la chambre. Il entassa des vêtements de Julia sous les couvertures, pour donner à un éventuel observateur extérieur l'illusion qu'elle faisait la sieste. Chuck lui tapota l'épaule, et il hocha la tête. Lui aussi avait entendu. Une voiture descendait East Valley Road.

Il s'approcha de la fenêtre. La voiture roulait tous feux éteints. Elle s'arrêta à une cinquantaine de mètres de la maison, et deux silhouettes en émergèrent sans que le plafonnier s'allume. Elles refermèrent silencieusement les portières. Impossible de distinguer leurs traits, mais leurs mouvements souples et furtifs suffisaient à Cooper pour les identifier comme des professionnels.

Il poussa Chuck dans le placard et referma la porte sur lui. Cela suffirait à le protéger de la déflagration.

Cooper consulta sa montre. Les tueurs avaient quinze minutes d'avance sur l'estimation de Davis. Ces types étaient des rapides et ils étaient bons.

Mais Cooper était meilleur qu'eux.

Julia entendit l'explosion à trois pâtés de maisons de distance. Les vitres du Out to Lunch vibrèrent un instant, puis le silence retomba et le vide qui emplit sa poitrine lui fit écho.

Elle regarda autour d'elle et découvrit l'expression choquée des habitants de Simpson, à l'exception de Sandy, Mac et Bernie. Leurs visages étaient aussi sombres qu'avant, et tous trois avaient placé leurs fusils en appui sur leur épaule, prêts à faire feu.

— Non, murmura Julia.

Maisie s'approcha d'elle pour passer un bras autour de ses épaules. Julia la repoussa.

— Non, répéta-t-elle plus fort.

Personne ne disait rien.

Les doigts gourds, Julia vérifia pour la centième fois le chargeur de son arme. Elle réalisa subitement que s'il était arrivé quoi que ce soit à Cooper, elle aurait le courage de s'en servir. Elle dégagea le cran de sécurité et bondit si rapidement vers la porte que les hommes de Cooper n'eurent pas le temps de la retenir.

— Eh! cria Bernie. Cooper a dit...

Mais elle était déjà dans la rue. Peu lui importait ce que Cooper avait dit. Elle voulait qu'il le lui dise lui-même, en chair et en os, qu'il lui passe un savon parce qu'elle lui avait désobéi. Elle voulait l'entendre lui crier dessus, lui dire qu'elle avait mis sa vie en danger et qu'il ne tolérerait pas ça. Elle voulait Cooper… Elle voulait Cooper.

Vivant.

Julia courait vers sa maison en essuyant ses larmes et la neige qui tombait dans ses yeux, ses chaussures inadaptées au mauvais temps glissant dans la neige qui lui arrivait jusqu'aux chevilles. Mais elle aurait pu lui arriver jusqu'au cou qu'elle ne s'en serait ni aperçue ni souciée. Tout ce qu'elle voulait, c'était rejoindre Cooper.

Elle glissa juste avant d'atteindre le portail de sa maison, se rattrapa en s'accrochant d'une main au réverbère, franchit d'un bond les marches du perron, ouvrit la porte à la volée et adopta aussitôt sa position de tir, genoux fléchis. Haletante, elle écarquilla les yeux.

Deux hommes d'apparence menaçante étaient assis par terre, le dos appuyé au mur du salon et les mains menottées, tandis que Chuck leur récitait leurs droits d'un ton monocorde. Cooper sortit de la salle de bains en suçant les jointures rougies de ses doigts, un pli sévère barrant son front.

Le cœur de Julia fit un bond immense dans sa poitrine. Tremblante, elle referma le cran de sécurité et posa le Tomcat sur la table basse.

Cooper…

Aucun son ne franchit ses lèvres, et elle réessaya.

— Cooper, parvint-elle à dire d'un filet de voix.

Il se retourna et son front se plissa davantage.

— Qu'est-ce que tu... commença-t-il en se dirigeant vers elle. Bernie, ajouta-t-il en regardant par-dessus son épaule, je t'avais dit de la garder à l'abri !

Bernie ouvrit la bouche pour répondre, mais il était à bout de souffle. Julia se jeta dans les bras de Cooper avec un cri de joie.

— Cooper ! Quand j'ai entendu l'explosion, j'ai cru... j'ai cru...

— Je sais, coupa-t-il en la serrant brièvement dans ses bras. Je t'avais dit de ne pas bouger du restaurant.

Julia se contenta d'acquiescer contre son épaule, puis s'immobilisa lorsque son regard se posa sur les deux hommes affalés contre le mur du salon. Elle s'écarta de Cooper et s'approcha d'eux.

— Qu'est-ce qui leur est arrivé ? Leurs visages sont en sang.

— Ils se sont cognés contre une porte, dit Cooper.

— Ils ont cherché à résister quand on les a appréhendés, précisa Chuck.

Julia scruta attentivement le visage de ses ennemis. L'un était blond, ses longs cheveux graisseux retenus en queue-de-cheval, l'autre était brun, coiffé en brosse, avec trois anneaux au lobe d'une seule oreille. Peu importaient ces différences, tous deux partageaient le même regard. Le même regard cruel que celui de Santana. Ils n'auraient pas hésité une seconde à la tuer.

Et d'autres tueurs pouvaient encore arriver.

Elle pivota vers Cooper.

— Santana sait où je suis, maintenant. Il peut envoyer d'autres tueurs...

— Santana n'enverra plus jamais personne nulle part, répondit-il. Il est mort, ma belle. Depuis plusieurs heures. Crise cardiaque. Le cauchemar est fini.

Julia mit plus de deux secondes à comprendre.

Le cauchemar est fini. Elle laissa les mots tourner dans sa tête. *Le cauchemar est fini.* Leur signification lui échappait.

— Oh, dit-elle stupidement. C'est… C'est bien.

Cooper la dévisagea en fronçant les sourcils.

— Assieds-toi, Julia.

Elle secoua la tête et il l'entraîna jusqu'au fauteuil.

— Assieds-toi, sinon tu vas t'écrouler, ordonna-t-il en lui donnant une légère poussée.

Julia sentit ses genoux se dérober et se laissa tomber dans le fauteuil. Un tremblement irrépressible la parcourut. Des points lumineux se mirent à danser devant ses yeux, sa vision devint trouble. Son esprit n'arrivait pas à enregistrer ce que Cooper avait dit.

Le cauchemar est fini.

Des semaines d'angoisse et de solitude si profondes qu'il lui était arrivé de penser qu'elle pourrait en mourir. Des semaines d'isolement et d'exil. De réveils en sursaut, pour découvrir que la réalité était pire encore que ses rêves. Des semaines passées à vivre uniquement pour la minute suivante, parce qu'elle n'avait plus d'avenir.

Le cauchemar est fini.

Un gros sanglot jaillit de sa poitrine, aussitôt suivi d'un autre.

— Oh, mon Dieu, souffla-t-elle, bouleversée.

L'énormité de la chose s'abattit sur elle. Elle parvenait à peine à respirer, à concentrer ses pensées autour de cette idée.

Cooper prit ses mains tremblantes dans les siennes et elle contempla leurs mains jointes sans les voir.

— C'est fini. Je peux partir d'ici. Je peux faire ce que je veux. Je peux rentrer chez moi… Oh, mon Dieu ! Je peux enfin rentrer chez moi. Tout de suite. Oh, mon Dieu, je veux rentrer chez moi tout de suite !

De grosses larmes roulaient sur ses joues et son cœur battait follement. Julia remarqua à peine que Cooper lâchait ses mains.

Elle rabattit ses cheveux en arrière, la tête bourdonnant d'une seule idée : *chez moi*.

Le cauchemar est fini.

Elle regarda autour d'elle et vit Cooper qui s'éloignait. Chuck s'éloignait aussi. Bernie lui présentait son dos, très raide, montant la garde devant les deux tueurs.

Julia réalisa subitement ce qu'elle venait de dire, et l'effet que ses paroles avaient dû avoir sur Cooper. Il avait sans doute cru qu'elle voulait partir pour toujours. Mais ce n'était pas cela qu'elle avait voulu dire. Pas du tout. Ce qu'elle avait voulu dire, c'était… c'était… Elle ne savait absolument pas ce qu'elle avait voulu dire.

Julia s'efforça de rassembler ses idées et réussit seulement à déclencher un début de migraine.

Chuck faisait sortir les deux prisonniers de la maison. Bernie était déjà parti. Cooper emboîta le pas de Chuck et franchit le seuil.

— Personne ne viendra plus t'ennuyer, déclarat-il d'une voix aussi lointaine que son expression. Davis aura besoin de ta déposition, mais ça peut attendre. Je te réserverai un vol pour Boston demain matin. Un de mes hommes t'accompagnera à l'aéroport.

— Non, je…

Julia se leva et tendit la main vers lui, mais la porte s'était refermée. Elle se mordit la lèvre.

C'était peut-être mieux comme ça.

Elle n'aurait pas été capable d'expliquer quoi que ce soit à quiconque. Pas ce soir, en tout cas. Elle se laissa tomber dans le fauteuil. Dans son affreux fauteuil aux ressorts cassés.

Elle réalisa subitement que cet affreux fauteuil allait lui manquer. Bien des choses allaient lui manquer.

Elle allait rentrer chez elle.

Qu'allait-elle retrouver, là-bas ? Qu'est-ce qui l'attendrait ? Son travail ? Bof, les choses avaient dû bien changer depuis le rachat de la maison d'édition. Et puis, Julia s'était tellement habituée à l'idée de ne pas le retrouver qu'elle s'était mise à caresser l'idée de s'établir à son compte.

Jean et Dora ? Bof, elle n'avait pas tellement pensé à elles depuis qu'elle était ici, finalement. Elle s'était bien entendue avec elles quand elles travaillaient ensemble, parce qu'elles lisaient toutes les trois les mêmes livres et se retrouvaient le samedi matin autour d'un café arrosé de potins. Mais c'était tout.

Leur relation était très différente de celle qu'elle avait tissée avec les gens d'ici. Elle s'était impliquée dans leur quotidien. Elle voulait savoir comment Alice allait s'en sortir et si le Out to Lunch serait un succès. Elle voulait continuer à savourer la délicieuse cuisine de Maisie. Elle voulait aider Beth à refaire l'épicerie. Matt lui avait confié qu'il avait écrit les cent premières pages d'un roman de science-fiction, et elle était très curieuse de les lire.

Elle ne pouvait pas quitter tout ce petit monde. Son monde.

Julia sursauta quand une truffe mouillée effleura sa main. Federico, son élégant siamois, avait trouvé une autre famille à régenter. Mais

Fred ? Que deviendrait-il sans elle ? Elle n'avait pas le droit de l'abandonner.

Elle n'avait pas le droit d'abandonner Cooper.

Elle avait réagi de cette façon sous l'effet d'un intense soulagement, mais le brouillard commençait à se dissiper dans son esprit. Elle voulait retrouver Cooper. L'homme qui savait si bien combler ses désirs. L'homme qui la faisait jouir comme aucun homme ne l'avait fait avant lui, et qui la protégeait comme aucun autre ne saurait le faire.

L'énorme vague d'émotions qui l'avait submergée reculait, la laissant calme et résolue.

Elle s'était comportée comme une idiote, mais ce n'était pas grave. Cooper lui pardonnerait. Il avait intérêt, sinon... sinon, elle lui casserait la figure !

Elle se leva, décrocha le téléphone et regarda stupidement le combiné. Il n'y avait pas de tonalité. Elle le secoua, comme si cela pouvait la faire revenir. Le téléphone se mit alors à sonner, et elle lâcha le combiné comme s'il l'avait brûlée. Qu'est-ce que c'était que cette diablerie ? La sonnerie retentit à nouveau, et elle comprit que c'était celle de la porte d'entrée.

Cooper ! Il était revenu !

Julia courut ouvrir. Mary Ferguson se tenait sur le seuil, les épaules couvertes de neige, une petite valise à la main.

— Salut, dit-elle avec un sourire timide. Je m'en vais, je rentre chez mon papa. Je voulais venir au restaurant, mais ma voiture est tombée en panne. Heureusement, un gentil voisin l'a réparée et je passais te dire au revoir. Je peux entrer une minute ?

Déçue par cette apparition inattendue alors qu'elle attendait Cooper, Julia sentit ses bonnes manières mener un combat titanesque contre son envie de la planter là. Ses bonnes manières remportèrent la victoire d'un cheveu.

— Bien sûr, répondit-elle en plaquant un sourire sur ses lèvres, reculant pour permettre à Mary d'entrer.

— Cette tempête est vraiment impressionnante, dit celle-ci en posant sa petite valise dans l'entrée.

— Oui. Assieds-toi dans le salon, je vais faire du thé, annonça Julia en se dirigeant vers la cuisine pour mettre de l'eau à bouillir. C'est dommage que tu n'aies pas pu venir au restaurant, dit-elle en rejoignant Mary au salon, un mug dans chaque main.

— Avec la garde rapprochée qu'il y avait autour de toi, je n'aurais rien pu faire, répliqua Mary.

Le fracas des tasses tombant sur le sol disparut sous le bourdonnement qui retentissait dans les oreilles de Julia.

Mary Ferguson braquait un revolver sur elle.

Dès qu'il eut quitté la ville, Cooper regretta d'avoir laissé Julia toute seule. Son pick-up glissa sur une plaque de verglas. De puissantes rafales de vent projetaient la neige contre son pare-brise et les essuie-glaces peinaient à les chasser.

Le vent lui-même lui soufflait de faire demi-tour.

La fierté est un sentiment étrange, rêvassa-t-il. La fierté avait étouffé quatre générations de Cooper.

Julia avait dit qu'elle voulait rentrer chez elle. Et alors ? C'était parfaitement naturel qu'elle ait envie de rentrer chez elle, non ? N'importe qui en aurait eu envie. Cooper l'avait vue se fondre avec une telle aisance dans le paysage de Simpson qu'il avait oublié qu'elle n'était pas née ici et qu'elle avait eu une autre vie.

Il ne lui avait même pas permis de s'expliquer. Il n'avait pas tenu compte du choc qu'avait été pour elle l'annonce de la mort de Santana. Non, drapé dans sa fierté, il s'était contenté de l'informer qu'un de ses hommes l'accompagnerait à l'aéroport.

Cooper l'imagina, triste et seule, bouleversée par les événements de la journée.

Il n'aurait pas dû la laisser seule. Surtout pas ce soir. Il aurait dû rester avec elle, la réconforter, lui préparer à manger et la regarder s'étrangler sur l'épouvantable mixture qu'il lui aurait servie, tout en inventant des compliments parfaitement immérités sur sa cuisine.

Le pick-up dérapa à nouveau et Cooper ralentit. C'était trop bête. Il devait absolument faire demi-tour. Il s'appliqua à conduire le pick-up d'une seule main tandis qu'il pêchait son portable de l'autre pour l'avertir qu'il revenait. Il composa son numéro. Aucune sonnerie ne retentit.

Il avait dû se tromper de numéro. Cooper s'arrêta et composa à nouveau le numéro de Julia en fronçant les sourcils. Il réessaya trois fois de suite, puis éteignit son portable.

Une peur panique broya ses entrailles.

Sombre abruti, ragea-t-il intérieurement. Il s'était senti offensé dans sa fierté et n'avait plus été en mesure de penser clairement.

Personne n'avait jamais dit que Santana n'avait envoyé que deux tueurs. Un troisième larron avait très bien pu descendre de voiture avant que les deux premiers s'arrêtent. Un tueur qui était peut-être déjà chez elle à cet instant précis.

Il avait laissé Julia seule et *sans défense*.

Cooper sentit son sang se glacer dans ses veines. Il tourna le volant du pick-up jusqu'à heurter le bord de la route et opéra un demi-tour. Furieux contre lui-même, il appuya sur la pédale de l'accélérateur et fonça à tombeau ouvert en direction de Simpson.

— Mary, dit Julia en passant sa langue sur ses lèvres sèches, tu devrais faire attention avec ce revolver, il est peut-être chargé.

— Évidemment qu'il est chargé, pauvre andouille, rétorqua-t-elle en sortant un appareil photo de sa valise. Les balles qui sont là-dedans attendent l'instant de te tuer depuis bientôt deux mois. Va te mettre devant le mur qui est là-bas, ordonna-t-elle après avoir dévisagé Julia d'un œil critique. Il me faut un fond clair.

— Mary ? murmura Julia. Qu'est-ce que tu fais ?

— Ce que je fais ? Je suis en train de gagner deux millions de dollars, ma chérie. Va là-bas, répéta-t-elle en désignant le mur crème du canon de son revolver.

Julia alla se placer à l'endroit indiqué sans la quitter des yeux. Elle contourna la table basse sur laquelle se trouvait le Tomcat.

— Mauvaise idée, Julia, fit Mary en se rapprochant pour s'en emparer.

Elle l'ouvrit et retira le chargeur.

— Un Tomcat 32. Excellent choix. Mais il ne te sera d'aucune utilité.

Comment Julia avait-elle pu prendre Mary pour une jeune fille ? Cette femme devait être un génie du maquillage. Maintenant qu'elle la regardait attentivement, Julia discernait de fines rides d'expression autour de ses yeux et de sa bouche.

— Mary… pourquoi fais-tu cela ? Qu'est-ce que je t'ai fait ?

Mary éclata de rire.

— Premièrement, je ne m'appelle pas Mary, mais ne compte pas sur moi pour te révéler mon vrai nom. Deuxièmement, comme je viens de te le dire, je vais te tuer. Je te cherche depuis le mois d'octobre. Grâce à toi, je vais pouvoir m'acheter une somptueuse villa au bord de la mer et vivre sur un pied royal jusqu'à la fin de mes jours. Grâce à ta jolie tête.

Mary se pencha pour vérifier la lentille de son appareil photo, puis fit le tour de la pièce et alluma toutes les lampes. Le revolver ne dévia pas une fraction de seconde de Julia.

— Il faut que la lumière soit bonne, marmonna-t-elle.

— Mais… dit Julia dont l'esprit avait du mal à suivre le cours des événements. Ils ont arrêté les hommes de Santana. Ils ont essayé de me tuer, mais ils n'y sont pas arrivés.

— Ces clowns ? rétorqua Mary d'une voix acide. Des braqueurs de Malabar, voilà ce que c'est. Quand je pense qu'ils ont failli me rafler sous le nez la récompense qui me revient de droit ! Grâce à ces photos, Santana saura à qui il doit la verser.

— Non ! s'écria Julia en réprimant un sanglot de soulagement. Santana ne te payera pas. Il ne peut pas. Tu n'es pas au courant ? Santana est mort. Cet après-midi.

— Tu mens ! ricana Mary.

Stupéfaite, Julia regarda attentivement ses yeux bleu pâle. Elle n'y lut pas la froide brutalité de Santana ou des deux tueurs qui s'étaient introduits chez elle. Elle y distingua seulement l'éclat terne et aveugle de la folie meurtrière.

— Tu mens pour sauver ta peau, mais ça ne prend pas.

Le fin sourire de Mary ne trouva aucun écho dans ses yeux.

— Je vais te tuer et je ferai parvenir les photos de ton exécution à Santana qui me versera la récompense.

— Mais il ne peut pas ! Il ne peut pas te verser la récompense !

Julia s'efforçait de lui faire entendre raison, mais Mary était impénétrable, complètement inaccessible. Le revolver qu'elle tenait à la main remonta lentement.

Du temps, se dit Julia. Il lui fallait du temps. Si seulement elle trouvait quelque chose pour retarder Mary jusqu'à ce que quelqu'un vienne à son aide. Cooper allait sûrement...

Mais elle l'avait fait fuir. Stupidement, elle avait fait fuir la seule personne susceptible de la sauver.

— Tu ferais mieux de rentrer chez toi, Mary, dit-elle, parce que tu ne toucheras jamais la récompense. Si tu t'en vas maintenant, je te jure de ne parler de ça à personne. Personne ne saura jamais rien. Pose ton revolver et va-t'en. Santana est mort.

Le revolver était à présent braqué sur son cœur.

— Je t'en supplie, murmura Julia.

— Je t'en supplie, la singea Mary. Au nom de quoi ? Qu'est-ce que tu as à m'offrir de mieux que deux millions de dollars ? Je vais m'acheter une nouvelle vie avec cet argent. Une nouvelle vie en échange de la tienne. C'est plutôt honnête, non ? ricana-t-elle.

— Non, répondit Julia en s'efforçant de garder son calme. Tu ne pourras pas t'acheter une nouvelle vie en échange de la mienne. Tu n'iras pas loin avec cette tempête. Ils te rattraperont. Tu auras fait tout cela pour rien, parce que Santana est mort.

— Tu mens ! hurla Mary en pressant la détente.

Julia fut projetée contre le mur et une douleur irradia dans son épaule. Elle chancela un instant sur ses jambes, puis s'écroula. À travers une sorte de brouillard, elle vit Mary se rapprocher et s'accroupir devant elle. Un éclair surgit devant ses yeux, suivi d'un autre. Elle mit un moment à comprendre qu'il s'agissait du flash de l'appareil photo.

Mary se releva, sa chaussure glissant un instant sur le sang de Julia, et une expression dégoûtée se peignit sur ses traits.

— Du sang, cracha-t-elle. J'ai horreur du sang. Encore une série de photos avant le dernier cliché – celui de ta tête tranchée – et ce sera terminé, ma chérie. Après ça, je me sauve. J'ai un avion à prendre.

Julia vit le devant de son pull se teinter de rouge et réalisa vaguement, comme si l'information lui était faxée d'un pays étranger, que c'était son propre sang qui le rougissait. Un grognement féroce s'éleva soudain dans la pièce, qui parvint aux oreilles de Julia à travers le brouillard de son esprit.

— Dégage, sale clébard !

Mary donna un violent coup de pied à Fred. Il s'était placé devant sa maîtresse, le poil hérissé. Il grognait et avait mordu la main de Mary quand elle avait voulu presser le canon de son arme contre la tempe de Julia.

— Dis à ton chien de s'écarter, siffla Mary. Je suis pressée.

— Gentil chien, dit Julia. Brave Fred.

La douleur commençait à poindre. Elle s'étalait par vagues, encore lointaines, qui se rapprochaient.

— Si tu ne le rappelles pas, je serai obligée de tirer d'ici, prévint Mary en pointant son arme sur la tête de Julia et en fermant un œil.

Julia sentit sa tête devenir très lourde. Elle la souleva difficilement et regarda l'arme braquée sur son front.

Elle ne voulait pas mourir. Elle voulait vivre. Elle voulait vivre et se marier avec Cooper, briser la malédiction des Cooper et remplir sa maison de petites filles rousses qui le feraient tourner en bourrique. Elle n'avait même pas eu le temps de lui dire qu'elle l'aimait.

Julia vit le doigt de Mary se raidir sur la détente et se dit que c'était fini.

Une détonation retentit, et une fleur rouge surgit au milieu du front de Mary. Fred aboyait et Cooper s'agenouillait près d'elle, retirait sa veste, la plaçait sur ses épaules, la serrait dans ses bras et criait :

— Julia ! Julia !

Elle sentit sa main presser fortement la blessure de son épaule.

Des soleils tournoyèrent devant ses yeux et elle voulut lui dire d'arrêter, mais la douleur lui coupa le souffle.

— Julia, fit Cooper en la soulevant avec précaution. Ne meurs pas, Julia, poursuivit-il d'une voix brisée. J'ai besoin de toi. Accroche-toi. Je vais t'emmener chez le Dr Adams, à Rupert. Il faut que tu tiennes. Parle-moi, Julia. Tu ne vas pas mourir. Je ne te laisserai pas mourir. Parle-moi, s'il te plaît.

Parle-moi.

— Eh, murmura Julia en posant une main tremblante sur la joue de Cooper.

Elle était chaude, rugueuse et solide. À l'image de Cooper.

— Tu m'as piqué ma réplique.

Épilogue

Quatre ans plus tard

— « Fin. »

Julia se redressa, satisfaite, et regarda un moment le curseur clignoter à l'écran. Avec un profond soupir de soulagement, elle sauvegarda le fichier, puis éteignit l'ordinateur et s'étira en grimaçant. Son épaule tirait plus que d'habitude, ce qui signifiait que la neige n'allait pas tarder à tomber. D'après la météo, la tempête de neige qui s'annonçait menaçait d'être aussi forte que celle qui avait fait rage pour Thanksgiving quatre ans auparavant.

Une tempête qui avait failli lui coûter la vie. Quand elle était arrivée à la clinique de Rupert, sa tension avait dramatiquement chuté et sa vie ne tenait plus qu'à un fil. Ses cauchemars étaient toujours teintés de blanc depuis ce jour – neige, pansements, médecins et infirmières en blouses blanches, lumière blanche et aveuglante du bloc opératoire juste avant de succomber à l'anesthésie…

Elle avait eu de la chance de s'en sortir avec une simple épaule baromètre en souvenir de sa blessure. Si Cooper n'avait pas su comment appliquer un bandage de pression et s'il n'avait pas bravé la tempête jusqu'à Rupert… Julia frissonna.

Dès qu'elle avait eu la force de s'asseoir dans son lit, Cooper avait fait venir un juge de paix pour les marier. C'était là, dans cette chambre d'hôpital remplie de fleurs et en présence de leurs amis de Simpson, qu'elle avait uni ses jours aux siens.

Elle avait été plâtrée durant six mois et avait enduré six autres mois de rééducation avant de retrouver complètement l'usage de son épaule. Pendant toute cette période, Cooper lui avait interdit de travailler. La naissance des jumelles avait accaparé tout son temps au cours des deux années qui avaient suivi.

Elle avait abordé l'idée d'avoir des enfants au cours de leur premier voyage à Boston, lorsqu'elle avait été en mesure de se déplacer confortablement. Elle avait vendu son appartement, expédié toutes ses affaires en Idaho et avait passé une soirée émouvante avec ses anciens amis. Elle les avait chaleureusement invités à venir leur rendre visite, et plusieurs d'entre eux l'avaient déjà fait.

Leur décision n'avait rien eu de traumatisant. Après avoir fait l'amour la moitié de la nuit dans son ancien appartement, Julia avait tranquillement annoncé à Cooper qu'elle n'avait pas renouvelé son ordonnance de pilule contraceptive.

— Bon, avait-il répondu.

La question était réglée.

Ils n'avaient pas imaginé qu'elle donnerait le jour à des jumelles aussi exubérantes. La première année, Julia n'avait pas eu une minute à elle, mais petit à petit, elle s'était mise à trouver le temps long. Elle s'était donc lancée dans sa nouvelle carrière d'éditeur free lance. Le manuscrit qu'elle venait de relire serait le premier livre qu'elle publierait. Il s'agissait d'un roman signé par Rob Manson, l'ami journaliste de Cooper. Manson avait gagné le prix Pulitzer pour l'article qu'il lui avait consacré, intitulé « La ville qui a sauvé Julia. »

Cooper lui avait raconté son histoire. Intrigué, Manson était venu à Simpson pour mener des recherches de terrain, avait fait la connaissance d'Alice et décidé de rester en se faisant embaucher comme directeur du *Pionnier de Rupert*. Son article avait fait le tour du pays. Le tableau qu'il y dressait de l'inefficacité du Programme de sécurité des témoins avait entraîné la nomination d'un nouveau directeur ainsi qu'une révision de son budget.

Pour plaisanter, Rob disait souvent que Simpson était en réalité « la ville qui a été sauvée par Julia ». Au cours des dernières années, plusieurs sociétés s'étaient implantées dans la région. Le frère de Rob, concepteur de programmes informatiques à Cupertino, lui rendait fréquemment visite et pensait établir sa nouvelle start-up à Simpson. Rob et Alice s'étaient mariés l'année précédente et attendaient leur premier enfant.

Julia se leva pour aller voir ce que faisaient Cooper et les enfants. Traverser la pièce immense qui lui tenait lieu de bureau lui prit un temps fou. Cooper avait entièrement rénové le dernier étage de la maison pour son usage personnel. Il y avait facilement trente mètres depuis son bureau jusqu'à la porte.

Elle disposait d'une salle de travail, d'une bibliothèque pour entreposer ses ouvrages de référence, d'une salle d'impression, d'une salle d'attente et de ce que Cooper appelait une « salle de réflexion » – un espace lumineux qui donnait sur l'aire d'entraînement des chevaux.

Julia passa une main sur son ventre. Si le test de grossesse qu'elle avait fait ce matin-là disait vrai, elle donnerait naissance à une troisième petite Cooper au mois d'août. Ce serait une fille. Elle n'en doutait pas un instant. La malédiction des Cooper avait volé en éclats à la naissance de Samantha et Dorothy. Fred avait lui aussi trouvé une compagne, une adorable femelle colley, et ils avaient donné naissance à une portée uniquement composée de femelles. Les juments du ranch donnaient de plus en plus souvent naissance à des pouliches.

Julia ouvrit la porte en chêne massif de son bureau à l'instant précis où la porte d'entrée de la maison se refermait. La voix grave de Cooper retentit dans le hall, ponctuée du babil suraigu de ses filles.

Des pas retentirent dans l'escalier, accompagnés par le raclement des griffes de Fred qui fermait la marche. Julia se pencha au-dessus de la rampe et sourit à Cooper.

— On peut monter ? demanda-t-il.

Il portait une petite fille de deux ans sur chaque bras et semblait tout à la fois heureux et épuisé, comme toujours depuis la naissance des jumelles.

— Bien sûr, acquiesça Julia. Entrez, j'ai une nouvelle à vous annoncer.

— Tu as terminé ? s'enquit Cooper en atteignant le palier. Quel est ton pronostic ?

— Le livre ? répliqua Julia en levant les pouces. Best-seller garanti ! Mais ce n'est pas de ça que...

— Tant mieux, l'interrompit-il. Alice n'a pas cessé de me tourner autour ce matin quand je suis passé prendre un café. Elle n'a pas eu le courage de me demander ce que tu pensais du roman, et j'ai fini par avoir pitié d'elle. Je lui ai dit que tu avais pratiquement terminé ta relecture.

— J'irai les voir tout à l'heure.

Julia tendit son visage vers lui pour qu'il l'embrasse ; Cooper se pencha, sourit, puis grimaça lorsque Samantha lui tira les cheveux. Ses cheveux autrefois d'un noir de jais devenaient de plus en plus gris, et ses filles étaient responsables de tous ses cheveux blancs.

— Aïe ! Lâche-moi, Sam ! dit-il en essayant d'écarter les doigts de Samantha. Sois gentille, ma puce, lâche-moi.

Samantha se mit à tirer encore plus fort avec un gloussement ravi.

— Par pitié, mon ange, laisse papa tranquille...

Julia poussa un soupir et se hissa sur la pointe des pieds de façon à croiser le regard de la fillette.

— Samantha, ça suffit, dit-elle d'un ton sévère. Arrête de tirer les cheveux de papa. Tout de suite !

Ses grands yeux turquoise lancèrent des éclairs en direction des yeux noirs de Samantha, dont la menotte potelée s'écarta des cheveux de Cooper. La fillette savait qui commandait.

— Comment fais-tu ? marmonna Cooper en se frottant le cuir chevelu. Moi, elle ne m'obéit jamais. Dorothy non plus, d'ailleurs.

Julia leva les yeux au ciel.

— Franchement, Cooper ! Tu es plus grand et plus fort qu'elles. Tu es expert en arts martiaux. Tu es un ancien SEAL, pour l'amour de Dieu ! Si tu n'arrives pas à les convaincre, utilise la violence.

Julia réprima un sourire devant l'expression choquée de Cooper. Son sens de l'humour s'était envolé à la naissance des jumelles.

Les filles se tortillaient dans tous les sens. Cooper se pencha et les posa par terre. Samantha et Dorothy restèrent miraculeusement immobiles un instant. Elles regardèrent autour d'elles en clignant des yeux. Cette pièce leur était normalement interdite, et elles se demandaient certainement quelles bêtises elles allaient bien pouvoir faire.

Julia contempla ses deux adorables petites diablesses et sentit son cœur se gonfler d'amour. Dot et Sam avaient hérité de sa chevelure rousse et étincelante, et des yeux noirs de Cooper. Elles étaient très vives et n'avaient peur de rien. *Mes filles*, se dit Julia dans un élan de sentimentalisme qui ne lui ressemblait guère.

C'est sans doute hormonal, songea-t-elle ensuite. Un effet de la nouvelle vie qui bourgeonnait en elle. Elle se laissa aller contre Cooper qui la serra instinctivement dans ses bras, tandis qu'ils regardaient les petites filles partir dans des directions opposées.

Julia donna un coup de coude à Cooper.

— Aïe ! Pourquoi cette agressivité ? fit-il mine de se plaindre.

— J'ai quelque chose à te dire, mais je veux d'abord que tu m'embrasses.

— C'est tout ? répondit-il, les yeux brillants. Pourquoi ne l'as-tu pas dit plus tôt ?

Julia passa les bras autour de son cou et s'abandonna à la magie de ses baisers, intacte après quatre ans de mariage.

Au bout de quelques secondes, Cooper rouvrit un œil paternel et averti. Son autre œil s'écarquilla d'horreur, et il interrompit leur baiser.

— Dorothy !

Il s'élança et écarta les ciseaux des mains de sa fille juste à temps. Fred, allongé sur le flanc, laissait docilement la fillette couper les longs poils jaunes qui couvraient son ventre. Dorothy avait été sur le point d'empêcher ce brave Fred de pouvoir engendrer une nouvelle portée !

— Dot, dit Cooper en s'accroupissant devant elle. Il ne faut pas faire ça. Pauvre Fred, tu allais lui…

Dot fondit en larmes, et le visage de Cooper revêtit cette expression paniquée qu'il prenait toujours quand ses filles se mettaient à pleurer.

— Ne pleure pas, mon ange, ce n'est rien…

Il jeta un coup d'œil à Julia, qui pouffait de rire contre son poing fermé.

— Quoi ? grommela-t-il, vexé.

— C'est de ta faute, Cooper, répondit-elle en s'adossant à une étagère de livres. Toi et tes hommes, Rafael et même Fred, vous n'arrêtez pas de ramper devant elles. Comment veux-tu qu'elles te prennent au sérieux ? Sam et Dot vont grandir en étant persuadées que tout ce qui a un chromosome Y est destiné à leur servir de domestiques.

Elle parlait dans le vide. Cooper avait déjà pris Dorothy dans ses bras pour la consoler, s'évertuant à lui tirer un sourire.

— Voilà, ma puce. Va jouer maintenant, dit-il en la reposant par terre et en lui donnant une petite tape sur les fesses.

— Coop ? lança Julia.

— Oui ?

— Ce que je voulais t'annoncer, c'est que…

— Oh ! J'allais complètement oublier de te dire, l'interrompit-il. Sandy leur a fait monter Southern Star. Il dit que Sam a la tenue en selle d'une future championne. Dot aura un peu plus de mal…

— Cooper, soupira Julia. Elles n'ont que deux ans. C'est bien trop tôt pour que Sandy puisse prétendre juger de leur tenue en selle. Mais revenons à ce que je voulais t'annoncer…

— Ce n'est pas du tout trop tôt, répliqua Cooper d'un ton sérieux. La pouliche de Pure Gold sera prête à être montée dans deux ans et demi, et les filles doivent se familiariser avec elle le plus tôt possible. Tandis qu'à l'inverse...

— Cooper, j'essaye de te dire quelque chose, là...

— Bernie me disait que cette fille qu'il a rencontrée à Dead Horse, tu sais, la jolie fille qui entraîne les chevaux du domaine Hughes, là ? Eh bien, il me disait qu'elle lui avait dit...

— Cooper...

— ... qu'elle a commencé à monter quand elle avait deux ans. Son père l'a mise sur un poney le jour de son deuxième anniversaire, et à partir de là elle a monté tous les jours. Eh bien je suis prêt à parier que nos filles...

— Cooper...

— ... seront championnes d'Idaho. Peut-être même championnes olympiques, si elles le veulent. Attends voir, le plus tôt serait pour les Jeux de 2020, mais si elles commencent à s'entraîner dès maintenant, je parie qu'on...

Julia posa deux doigts sur ses lèvres pour lui imposer le silence.

— Cooper, fit-elle tendrement. Tais-toi, s'il te plaît.

Le 1er septembre :
Ultime espoir ✍ **Meredith Duran**

INÉDIT

Lydia Boyce est une jeune femme intelligente et cultivée, qui vend les antiquités de son père égyptologue en Angleterre. Lorsqu'elle apprend qu'une pièce vendue au scandaleux vicomte Sanburne est un faux, elle voit rouge et décide d'enquêter.
Contre son gré, le jeune homme lui vient en aide et elle ne peut résister longtemps à ce dilettante trop séduisant.
Mais le charisme de Sanburne cache un esprit plus acéré et un passé plus sombre qu'il n'y paraît...

La légende des quatre soldats —4. Le revenant
✍ **Elisabeth Hoyt**

INÉDIT

Les sept ans que Reynaud St. Aubyn vient de passer en captivité l'ont rendu presque fou. Lorsqu'il revient chez lui, on s'interroge : cet homme peut-il vraiment être l'héritier du comte ?
La nièce de ce dernier, quant à elle, n'en croit pas ses yeux : celui dont le portrait la fait rêver depuis des années est de retour... et tente de l'attirer dans son lit. Elle seule parvient à voir la noblesse derrière la sauvagerie de Reynaud... mais son amour suffira-t-il face à un homme prêt à tout pour regagner son titre ?

Un jour tu me reviendras ✍ **Lisa Kleypas**

Quelle corvée ! Jessica est censée séduire des mécènes pour le théâtre de son patron, qui lui chuchote à l'oreille :
– N'oubliez pas ce grand homme brun, là. C'est une des plus grosses fortunes du royaume, le marquis de Savage.
En entendant ce nom, Jessica blêmit. Lord Savage est l'homme auquel sa famille l'a mariée lorsqu'elle était enfant, et qu'elle fuit depuis des années... Jamais elle n'avait pensé que son époux puisse être aussi séduisant !

Le 15 septembre :
Les Highlanders du Nouveau Monde —2. Fidèle à son clan ✍ **Pamela Clare**

INÉDIT

Forcé de combattre aux côtés des Anglais qu'il déteste, Morgan MacKinnon n'en est pas moins loyal aux hommes qu'il dirige – même lorsqu'il tombe aux mains des Français. Et seul le regard innocent d'une jeune Française pourrait le faire renoncer à son projet de s'échapper et de retourner en Angleterre. Bientôt, sa passion pour Amalie lui fait maudire cette guerre qui le force à choisir entre son honneur et la femme qu'il aime...

9334

Composition
CHESTEROC LTD

Achevé d'imprimer en Italie
par GRAFICA VENETA
le 25 juillet 2010.
Dépôt légal juillet 2010.
EAN 9782290027073

ÉDITIONS J'AI LU
87, quai Panhard-et-Levassor, 75013 Paris
Diffusion France et étranger : Flammarion